GUIA DE

hablar inglés

en quince días

MÉTODOS ROBERSTON

EDICIONES
LU
Llibreria Universitària
BARCELONA

Aribau, 17 – 08011 Barcelona
Tel. 93 453 20 27 – Fax 93 323 55 57
info@edicioneslu.com
www.edicioneslu.com

Depósito legal: B-9.766-2005
ISBN 84-96445-07-0
EAN 9788496445079

Printed in Spain-Impreso en España

Presentación

Si usted cree que el mundo es ya pequeño, no deje olvidado este "librito" en la estantería de la biblioteca o sobre la mesa del despacho. Llévelo siempre consigo, le será muy útil. Le sacará de más de un apuro y le granjeará la admiración de algún amigo o compañero de viaje. En sus desplazamientos de trabajo o de placer, en sus viajes turísticos o de negocios fuera del país, será un auxiliar de gran valía y un complemento indispensable a sus conocimientos de lengua inglesa. ***HABLAR INGLÉS EN 15 DIAS*** *es un libro para hablar inglés. No es un tratado lingüístico o gramatical, es un manual para habla inglés.*

Saber desenvolverse bien en el restaurante en el aeropuerto, en los grandes almacenes, en el museo, ante el quiosco o en la gasolinera, dice mucho y muy bien de uno.

Y si además quiere hacer ejercicio de memoria, trate de aprender frases, cuantas más mejor, y verá cómo, sin darse cuenta, aumenta sus conocimientos de inglés y toma soltura y confianza en si mismo. Este libro contiene una vastísima "colección" de frases de uso corriente en la agencia de viajes, en el taller de reparaciones, en la aduana, en la estación en el hotel, en el restaurante, en la ciudad, en correos, en los almacenes, etc. También se ha incorporado un resumen de gramática cuya utilidad práctica está fuera de toda discusión.

Índice temático

Temas ilustrados

En la agencia de viajes

At the travel agency's

Deseo salir para Inglaterra, Francia, los Estados Unidos... el día... 1 I want to leave for England, France, the United States on the... **2** *Aiuónt tulíiv faríngland, frans, dzi yunáitid stéits on dzœ...*

Me interesa ir en avión. 1 I want to go by plane. **2** *Ai uónt tugóu bai pléin.*

Me gustaría salir la semana próxima. 1 I should like to leave next week. **2** *Áischud láik tulíiv nekst uíik.*

¿Podría hacerme un itinerario del viaje y presupuesto? 1 Could you prepare me an itinerary and an estimate? **2** *Cúdyu pripär mi än aitínerari ända néstimeit?*

Un viaje a "forfait" 1 A package tour. **2** *A pákach tur.* **Ida y vuelta 1** To be a return trip **2** *Tubía ritœn dchœni.*

Sólo ida, pues es posible que desde allí me dirija a otro país. 1 No, one-way only, as I may be going from there to another country. **2** *Nóu, oán-véióunli, äzai méibi góuing from dzéa túa nádza cantri.*

Todo completo y en hoteles de segunda categoría. 1 All included, with second class hotels. **2** *Ool incliudid, uidz sécand cláas joutelz.*

Deseo destinar... días a este viaje. 1 I want to *spend... days on the journey.* **2** *Ai uónt tuspénd... déiz on dzœ dchœni.*

¿Cuánto cuesta todo? 1 What does that all come to? **2** *¿Uót daz dzat óol camtu?*

De no poder salir, ¿me devolverán el importe del

Travel agency's

billete? **1** If I cannot go, will you return me the fares? **2** *¿Ifái cä'not góu, uílyu ritœnmi dzœ féaz?*

Deseo un camarote de primera para... con dos literas. **1** I want a first class two berth cabin. **2** *Ai uónta fœst cláas túbœz cábin.*

¿Cuánto vale? **1** How much is it? **2** *¿Jau mach ízit?*

Perfectamente, mañana pasaré a recoger el pasaje. **1** All right. I'll come for my ticket tomorrow. **2** *Ool réit, ail cám tamái, tikit tamórou.*

Haga el favor de enviarme el pasaje al hotel, allí lo abonará el conserje. **1** Please send the tickets to the hotel. The porter will pay for them. **2** *Plíiz send dzœ tikitz tudzœ jotél. Dzœ póota uil péi fodzem.*

Quisiera hacer un viaje de recreo por... **1** I want to take a pleasure trip to... **2** *Ai uónt tutéika plesya trip tu...*

¿Qué ciudades me aconseja que visite? **1** What towns do you advise me to visit? **2** *¿Uót táunz duyu adváizmi tuvízit?*

¿Podría combinarme un viaje para...? **1** Could you arrange me a combined, journey to...? **2** *¿Cúdyu avéindchmi aecom báind dchœnitu...?*

Desearía hacer el viaje en autocar, en autopullman, y los hospedajes en hoteles de segunda clase. **1** I should like to make the trip by motor coach, by pulman coach, and stay at second class hotels. **2** *Aischud láik tuméik dzœ trip bái móta coch, bái pulman coch, and stéiat sécond cláas jótélz.*

Quisiera visitar la región... **1** I should like to visit the... region. **2** *Ai schud láik tuvízit dzœ... ríidchan.*

Resérveme dos plazas para el autocar del día... **1** Book me two seats on...'s coach. **2** *Bukmi túu síits an......s coch.*

¿Me podría facilitar folletos turísticos? **1** Have you any tourist literature? **2** *¿Jävyu éni túrist litaratyúa?*

¿Cuánto le debo? **1** How much do I owe you? **2** *¿Jáumatch dúai óuyu?*

El viaje*

The journey

En automóvil — By car

El parachoques. 1 The bumpers. **2** *Dzœ bámpaz.*

El guardabarros. 1 The mud-guards. **2** *Dzœ mádgadz.*

El radiador. 1 The radiator. **2** *Dzœ réidiéta.*

La rueda. 1 The wheel. **2** *Dzœ uíil.*

La rueda de recambio. 1 The spare wheel. **2** *Dzœ spéa uíil.*

El neumático o la cubierta. 1 The tyre, the cover. **2** *Dzœ táia, dzœ cáva.*

La cámara. 1 The inner tube. **2** *Dzœ ína tyúb.*

Los faros. 1 The headlights. **2** *Dzœ jédlaits.*

Las luces de posición. 1 The parking lights. **2** *Dzœ parking laits.*

La luz trasera. 1 The rear light. **2** *Dzoe ría lait.*

El intermitente. 1 The direction indicator. **2** *Dzœ dairékschan índikeita.*

La matrícula. 1 Licence plate. **2** *Dzœ láisens pléit.*

La cerradura. 1 The lock. **2.** *Dzœ lok.*

La cubierta del motor (el "capot"). 1 The bonnet. **2** *Dzœ bónit.*

El parabrisas. 1 The windscreen. **2** *Dzœ uíndskríin.*

La capota (cubierta del coche). 1 The (car) roof. **2** *Dzœ (cáa) ruf.*

La portezuela. 1 The door. **2** *Dzœ dóa.*

El portaequipajes. 1 The boot. **2** *Dzœ búut.*

El tanque de gasolina. 1 The tank. **2** *Dzœ tänk.*

El volante. 1 The steering wheel. **2** *Dzœ stíiring uíil.*

La bocina. 1 The horn. **2** *Dzœ jóan.*

El indicador de gasolina. 1 The petrol gauge. **2** *Dzœ pétral ghéidch.*

---

* Ver p. 47, **La llegada**; p. 50, **La aduana** y p. 224, Reservas hotel.

El indicador de aceite. 1 The oil gauge. **2** *Dzœ óil ghéidch.*

El indicador de temperatura. 1 The temperature gauge. **2** *Dzœ témparatyur ghéidch.*

El cuenta velocidades. 1 The speedometer. **2** *Dzœ epidornita.*

El contacto. 1 The ignition switch. **2** *Dzœ ignischan suitch.*

El interruptor de los faros. 1 The head light switch. **2** *Dzœ jéd láit suítch.*

El acelerador de mano. 1 The hand throttle. **2** *Dzoe jänd zrátel.*

El interruptor de aire. 1 The choke. **2** *Dzoe tchóuk.*

La palanca del cambio de marchas. 1 The gear lever. **2** *Dzœ guia líiva.*

La palanca del freno. 1 The brake lever. **2** *Dzoe bréik líiva.*

El acelerador de pie. 1 The foot accelerator. **2** *Dzœ fut aksélaréita.*

El embrague. 1 The clutch. **2** *Dzœ klatch.*

El ventilador. 1 The fan. **2** *Dzœ fan.*

El filtro de aire. 1 The air filter. **2** *Dzi éa fílta.*

La batería o el acumulador. 1 The battery or the accumulator **2** *Dzoe bä'tari o dzœ akyúmuléita.*

El alumbrado de cruce-carretera. 1 The driving lights. **2** *Dzœ draiving laits.*

El retrovisor. 1 The rear-view mirror. **2** *Dzœ ríavíu mirror.*

La refrigeración. 1 The cooling system. **2** *Dzœ cúling sistem.*

La caja de cambios. 1 The gear box. **2** *Dzœ guia báks.*

La marcha atrás. 1 The reverse. **2** *Dzœ riváas.*

La suspensión. 1 The suspension. **2** *Dzœ suspenshön.*

El amortiguador. 1 The shock absorber. **2** *Dzœ schák absóaba.*

El diferencial. 1 The differential. **2** *Dzœ difaréntchul.*

El bastidor. 1 The frame. **2** *Dzœ fréim.*
El motor. 1 The engine. **2** *Dzœ énchan.*
Los platinos. 1 The points. **2** *Dzœ póints.*
Las bujías. 1 The spark plugs. **2** *Dzœ spáak plagz.*
El condensador. 1 The condenser. **2** *Dzœ candénsa.*
Las válvulas. 1 The valves. **2** *Dzœ väls.*
El carburador. 1 The carburettor. **2** *Dzœ cáabituréta.*
Los cojinetes. 1 The bearings. **2** *Dzœ béarings.*
El cárter. 1 The crankcase. **2** *Dzœ cránkkéis.*
La bomba de aceite. 1 The oil pump. **2** *Dzi óil pamp.*
La biela. 1 The con rod. **2** *Dzœ cáan rod.*
El pistón. 1 The piston. **2** *Dzœ piston.*
La dínamo. 1 The dynamo. **2** *Dzœ dáinamou.*
La bobina. 1 The coil. **2** *Dzoe cóil.*
El eje de transmisión. 1 The driveshaft. **2** *Dzœ dráivschaft.*
El árbol de leva. 1 The cam shaft. **2** *Dzœ käm schaaft.*
Los platos de las ruedas. 1 The wheel plates. **2** *Dzœ uil pléits.*
La radio, la antena. 1 The wireless, the aerial. **2** *Dzœ uáiales, dzi éarial.*
El camión. 1 The truck. **2** *Dzœ trak.*
El tornillo. 1 The screw. **2** *Dzœ skru.*
El destornillador. 1 The screwdriver. **2** *Dzœ skrudraiva.*

En el trayecto
En route

Autopista. 1 Motorway. **2** *Mótauéi.*
Autovía. 1 Clearway; Highway. **2** *Clíauei; Jáiuei.*
Carretera general. 1 Main Road; "A" Road. **2** *Méin Róod; "Ei" roód.*

Carretera comarcal. **1** Secondary road; "B" road. **2** *Sécandari róod; "Bí" róod.*
Peaje. **1** Toll. **2** *Tol.*
Cruce. **1** Crossing. **2** *Crousing.*
Precaución, obras. **1** Caution, Road Works Ahead. **2** *Cáschan, róud uáaks ajéd.*
Aparcamiento. **1** Parking. **2** *Parking.*

¿Haría el favor de indicarme la carretera general de...? **1** Could you please tell me which is the road to...? **2** *¿Kúdyu plíiz térmi uíchiz dzœ róud tu...?*
¿Cuántos kilómetros hay hasta...? **1** How many kilometers is it to...? **2** *¿Jaú méni kilomíitaz ízit tú...?*
¿Es buena la carretera o es muy irregular? **1** Is the road good or is it very rough? **2** *¿Iz dzœ róud gúd orízit véri raf?*
¿Hay muchas curvas? **1** Are there many bends? **2** *¿Áadhéa méni béndz?*
¿Está a mucha altura la cima del Puerto...? **1** Is the summit of the pass very high? **2** *¿Izdhœ sámit ov dzœ pas véri hái?*
¿Peligrosa? **1** Dangerous? **2** *¿Déindcharas?*
¿Nevada? **1** Snowed over? **2** *¿Snóud óuva?*
¿Cómo se llama esta comarca? **1** What is this district called? **2** *¿Uótiz dzis dístrict cóold?*
¿Es llana, montañosa? **1** Is it flat, mountainous? **2** *¿Izit flät, máuntinas?*
¿A qué distancia está la estación, el hotel, la estafeta de Correos, el teléfono, el río, el puente, el garaje, la Comisaría de Policía? **1** How far is the station, the hotel, the Post Office, the telephone, the river, the bridge, the garage, the Police Station? **2** *¿Jáu faarizdzœ stéischan, dzœ joutel, dzœ poust ofis, dzœ télefoun, dzœ ríva, dzœ bridch, dzœ gäradch, dzœ poliis stéischan?*
¿Dónde puedo comprar un mapa de carreteras? **1** Where can I buy a road map? **2** *¿Uéa Kä'nai báia róud mäp?*

A partir del kilómetro... empieza la subida del Puerto... con muchas curvas peligrosas. 1 After kilometer... the climb to the pass begins, with many dangerous bends. **2** *Áafta kilomita... dzœ claím tu dzœ päs biginz.*

Muchas gracias por su información. 1 Thanks for your information. **2** *Zanks foyóar infaméischan.*

¿Puede decirme si hay un parador cerca? 1 Can you tell me whether there is a road house near here? **2** *¿Cänyu télmi uédhœ dheríza róud jáus nía hía?*

¿Hay cerca de aquí una gasolinera? 1 Is there a petrol pump near? **2** *¿Isdzea a petrol pamp nia?*

¿Hay en este pueblo algún taller de reparación de coches? 1 Is there a repair shop in this village? **2** *¿Izdzœra ripéia schap in dhis vílidch?*

¿Cuál es la carretera más recta para ir a la costa? 1 Which is the straightest road to get to the coast? **2** *¿Uítchis dzœ stréitist róud tu guét tudzœ cóust?*

¿Es buena o hay muchos baches? 1 Is it a good one or are there a lot of pot holes? **2** *¿Ízita gúduan o rádhera lótav pát jóulz?*

¿Qué playa es la más bonita en esta parte? 1 Which is the nicest beach round here? **2** *¿Uítchiz dzœ náisist bíitch ráund jía?*

¿Cuánto tiempo se necesita para ir a...? 1 How long does it take to get to...? **2** *¿Jáu long dázit téik tu guét tu...?*

¿Cuál es la mejor carretera para ir a...? 1 Which is the best road for...? **2** *¿Uitch is dzœ best roud foa...?*

¿Qué localidad me recomienda para pernoctar? 1 Where do you advise me to stop over(night)? **2** *¿Uéa duyu adváizmi tustéi stáp óva(naít)?*

¿Podría indicarme qué dirección debo tomar para salir a la carretera general de...? 1 Can you tell me how to get to the mainroad to...? **2** *¿Känyu télmi jáutu guét tu dzœ méin róud tu...?*

Geografía general

1. Océano, *ocean.*
2. Golfo, *gulf.*
3. Península, *peninsula.*
4. Farallón, *stack.*
5. Isla, *island.*
6. Canal, *channel.*
7. Acantilado, *cliff.*
8. Archipiélago, *archipelago.*
9. Escollos, *reef.*
10. Islote, *islet.*
11. Bahía, *bay.*
12. Cala, *creek.*
13. Playa, *beach.*
14. Escarpadura, *scarp.*
15. Mar, *sea.*
16. Faro, *lighthouse.*
17. Puerto, *port.*
18. Ciudad, *city.*
19. Ensenada, *inlet.*
20. Tómbolo, *sand bank uniting the mainland with an island.*
21. Pantano, *swamp.*
22. Desembocadura, *river mouth.*
23. Delta, *delta.*
24. Río, *river.*
25. Arrecifes, *reef.*

General geography

1. Cordillera, *mountain range.*
2. Pico, *peak.*
3. Volcán, *volcano.*
4. Embalse, *reservoir.*
5. Fuente, *source.*
6. Laguna, *pool.*
7. Arroyo, *brook.*
8. Meseta, *plateau.*
9. Cascada, *(water) fall.*
10. Pueblo, *village.*
11. Lago, *lake.*
12. Valle, *valley.*
13. Río, *river.*
14. Afluente, *tributary river.*
15. Catarata, *(water) fall.*
16. Garganta, *gorge.*
17. Rápidos, *rapids.*
18. Sima, *chasm.*
19. Cañón, *canyon.*
20. Desierto, *desert.*
21. Oasis, *oasis.*
22. Dunas, *dunes.*
23. Colina, *hill.*
24. Montaña, *mountain.*
25. Desfiladero, *desfile.*

Motorways
Autopistas
Major Roads
Carreteras principales
Aberdeen
Perth
Dundee
Stirling
Glasgow
Edimbourgh
Carlisle
Newcastle
Middlesbrough
Darlington
York
Blackpool
Burnley
Leeds
Hull
Liverpool
Manchester
Doncaster
Chester
Sheffield
Lincoln
Stoke-on-Tren
Nottingham
Shrewsbury
Derby
Wolverhampton
Leicester
Birmingham
Norwton
Peterborough
Coventry
Northampton
Cambridge
Ipswich
Harwich
Ross
Gloucester
Swansea
Cardiff
Oxford
Reading
Bristol
LONDON
Basingstoke
Maidstone
Tauton
Exeter
Dover
Plymouth
Southampton
Portsmouth
Brighton

	Birmingham	Bristol	Cardiff	Derby	Dover	Edinburgh	Glasgow	Liverpool	**Londres**	Manchester	Nottingham	Oxford	Southampton
Birmingham	—	87	102	40	182	286	287	90	110	79	50	64	128
	—	**139.8**	**164**	**64.3**	**292.6**	**459.8**	**461.4**	**144.7**	**176.8**	**127**	**80.4**	**102.9**	**205.8**
Bristol	87	—	44	127	187	364	365	159	116	159	137	69	75
	139.8	**—**	**70.7**	**204.2**	**300.6**	**585.3**	**586.9**	**255.6**	**186.5**	**255.6**	**220.2**	**110.9**	**120.6**
Cardiff	102	44	—	142	226	368	370	164	154	172	152	105	118
	164	**70.7**	**—**	**228.3**	**363.4**	**591.7**	**594.9**	**263.7**	**247.6**	**276.5**	**244.4**	**168.8**	**189.7**
Derby	40	127	142	—	196	263	270	81	123	59	16	90	154
	64.3	**204.2**	**228.3**	**—**	**315.1**	**422.9**	**434.1**	**130.2**	**197.7**	**94.8**	**25.7**	**144.7**	**247.6**
Dover	182	187	226	196	—	440	463	269	72	255	197	129	139
	292.6	**300.6**	**363.4**	**315.1**	**—**	**707.5**	**744.5**	**432.5**	**115.7**	**410**	**316.7**	**207.4**	**223.5**
Edinburgh	286	364	368	263	440	—	44	210	373	210	253	348	411
	459.8	**585.3**	**591.7**	**422.9**	**707.5**	**—**	**70.7**	**337.6**	**599.7**	**337.6**	**406.8**	**559.5**	**660.8**
Glasgow	287	365	370	270	463	44	—	212	392	211	276	352	415
	461.4	**586.9**	**594.9**	**434.1**	**744.5**	**70.7**	**—**	**340.8**	**630.3**	**339.2**	**443.8**	**556**	**667.3**
Liverpool	90	159	164	81	269	210	212	—	197	35	97	154	216
	144.7	**255.6**	**263.7**	**130.2**	**432.5**	**337.6**	**340.8**	**—**	**316.7**	**56.2**	**155.9**	**247.6**	**347.3**
Londres	110	116	154	123	72	373	392	197	—	184	122	57	77
	176.8	**186.5**	**247.6**	**197.7**	**115.7**	**599.7**	**630.3**	**316.7**	**—**	**295.8**	**196.1**	**91.6**	**123.8**
Manchester	79	159	172	59	255	210	211	35	184	—	70	142	206
	127	**255.6**	**276.5**	**94.8**	**410**	**337.6**	**339.2**	**56.2**	**295.8**	**—**	**112.5**	**228.3**	**331.2**
Nottingham	50	137	152	16	197	253	276	97	122	70	—	94	158
	80.4	**220.2**	**244.4**	**25.7**	**316.7**	**406.8**	**443.8**	**155.9**	**196.1**	**112.5**	**—**	**151.1**	**254**
Oxford	64	69	105	90	129	348	352	154	57	142	94	—	65
	102.9	**110.9**	**168.8**	**144.7**	**207.4**	**559.5**	**566**	**247.6**	**91.6**	**228.3**	**151.1**	**—**	**104.5**
Southampton	128	75	118	154	139	411	415	216	77	206	158	65	—
	205.8	**120.6**	**189.7**	**247.6**	**223.5**	**660.8**	**667.3**	**347.3**	**123.8**	**331.2**	**254**	**104.5**	**—**

Distancias por carretera entre algunas de las principales ciudades. Los números en fino indican millas mientras que los señalados en negrita indican kilómetros.

Estación de servicio
Petrol station

La estación de servicio. 1 The petrol station. **2** *Dzœ pétral steschön.*

Deseo repostar. El depósito del coche está casi vacío. 1 I want to fill up. The tank is nearly empty. **2** *Ai uónt-tu filáp. Dœtä'nkiz níali, émpti.*

Ponga 40 litros de gasolina y dos de aceite. 1 Put in 40 litres of petrol and two of oil. **2** *Putin fóti líita-zav pétrol änd túav óil.*

Déme una lata de aceite. 1 Please, give me a can of oil. **2** *Pliz, gifmi a cán av uil.*

Compruebe el nivel del aceite. 1 Please, check the oil level. **2** *Pliz. chek dzi nil level.*

Ponga dos litros de aceite. 1 Please, put two liters of oil. **2** *Pliz, put tu liters of oil.*

Revisen los frenos. Sólo frena una rueda trasera. 1 Look over the brakes. Only one of the rear wheels brakes. **2** *Lúkóuva dzœ bréiks. Óunli uánav dzœ ría uíilz bréiks.*

Ponga agua en el radiador. 1 Fill the radiator. **2** *Fil dzœ réidiéita.*

Compruebe los neumáticos. 1 Check the tyres. **2** *Test dzœ táiaz.*

El limpia-parabrisas no funciona. 1 The windscreen wiper does not work. **2** *Dzœ uíndscrin uáipa daz not uœk.*

Compruebe la batería. 1 Check the battery. **2** *Test dzœ bätari.*

Hagan un engrase general. 1 Please give it a general lubrication. **2** *Plíiz ghívita dchénarul lubrikéischan.*

Hagan engrase de la transmisión y caja de cambios, de la bomba de agua, de la dínamo, etc. 1 Lubricate the transmission, gearbox, the water guiakaks and the dynamo. **2** *Lúbrikeit dzœ tränsmischan guíabaks, dzœ uóta pamp änd dzœ dáinamóu.*

Haga el favor de revisar la presión de aire de los neumáticos. 1 Please see if the tyres have got enough air in them. **2** *Plíiz si if dzœ táiaz jäv gat ináf éa in dzen.*

Ponga agua en el radiador. 1 Put some water in the radiator. **2** *Pút sam uóta in dzœ réidiéita.*

Deseo una bujía, un neumático nuevo. 1 I want a spark plug, a new tyre. **2** *Ai uónta spáak plag, a niu táia.*

En el taller de reparaciones
At the repair shop

Diga al mecánico que venga. 1 Ask the mechanic to come. **2** *Ask dzœ mekänik tukám.*

Mi coche está con avería a... km. de aquí. 1 The car has broken down... miles from here. **2** *Dzœ cäa jaz bróukan dáun... máilz from jía.*

Mecánico, míreme el motor. 1 Mechanic, will you please look at engine? **2** *Mecánic, ¿uílyu plíiz lúkat mái énchan?*

Que se oye un ruido extraño. Observe. 1 There's a funny noise. Listen! **2** *Dhéaza fáni nóiz. ¡Lísan!*

Haga el arreglo lo antes que pueda. 1 Please repair it as soon as possible. **2** *Plís ripéa it as súnas pósibul.*

¿Cuánto tiempo durará la reparación? 1 How long will the repairs take? **2** *¿Jáu long uíl dzœ ripéaz téik?*

Mecánico, haga el favor de revisar la carburación, el encendido, el motor, la suspensión. 1 Mecha-

El automóvil

The Car

A. Esquema de un cupé a tracción delantera, *diagram of a front-wheel drive hard top coupé.*

1. Carrocería, *car body.*
2. *Capó, bonnet;* AMÉR *hood.*
3. Filtro del aire al carburador, *air filter.*
4. Faros, *headlights.*
5. Matrícula, *number plate.*
6. Ventilador del motor, *engine fan.*
7. Chasis, *car chassis.*
8. Rueda, *wheel.*
9. Neumático, *tyre.*
10. Tambor de freno, *brake drum.*
11. Tracción delantera, *front-wheel drive.*
12. Cables, *cables.*
13. Eje del volante, *steering column.*
14. Parabrisas, *windscreen,* AMÉR. *windshield.*
15. Ventanilla, *door window.*
16. Asiento delantero, *front seat.*
17. Ventanilla trasera, *rear window.*
18. y 19. Ruedas traseras, *rear wheels.*
20. Tapa de la rueda, *hub cap.*
21. Amortiguador, *shock-absorber.*
22. Tubo de entrada de la gasolina, *tank-filler pipe.*
23. Depósito del combustible, *petrol tank,* AMÉR. *gasoline tank.*
24. Tubo de circulación del líquido de los frenos hidráulicos, *brake pipe,* AMÉR. *brake line.*
25. Volante, *steering wheel.*
26. Respaldo, *back (of the seat).*
27. Maneta de la puerta, *door handle.*
28. Ventanilla, *door window.*
29. Asiento delantero, *front seat, driving seat.*
30. Asiento trasero, *back seat.*
31. Rueda delantera, *front wheel.*
32. Guardabarro, *mudguard.*

B. Esquema del motor y sus complementos, *diagram of the engine and its complements.*

33. Depósito de gasolina, *petrol tank,* Amér. *gasoline tank.*
34. Carburador, *carburettor.*
35. Válvula, *valve.*
36. Bujía, *sparking plug;* AMÉR. *spark plug.*
37. Cable de la bujía a la bobina, *cable linking spark plug to coil.*
38. Radiador, *radiator.*
39. Resorte de la válvula, *valve spring.*
40. Platillo del resorte, *spring head.*
41. Engranaje del árbol de levas, *camshaft gear.*

42 y 46. Cojinetes, *ball bearings.*

43. Tubo conductor del aceite a los cojinetes, *bearing lubricating pipe.*
44. Cárter, *crankcase, sump.*
45. Piñón del cigüeñal, *crank shaft pinion.*
47. Codo del cigüeñal, *crank shaft elbow.*
48. Dinamo, *dynamo.*

49, 50, 55 y 57. Cables de conexión, *connecting cables.*

51. Masa o conexión de negativos, *negative connections.*
52. Biela, *connecting rod, conrods.*
53. Eje del pistón, *gudgeon-pin.*
54. Pistón, *piston.*

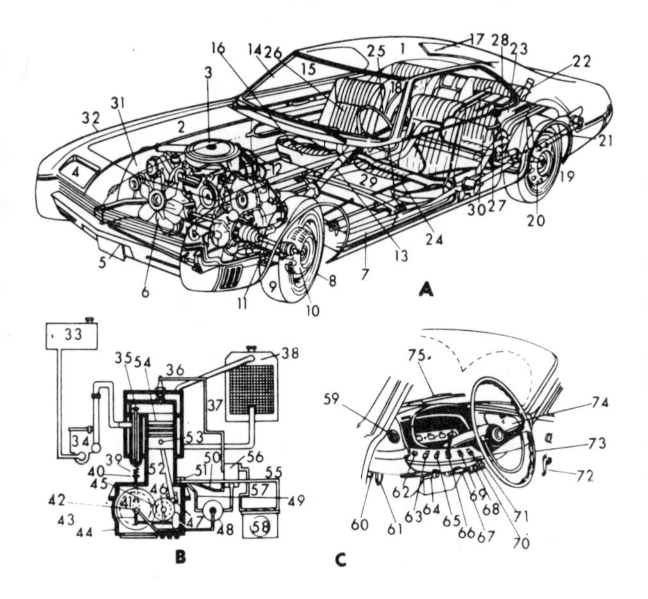

56. Bobina, *ignition coil.*
58. Acumulador, *battery.*
C. Tablero de mandos e indicadores, *dashboard.*
59. Salida de aire caliente, *hot-air outlet.*
60. Toma de corriente, *socket.*
61. Mando apertura capó, *bonnet opening button.*
62. Mando para el líquido limpiaparabrisas, *windscreen wiping liquid button.*
63. Interruptor de los limpiaparabrisas, *windscreen-wiper button.*
64. Mando del starter del carburador, *choke button.*
65. Luces de carretera, *driving lights.*
66. Palanca de las luces de cambio de dirección (intermitentes). ***indicator lever,*** AMÉR. ***turnlight lever.***
67. Palanca del freno de mano, *hand-brake lever.*
68. Mando de regulación de la temperatura, *air-conditioning control.*
69. Ventilador, *fan.*
70. Luces de posición, *parking lights.*
71. Toma de aire, *air intake.*
72. Manivela, *window winder.*
73. Volante, *steering wheel.*
74. Tapa de la guantera, *glovebox cover.*
75. Limpiaparabrisas, *windscreen-wiper.*

nic, please look over the carburettor, the ignition, the engine, the suspension. **2** *Mecänic, plíiz lukóuva dzœ cárbyuréta, dzœ ignischan dzœ énchan, dzœ saspénschan.*

Arrégleme los frenos, la dirección. 1 See to the brakes, the steering. **2** *Sí tudzœ stírin.*

El coche no arranca. 1 The car won't start. **2** *Dzœ cáa uóunt stáat.*

El arranque no funciona bien. 1 The starter doesn't work properly. **2** *Dzœ stáata dázant uœk uél.*

El carburador precisa un reglaje. 1 The carburetter needs seeing to. **2** *Dzœ cáabiureta niidz siing tu.*

El radiador pierde. 1 The radiator leaks. **2** *Dzœ réidieita liikz.*

El motor está agarrotado. 1 The motor has seized. **2** *Dzœ móuta jäz siizd.*

El embrague no funciona. 1 The clutch does not work. **2** *Dzœ clátch daz not uœk.*

Se han quemado los fusibles. 1 The fuses are burned. **2** *Dzœ fiuziz aa bœnd.*

Necesita lámparas nuevas. 1 It needs new bulbs. **2** *It niidz niú balbs.*

En caso de accidente
In the event of an accident

¿Dónde está la Comisaría de Policía más próxima? 1 Where is the nearest Police Station? **2** *¿Uéariz dzœ nírest polís stéischan?*

Haga el favor de llamar a un médico. 1 Please call a doctor. **2** *Plíiz cóola dócta.*

Se ha producido un accidente a ... kilómetros de aquí y hay heridos graves. 1 There has been an accident ... miles from here, and some people are seriously injured. **2** *Dzéa jäz bíina nácsident ... máilz from jía, änd sam píipul ara síariasli índchad.*

Hay heridos leves. 1 There are some slightly injured. **2** *Zéara sám sláitli índchad.*

Hay daños materiales. 1 There is some (material) damage. **2** *Dzéariz sam (matíirial) dämidch.*

¿Dónde está el hospital más próximo? 1 Where is the nearest hospital? **2** *¿Ueáriz dzœ níirest jóspitul?*

Sírvase telefonear a una ambulancia. 1 Please telephone for an ambulance. **2** *Plíiz télefoun fóran ämbiulans.*

¿Está usted herido? 1 Are you hurt? **2** *¿Áayu jáat?*

Mi Compañía de Seguros es ... Aquí está la póliza. 1 My Insurance Company is ... Here is the policy. **2** *Mái insyórans cámpani iz ... jíriz dzœ pólisi.*

¿Ha sido usted testigo del accidente? 1 Did you witness the accident? **2** *¿Dídyu uítnis dzi äcsidant?*

¿Puede decirme su nombre y señas de donde vive? 1 Will you give me your name and address? **2** *¿Uílyu guívmi yóa néim and adrés?*

¿Puede usted remolcar mi coche? Está con avería a ... kilómetros de aquí. 1 Can you tow my car in? It has broken down ... miles from here. **2** *¿Cänyu tóumai cárin? It jaz bróukan dáun ... máils from jía.*

En avión* — By plane

En la compañía de aviación
At the airline company's

¿Hay plazas para el primer avión de mañana con destino a ...? 1 Are there any seats on the first plane tomorrow for ...? **2** *¿Áadheréni síts an dzœ fœst pléin tumóro fo...?*

* Véase también p. 47, **La llegada**. En avión.

Deme una a nombre de... 1 Give me one for M... **2** *Guívmi uán fo M...*

¿A qué hora sale el avión para ...? 1 At what time does the plane leave for ...? **2** *¿Aa oút táim daz dzœ pléin lìiv fo ...?*

¿Con cuánta antelación se ha de estar en el aeropuerto? 1 How soom should we be at the airport before take-off? **2** *¿Jáu sun schad ví bí at dzœ éapoat bífoa téikaf?*

¿Está muy apartado el aeropuerto de la ciudad? 1 Is the airport very far from the town? **2** *¿Iz dzi éapoot véri fáa from dhoe táun?*

Si deseara utilizar el servicio de autocares para dirigirme al campo, ¿a qué hora habría de estar en las oficinas? 1 At what time must I be at the office, if I want to go to the airport by the service bus? **2** *¿At uót táim mástai biat dzi ófis ifái uónt tugóu tudzi éapoat bái dzœ sœvis bas?*

En el aeropuerto
At the airport

Autocar. 1 Bus. **2** *Bas.*

Estación aérea. 1 Air station. **2** *Eas téischan.*

Vuelo charter. 1 Charter flight. **2** *Charter fláit.*

Línea Barcelona-París. 1 Barcelona-Paris line. **2** *Basselon-Páris lain.*

Torre de mandos. 1 Control tower. **2** *Control tana.*

Vuelo suspendido. 1 Flight cancelled. **2** *Flait canselet.*

El piloto. 1 The pilot. **2** *Dzœ péilat.*

El mecánico. 1 The mechanic. **2** *Dzœ micänic.*

El radiotelegrafista. 1 The radio operator. **2** *Dzœ rahdyoh ópaféita.*

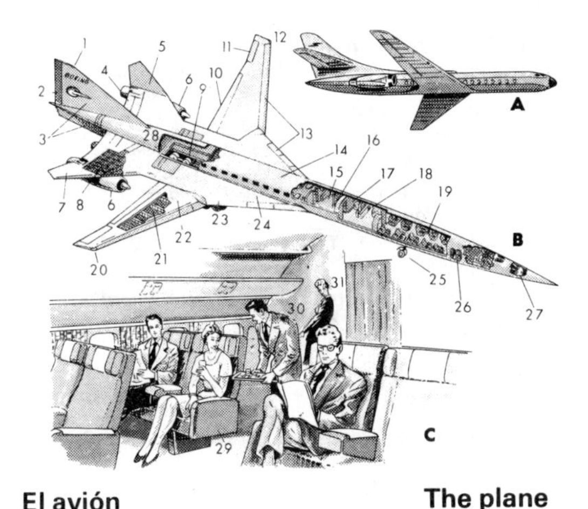

El avión

The plane

A. Reactor, *jet.*

B. Reactor supersónico, *supersonic jet.*

1. Luz posición, *navigation light.*
2. Timón de dirección. *rudder.*
3. Deriva, *fins, vertical stabilizer.*
4. Equilibrador, *tailplane;* Amér *horizontal stabilizer.*
5. Aletas móviles estabilizadoras, *stabilizing mobile fins.*
6. Reactor, *the turbojet engine.*
7. Aleta móvil, *mobile fin.*
8. 21 y 24. Depósito de combustible, *fuel tank.*
9. Alojamiento del tren de aterrizaje principal, *landing gear housing.*
10. Flap, *(wing) flap.*
11. Alerones, *ailerons.*
12. Luz de posición de estribor, *port navigation light.*
13. Aletas anteriores de sustentación, *front ailerons.*
14. Carlinga, *fuselage.*
15. Cocina, *galley.*
16. y 26. Puerta de entrada, *entrance hatch.*
17. y 18. Servicios, *lavatories.*
19. Cabina de pasajeros de 1.ª clase, *first class passenger compartment.*
20. Luz de posición de babor, *starboard navigation light.*
22. Ala, *wing (unit).*
23. Tren de aterrizaje principal, *main landing gear,* Amér *main ground gear.*
25. Tren de aterrizaje delantero, *stabilizing nose undercarriage,* Amér *nosewheel ground gear.*
27. Radar de proa, *radar.*
28. Departamento de carga, *cargo compartment.*

C. Interior del avión, *the interior of the aircraft.*

29. Butacas, *seats.*
30. Camarero, *steward.*
31. Azafata, *stewardess, air hostess.*

26. Viaje. Avión. Aeropuerto

Journey. Plane. Airport

El avión. 1 The plane. **2** *Dzœ plein.*

El bimotor. 1 The twin-engined plane. **2** *Dzœ tuín-énchand pléin.*

El trimotor. 1 The three engine plane. **2** *Dzœ zri éndchin pléin.*

El cuatrimotor. 1 The four-engined. **2** *Dzœ fóa énchand pléin.*

La avioneta. 1 The small plane. **2** *Dzœ smool pléin.*

El reactor. 1 The jet. **2** *Dzœ chet.*

El reactor supersónico. 1 The supersonic jet. **2** *Dzœ supersonicchet.*

El helicóptero. 1 The helicopter. **2** *Dzœ jélicópta.*

Las pistas de aterrizaje. 1 The runway. **2** *Dzœ ránuéi.*

Los motores. 1 The engines. **2** *Dzœ énchans.*

Las butacas. 1 The seats. **2** *Dzœ síitz.*

Las literas. 1 The berths. **2** *Dzœ bœdhz.*

Las ventanillas. 1 The windows. **2** *Dzœ uíndóuz.*

Las hélices. 1 The propellers. **2** *Dzœ proupélaz.*

Las alas. 1 The wings. **2** *Dzœ uíngz.*

El timón de dirección. 1 The vertical rudder. **2** *Dzœ vœticul rada.*

El timón de profundidad. 1 The horizontal rudder. **2** *Dzœ jorizóntul rada.*

El fuselaje. 1 The fuselage. **2** *Dzœ fyúsalidch.*

El tren de aterrizaje. 1 The lạnding gear. **1** *Dzi länding guía.*

Las luces de posición. 1 Navigating lights. **2** *Nävigueiting laits.*

La cabina del piloto, la carlinga. 1 The cockpit (pilot's cabin). **2** *Dzœ cócpit (páilats cábin).*

El departamento de carga. 1 Cargo compartment. **2** *Cargo compartmant.*

El hangar. 1 The hangar. **2** *Dzoe jängaa.*

El chaleco salvavidas. 1 The life jacket. **2** *Dzœ laiv jaquet.*

La azafata. 1 The stewardess. **2** *Dzœ styúadis.*

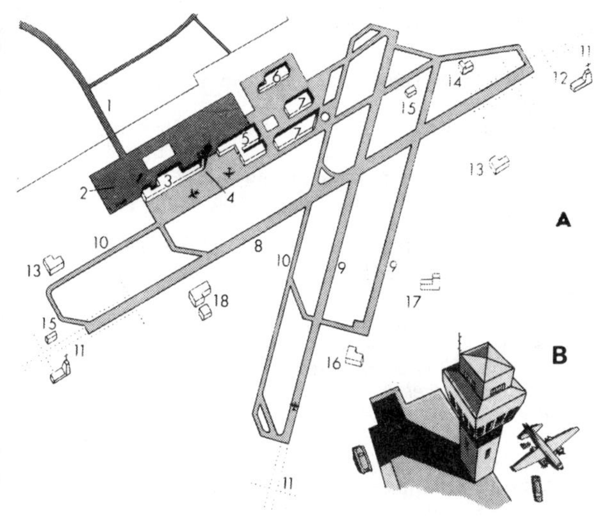

El aeropuerto

The airport

A. Plano, *plan.*
1. Avenida de acceso, *access road.*
2. Zona de estacionamiento de vehículos, *parking area reserved for vehicles.*
3. Edificio central; oficinas, aduanas, bar, restaurante, etc., *airport terminal building: administration offices, customs house, bar, restaurant, etc.*
4. Torre de mando, *control tower.*
5. Hangares, *hangars.*
6. Talleres de reparación, *workshops and repair shops.*
7. Talleres de repaso del material de vuelo, *repair hangars for aircraft inspections and overhauls.*
8. Pista principal, *main runway.*
9 y 10. Pistas secundarias, *secondary runways.*
11. Balizas, *beacons.*
12. Emisores para definir un plano vertical de aterrizaje, *vertical landing plane defining transmitter.*
13. Emisores para definir un plano oblicuo de descenso, *horizontal landing plane defining transmitter.*
14. Radar, *radar scanner.*
15. Radiofaro, *radio beacon.*
16. Radiogoniómetro, *radio direction finder.*
17. Radar de cercanías, *short range radar.*
18. Estación meteorológica, *meteorological station.*

B. Torre control, *control tower.*

El cinturón de seguridad. **1** The safety belt. **2** *Dzœ séifti belt.*

¿El avión para...? **1** The plane for...? **2** *¿Dzœ plénn foa...?*

Mozo, ¿quiere despachar mi equipaje? **1** Porter, will you attend to my luggage? **2** *Póota, ¿uílyu aténd tumai lággidch?*

¿Qué peso admiten libre de pago? **1** How much free luggage is allowed? **2** *¿Jáu match fríi laggidch izaláud?*

¿A qué hora llegaremos a...? **1** At what time shall we get to...? **2** *¿Atuót táim schälui get tu...?*

¿Hacemos el vuelo directo? **1** Do we fly directly? **2** *¿Du-uí flái dirékt?*

Dése prisa, que nos llaman por el altavoz. **1** Hurry up! The loudspeaker is calling us. **2** *¡Jári áp! Dzœ láud spíka iz cóoling as.*

La tarjeta de embarque. **1** The boarding card. **2** *Dzœ bóading card.*

El embarque. **1** The boarding. **2** *Dzi bóading.*

Vuelo número. **1** Flight number. **2** *Flait namba.*

En el avión
On the plane

Salimos a la hora fijada. **1** We are leaving punctually to the minute (exactly on time). **2** *Uía líiving pánktyuali túdzoe minit (egzäctli on táim).*

Se oye mucho el ruido de los motores en este avión. **1** The engine noise is very loud in this plane. **2** *Dzœ énchan nóis iz veri láud in dzis pléin.*

Señorita, ¿haría el favor de un poco de algodón? **1** Stewardess, can I have some cotton wool? **2** *Stíuadis, ¿cä'nai jä'vsam cótan uúl?*

¿Falta mucho para llegar? **1** Is there still a long way togo? **2** *¿Iz dzœ a long véi tugo?*

Estoy algo mareado. 1 I'm feeling a bit sick. **2** *Áim fíiling abít sík.*

Solicite asistencia de la azafata. 1 Ask the stewardess to look after you. **2** *Áask dzœ stýadis tulúk áaftayu.*

El avión está descendiendo. Ya llegamos. 1 The plane is going down. We hare arrived. **2** *Dzœ pléin izgóuing dáun. Ui jär aráivd.*

Ya hemos tomado tierra. 1 We have already landed. **2** *Uijav ólrédi lä'ndid.*

En barco* By boat

En la compañía de navegación At the ship company's

¿Dónde se sacan los pasajes para...? 1 Where can we get tickets to...? **2** *¿Uea kanui guet tickets to...?*

Deseo un pasaje para... 1 I want a passage to... **2** *Ái uanta pasidch tu...*

¿Qué días sale barco? 1 On what days does the boat sail? **2** *¿On out déiz daz dzœ bóot séil?*

Hay servicio regular. 1 There is a regular service. **2** *Dezériza régyula sœvis.*

Déme una plaza para el de la próxima semana. ¿Puede decirme el nombre del buque? 1 Please book me for next week. Can you tell me the name of the ship. **2** *Plíiz búkmi fonékst uík. ¿Cänyu télmi dzœ néim of dzœ schip?*

Pasaje clase turística. 1 A tourist class ticket. **2** *Atúrist cláas tíkit.*

* Véase también p. 48, **La llegada**. En barco.

¿Qué clases tiene disponibles? 1 What classes are available? **2** *Uót clásiz ara véilabul?*

Deme uno de primera, con una litera, pero que no sea caluroso. 1 Give me a first class with one berth, but not a hot one. **2** *Guívmi afœst cláas uidz uán bœz, bat nóta jót uán.*

¿Dónde está situado? 1 Where abouts is it? **2** *¿Uérabáutz izit?*

Bien, resérvemelo. 1 All right, book it for me, please. **2** *Óol ráit, búkit fóomi, plíiz.*

¿Puede, usted, darme algunas etiquetas para el equipaje? 1 Can you give me a few labels for my luggage? **2** *¿Cänyu guívmi afíu leibulz fomái lag-gidch?*

¿A qué hora sale el buque? 1 At what time does the ship sail? **2** *¿Atúot táim daz dzœ schip séil?*

¿Cuánto tiempo dura la travesía? 1 How long is the crossing? **2** *Jáulóngiz dzœ crósing.*

¿Qué día llega el barco a... y a qué hora? 1 On what day and at what time does the ship get to...? **2** *¿On uót dei änd ät uót táim daz dzœ schip géttu...?*

¿Cuántas escalas hace? 1 How often does it stop? **2** *¿Jáuófan dœzit stop?*

¿De qué muelle sale? 1 From which quay does it leave? **2** *¿From uítch kíi dœzit líiv?*

¿Se ha de estar en el puerto con mucha antelación? 1 Do we have to be at the port much beforehand? **2** *¿Du ui jävtabí ät dzœ póot mátch bifójänd?*

En el puerto
In the port

En el puerto. 1 On the port. **2** *On dzœ póot.*

El muelle. 1 The quay. **2** *Dzœ kíi.*

La estación marítima. 1 The marine station. **2** *Dzœ maríin stéischan.*

El puerto

The port

1. Interior del puerto, *the interior of the harbour.*
2. Astilleros, *shipyard.*
3. Club náurico, *sailing club.*
4. Embarcaciones deportivas, *sports boats.*
5. Puerto pesquero, *fishing harbour.*
6. Muelle, *quay.*
7. Grúa, *crane.*
8. Compuertas, *lock-gates.*
9. Diques secos, *dry docks.*
10. Barco en reparación, *ship under repair.*
11. Puente grúa, *loading bridge.*
12. Ferrocarril del puerto, *port railway.*
13. Bloques de cemento de protección, *concrete blocks.*
14. Rompeolas, *breakwater.*
15. Barco recreo, *pleasure boat.*
16. Faros, *lighthouses.*
17. Draga, *dredger.*
18. Bocana, *entrance.*
19. Velero, *sailing ship.*
20. Mixto de carga y pasaje, *passenger-cargo vessel.*
21. Barco de guerra, *warship.*
22. Buque de carga de cabotaje, *coaster.*
23. Depósito de petróleo, *petroleum wharf.*
24. Petrolero, *ocean tanker.*
25. Remolcadores, *tug, tow boat.*
26. Barco de carga, *cargo ship.*
27. Transatlántico, *passenger liner.*
28. Estación marítima, *maritime station.*

Las grúas. 1 The cranes. **2** *Dzœ creinz.*

Los tinglados. 1 The sheds. **2** *Dzœ schedz.*

El barco, el buque, el paquebote. 1 The boat, ship, ferry; packet. **2** *Dzœ bóot, schip, féri; päket.*

El transatlántico. 1 The ocean liner. **2** *Dzœ óschan láina.*

La motonave. 1 The motor ship. **2** *Dzœ mouta schip.*

El barco transbordador. 1 The ferry boat. **2** *Dzœ féri-bóot.*

El barco de carga. 1 The cargo ship. **2** *Dzœ cáagóu schip.*

El barco pesquero. 1 The fishing boat. **2** *Dzœ fisching bóot.*

Los barcos de guerra. 1 The warships. **2** *Dzœ uuó schipz.*

El acorazado. 1 The battle ship. **2** *Dzœ bätul schip.*

El crucero. 1 The cruiser **2** *Dzœ crúza.*

El destructor. 1 The destroyer **2** *Dzœ distróia.*

El torpedero. 1 The torpedo boat. **2** *Dzœ topíidóu bóot.*

El minador. 1 The miner layer. **2** *Dzœ máin léa.*

El submarino. 1 The submarine. **2** *Dzœ sábmaríin.*

El buque nodriza. 1 The supply ship. **2** *Dzœ sáplái schip.*

El portaaviones. 1 The aircraf carrier. **2** *Dzi éacraft cária.*

El guardacostas. 1 The coast guard ship. **2** *Dzœ cóust gáad schip.*

El barco-escuela. 1 The training ship. **2** *Dzœ tréining schip.*

La lancha. 1 The launch. **2** *Dzœ lánsch.*

La lancha rápida. 1 The speed launch. **2** *Dzœ spíid lánsch.*

El petrolero. 1 The tanker. **2** *Dzœ tä'nka.*

La canoa. 1 The canoe. **2** *Dzœ canú.*

El velero. 1 The sailing ship. **2** *Dzœ séiling schip.*

El remolcador. 1 The tug boat. **2** *Dzœ tágboot.*

El yate. 1 The yacht. **2** *Dzœ yot.*

La chalana. **1** The lighter. **2** *Dzœ láita.*

La barca. **1** The boat. **2** *Dzœ bóot.*

Embarcaciones deportivas. **1** Rowing boats, skiffs. **2** *Róuing bóotz, skifs.*

La dársena. **1** The dock. **2** *Dzœ dok.*

El hidroavión. **1** The hydroplane. **2** *Dzœ jáidróu pléin.*

Ya estamos en el muelle. **1** Here we are at the quay. **2** *Jíaui áar ät dzœ kíi.*

¿Dónde está el barco? **1** Where's the ship? **2** *¿Uéaz dzœ schip?*

Es un transatlántico magnífico. **1** It's a magnificent ocean liner. **2** *Itsa mägnífisent óschan láina.*

Y moderno. Fue botado el pasado año. **1** And up to date. It was launched last year. **2** *And áptu déit. Ituóz láantcht láast yía.*

Todavía están haciendo las operaciones de carga. **1** They are still loading. **2** *Dzéia stíl lóuding.*

Es que faltan casi dos horas para levar anclas. **1** There are two hours before they raise anchor. **2** *Dzéra tú áuaz bifór dzéi réiz ä'nka.*

Mozo, tenga mis maletas. Éstas han de ir a la bodega, y éstas otras colóquelas en el camarote 35. **1** Porter, here are my bags. These are for the hold and these for cabin No. 35. **2** *Póota, jíara mái bágz. Dzíiza fodzœ jóuld änd dzíiz focä'bin námba zœti fáiv.*

Este puerto tiene mucho movimiento. **1** There's a lot of traffic in the port. **2** *Dzériza lótav trä'fic in dzœ póot.*

No hay ningún buque de guerra. **1** There are no warships. **2** *Dzéra nóu uóschips.*

En cambio hay varios barcos de carga y petroleros. **1** But there are several cargo boats and tankers. **2** *Bat dzéra sévrul cáagou bóuts and tänkaz.*

¿Están terminando la carga? **1** Have they finished loading? **2** *¿Jäv dzéi finischd lóding?*

Mozo, acompáñeme al barco. **1** Porter, come aboard with me. **2** *Póota, káma bóod uidzmi.*

El barco

The boat

A. Barco mixto de carga y pasajeros, *the combined passenger and cargo vessel.*

1. Pabellón nacional, *national ensign.*
2. Pabellón de destino, *destination flag.*
3. Pabellón de la compañía, *company's ensign.*
4. Proa, *bow, prow.*
5. Bulbo de proa, *bow bulb.*
6. Ancla, *anchor.*
7. Grúas para carga, *cranes.*
8. Boca de ventilador, *ventilator head.*
9. Puente de mando, *bridge deck (navigating bridge).*
10. Reflector para señales Morse, *signalling lamp, morse lamp.*
11. Mástil de medidas (anemómetro), *measure mast (anemometer).*
12. Compás, *azimuth compass.*
13. Antena del radiogoniómetro, *D. F. aerial.*
14. Mástil de proa, *fore mast.*
15. Banderines de señales, *signal flags.*
16. Radar, *radar scanner.*
17. Chimenea, *funnel.*
18. Sirena, *ship's siren, fog-horn.*
19. Bar, *bar.*
20. Bote salvavidas, *lifeboat.*
21. Garaje, *garage.*
22. Antena de radio, *radio aerial.*
23. Mástil de popa, *stern mast.*
24. Piscina, *swimming pool.*
25. Timón, *rudder.*
26. Hélice, *screw, propeller.*
27. Motor Diesel. *Diesel engine.*
28. Depósitos de combustible, *oil fuel tanks.*
29. Depósitos de agua, *fresh-water tanks.*
30. Bodega de carga de proa, *the forward holds.*
31. Estabilizador, *stabilizer.*
32. Sala de máquinas, *main engine room.*
33. Generadores, *generators.*
34. Máquinas auxiliares, *auxiliary engines.*
35. Eje de la hélice, *propeller shaft.*
36. Popa, *stern.*
37. Bodega de carga, *the after holds.*
38. Camarotes, *cabins.*
39. Salón, *saloon.*
40. Salón comedor, *dining saloon.*
41. Camarotes de oficiales, *officer's cabins.*
42. Cocina, *galley.*
43. Despensa, *larder.*
44. Almacén, *store room.*
45. Baterías, *batteries.*
46. Frigoríficos, *refrigeration chambers.*

B. Distintos tipos de barcos, *types of ships.*

47. Transatlántico, *passenger liner, transatlantic liner.*
48. Barco hospital, *hospital ship.*
49. Petrolero, *tanker.*
50. Butanero, *butane tanker.*
51. Ballenero, *whaler.*

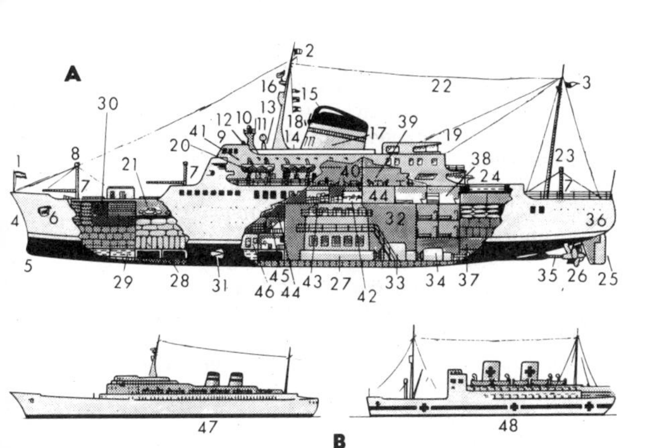

49

50

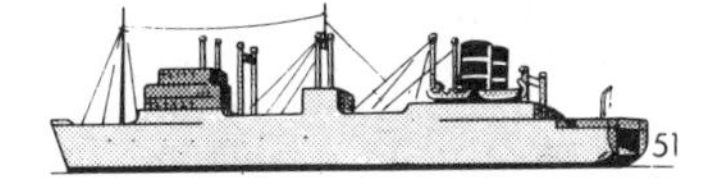

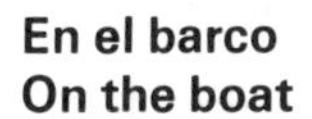

En el barco
On the boat

El áncora. 1 The anchor. **2** *Dzœ änca.*
La cadena. 1 The chain. **2** *Dzœ tchéin.*
La cubierta. 1 The deck. **2** *Dzœ dec.*
El puente de mando. 1 The bridge. **2** *Dzœ bridch.*
El camarote. 1 The cabin. **2** *Dzœ cä'bin.*
La bodega. 1 The hold. **2** *Dzœ jould.*
La proa. 1 The bow. **2** *Dzœ báu.*
La popa. 1 The stern. **2** *Dzœ stœn.*
Babor. 1 Port. **2** *Póot.*
Estribor. 1 Star board. **2** *Stáabóad.*
La brújula. 1 The compass. **2** *Dzœ cámpas.*
El ventilador, la chimenea, el humo, la brisa. 1 The

ventilator, the funnel, the smoke, the breeze. **2** *Dzœ véntiléita, dzœ fánal, dzœ smóuk, dzœ bríiz.*

La escotilla. 1 The hatchway. **2** *Dzœ jä'tchuéi.*

El timón. 1 The rudder. **2** *Dzœ rádda.*

La hélice. 1 The propellor. **2** *Dzœ prapéla.*

La quilla. 1 The keel. **2** *Dzœ quíil.*

Las calderas. 1 The boilers. **2** *Dzœ bóilaz.*

La chimenea. 1 The funnels. **2** *Dzœ fánulz.*

La sirena. 1 The siren. **2** *Dzœ sáiran.*

El trinquete. 1 The foremast. **2** *Dzœ fóomast.*

La mesana. 1 The mizzen mast. **2** *Dzœ mizan mast.*

El mástil. 1 The mast. **2** *Dzœ mast.*

Los cables de la radio y telegrafía sin hilos. 1 The aerials for the wireless. **2** *Dzi éarialz fodzœ uáiales.*

El bote salvavidas. 1 The lifeboat. **2** *Dzœ láifboot.*

El salvavidas. 1 The life belt. **2** *Dzœ láif belt.*

El chaleco salvavidas. 1 The life jacket. **2** *Dzœ láif dchä'kit.*

El capitán. 1 The captain. **2** *Dzœ kä'ptin.*

El primer oficial. 1 The first officer (the mate). **2** *Dzœ fœst ofisa (dzœméit).*

El sobrecargo. 1 The purser. **2** *Dzœ pœsa.*

El primer mayordomo (jefe de la despensa). 1 The chief steward. **2** *Dzœ tchíif stiúad.*

El segundo mayordomo (jefe del comedor). 1 The head waiter (second steward). **2** *Dzœ jed uéita (sécand stiúad).*

El piloto. 1 The pilot. **2** *Dzœ páilat.*

El maquinista. 1 The engineer. **2** *Dzœ éndchinía.*

El marinero. 1 The seaman (sailor). **2** *Dzœ siman (séila).*

El camarero. 1 The steward. **2** *Dzœ stiúad.*

La camarera. 1 The stewardess. **2** *Dzœ stiúades.*

¿Por qué lado está mi camarote? 1 On what side is my cabin? **2** *¿On uót sáidiz mái cä'bin?*

¿Es buen sitio? 1 Is that a good place? **2** *¿Izdzä'ta gúd pleis?*

Esta cubierta es muy espaciosa. 1 This deck is very roomy. **2** *Dzis dékiz véri rúmi.*

¿Dónde está el comedor, el bar, la biblioteca, la enfermería, la peluquería, el gimnasio, el salón de té, la piscina, etc.? 1 Where is the dining room, the bar, the library, the sick bay, the hair dresser's, the gymnasium, the tea room, the swimming pool, etc.? **2** *¿Uéariz dzœ dáining rum, dzœ láibrari, dzœ sic béi, dzœ jéadrésaz, dzœ dchimneizium, dzœ tírum, dzœ suíming púul, etsétera?*

¿Cuándo zarpamos? 1 When do we sail? **2** *Juen du uí séil?*

¿A qué velocidad navegamos? 1 At what speed are we sailing. **2** *¿At uát spidar ui seiling?*

Mi camarote es bastante grande. 1 My cabin is rather large. **2** *Mái cäbin iz ráadzœ láadch.*

El mío es más pequeño, pero confortable. 1 Mine is smaller, but comfortable. **2** *Máiniz smóola, bat cámftabul.*

Las literas son cómodas. 1 The berths are comfortable. **2** *Dzœ bœzs áa cámfatabal.*

Oiga, mozo, proporcióneme una silla de cubierta. 1 Steward, bring me a deck chair please. **2** *Stiúad, bringmia dek tchéa plíz.*

Camarero, sírvame la comida en cubierta, en el camarote. 1 Steward, I want my dinner on deck, in my cabin. **2** *Stiúad, ai uont mai dina on dek, in mai cäbin.*

Camarero, estoy a régimen y deseo una comida especial. ¿Quién se cuida de esto? 1 Steward, I am on a diet and want a special meal. Who attends to that? **2** *Stiúad, áimóna dáiet änd uónta spéschul míil. ¿Júa téndz tu dzat?*

¿Está usted mareado? 1 Are you feeling sick? **2** *¿Ayu fíiling sik?*

Nunca me mareo. 1 I'm never seasick. **2** *Aim néva síisik.*

El mar está picado. **1** The sea is a little choppy. **2** *Dzœ iza lítul tchópi.*

El barco cabecea algo, y, sin embargo, no hay olas. **1** She is pitching somewhat, and yet there are no waves. **2** *Schi iz pítching sámout, yet dzera nóu uéivz.*

Es que hay mar de fondo. **1** There is a ground swell. **2** *Dzériza gráund suél.*

Este movimiento de balanceo es casi insoportable. **1** This rolling is almost unbearable. **2** *Dzis róuling iz ólmoust anbéarbul.*

Siento dolor de cabeza. **1** I have a headache. **2** *Ai jäva jédéik.*

Eso es principio de mareo. **1** Its the beginning of seasickness. **2** *Itz dzœ biguíning ov sísiknis.*

Siento náuseas. Empiezo a marearme. **1** I'm feeling dizzy. I'm getting seasick. **2** *Áim fíiling dízi. Áim gueting sísik.*

Tengo necesidad de ver al médico. ¿Dónde está? **1** I must see a doctor. Where is he? **2** *Ai mast sia dókta. ¿Uéariz ji?*

Ahora el mar parece una balsa de aceite. **1** Now the sea looks as calm as a millpond. **2** *Náu dzœ sí lukz äs cam äs a milpand.*

¿Tiene usted unos prismáticos? **1** Have you a pair of binoculars? **2** *¿Jäviu apeaóv binóciulaz?*

En el horizonte se divisa un barco. Parece de carga. **1** I can see a ship on the horizon. It looks like a cargo boat. **2** *Aicansía schíp on dzœ jaráizan. It lúkz láika cáagou bóut.*

Tengo ya ganas de pisar tierra. **1** I should like to be on land. **2** *Áischud láik tubí on länd.*

Mañana, al amanecer, llegaremos a... **1** At dawn tomorrow we shall reach... **2** *At dóon tumórou uí schal ríitch...*

Venga usted a estribor. **1** Come over to starboard. **2** *Camóuva tu stáabóad.*

¿Qué ocurre? **1** What's happening? **2** *¿Uots jä'paning?*

Hay una puesta de sol magnífica. **1** What a magnificent sunset! **2** *¡Uóta mägnífisent sánset!*

¿A qué velocidad navega este barco? **1** What speed is she making? **2** *¿Uot spíid iz schi méiking?*

¿Dónde está la piscina? **1** Where's the swimming pool? **2** *¿Uéaz dzœ suíming púul?*

¿A qué hora llegaremos? **1** At what time shall we arrive? **2** *¿At uót táim schälui get dzéea?*

En tren* — By train

En la estación
At the station

La estación. **1** The station. **2** *Dzœs téischan.*

El andén. **1** The platform. **2** *Dzœ plä'tfóom.*

Las vías. **1** The tracks. **2** *Dzœ träks.*

Los raíles. **1** The rails. **2** *Dzœ réilz.*

La marquesina. **1** The awning. **2** *Dzióoning.*

El tren. **1** The train. **2** *Dzœ tréin.*

El expreso. **1** The express. **2** *Dziexpréss.*

El correo. **1** The mail express. **2** *Dzœ meilexpress.*

La locomotora. **1** The engine. **2** *Dzi éndchin.*

El ténder. **1** The tender. **2** *Dzœ ténda.*

El furgón. **1** The van. **2** *Dzœ vän.*

Los vagones. **1** The coaches, carriages. **2** *Dzœ cóutchiz, cä'ridchiz.*

El autovía. **1** The electric rail. **2** *Dzi iléctric réil.*

---

* Véase también p. 49, **La llegada**. En tren.

La estación — The station

A. Vestíbulo de estación, *station hall.*
1. Reloj, *clock.*
2. Taquillas, *Ticket office.*
3. Consigna, *left luggage office.*
4. Cambio de moneda, *currency exchange office.*
5. Entrada, *gate.*
6. Vigilante de andén, *ticket collector;* AMÉR *gateman.*
7. Cuadro de horarios, *timetables.*

B. Interior de un vagón, *the interior of the coach.*
8. Departamento, *compartment.*
9. Asiento, *seat.*
10. Respaldo, *the back of the seat.*
11. Portaequipajes, *luggage rack.*
12. Señal de alarma, *emergency signal.*
13. Ventanilla, *window.*
14. Mesita plegable, *collapsible table.*
15. Cenicero, *ashtray.*

C. Andén, *platform.*
16. Entrada, *gate.*
17. Tablón de avisos, *notice board.*
18. Sala de espera, *waiting room.*
19. Poste indicador, *train indicator.*
20. Inspector, *inspector.*
21. Paso subterráneo, *platform tunnel.*
22. Venta de libros y revistas, *mobile bookstand.*

El maquinista. 1 The engine driver. **2** *Dzi éndchin dráiva.*

El fogonero. 1 The stoker. **2** *Dzœs tóuka.*

El jefe de estación. 1 The station master. **2** *Dzœ téischan máasta.*

El revisor. 1 The inspector. **2** *Dzi inspékta.*

El empleado. 1 The employee. **2** *Dzi emplóyi.*

El guardagujas. 1 The pointsman. **2** *Dzœ póintsman.*

El factor. 1 The porter. **2** *Dzœ póta.*

El mozo. 1 The porter. **2** *Dzœ póota.*

El cuadro de horarios. 1 The time table. **2** *Dzœ táim téibul.*

El viajero. 1 The passenger. **2** *Dzœ pä'sincha.*

El baúl. 1 The trunk. **2** *Dzœ trank.*

La maleta. 1 The suitcase. **2** *Dzœ sútkeis.*

El maletín. 1 The small case. **2** *Dzœ small kéis.*

El equipaje. 1 The luggage. **2** *Dzœ lággidch.*

El cable eléctrico. 1 The electric wire. **2** *Dzi iléctric uáia.*

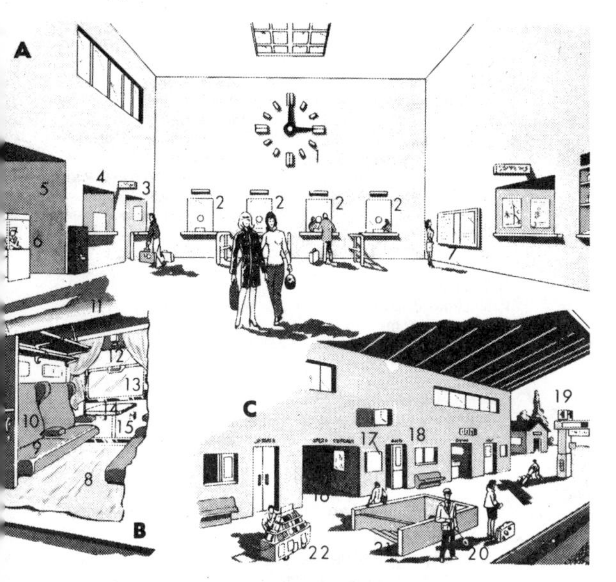

La taquilla. 1 The ticket office. **2** *Dzœ tiketofis.*
El billete. 1 The ticket. **2** *Dzœ ticket.*
Ida y vuelta. 1 Return ticket. **2** *Ritorntiket.*
Sala de espera. 1 Waiting room. **2** *Veiting rum.*
La consigna de equipajes. 1 Left luggage office. **2** *Left lágadch ófis.*

Mozo, facture mi equipaje para... 1 Porter, have my luggage registered to... **2** *Póota, jävmai laggidch rédchistad tu...*
¿En qué ventanilla despachan los billetes para...? 1 At which window do I get a ticket to...? **2** *¿At uítch uíndou dúai géta tíkit tu...?*

El tren — The train

1. Estación, *station.*
2. Andén, *platform.*
3. Paso subterráneo, *platform tunnel.*
4. Vías, *tracks.*
5. Paso de andén, *platform crossing.*
6. Toma de agua, *water column.*
7. Agujas, *points.*
8. Mando de agujas, *signal box.*
9. Grúa, crane.
10. Parachoques, *buffer stop.*
11. Estación de mercancías, *goods station.*
12 y 13. Vías de servicio, *sidings.*
14. Báscula, *weighbridge.*
15. Puente de hierro, *iron bridge.*
16. Viaducto, *viaduct.*
17. Túnel, *tunnel.*
18. Postes telegráficos, *telegraph hut.*
19. Guardabarreras, *gatekeeper's cabin.*
20. Paso a nivel, *level crossing.*
21. Barreras, *barriers.*
22. Poste de señales, *signal post.*
23. Puente, *bridge.*
24. Vagón de viajeros, *passenger coach.*
25. Furgón postal, *post office sorting carriage.*
26. Vagón de carga, *covered goods waggon.*
27. Vagón cisterna, *tank waggon.*
28. Vagón de carga abierto, *open goods waggon.*

¿Dónde está la ventanilla?´1 Where is the window? **2** *¿Uériz dzœ uíndou?*

¿Despachan aquí billetes para...? 1 Do you sell tickets to...? **2** *¿Du yu sel tíkitz to...?*

Déme tres primeras. 1 Three firsts please. **2** *Zri fœsts plíis.*

¿Cuánto vale un billete para...? 1 How much is a ticket to...? **2** *¿Jáu match iza tíkit tu...?*

En primera, en segunda, en coche cama, en coche pullman. 1 First, second, couchette, sleeping car, pullman. **2** *Fœst, sécand, kuschét, slíiping cáa, púlman.*

Un medio billete. 1 A half ticket. **2** *Œ háaf tícket.*

Billete combinado. 1 Combined ticket. **2** *Cambáind tíkit.*

Billete familiar. 1 Family ticket. **2** *Fámili tíkit.*

Billete de andén. 1 Platform ticket. **2** *Plä'tfoom tíkit.*

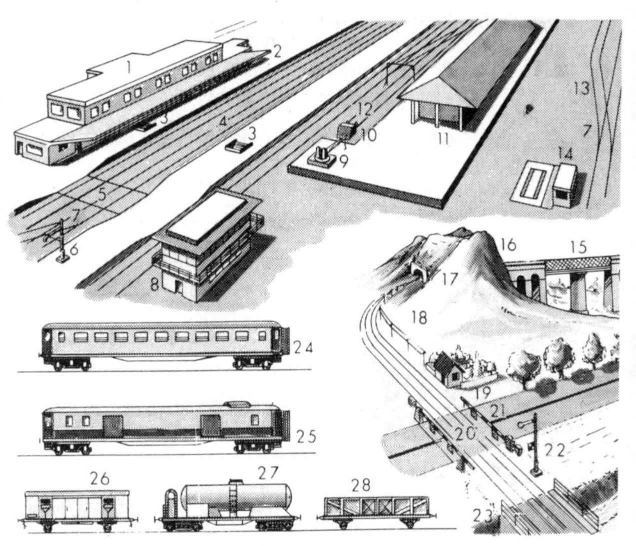

¿Hay transbordo en el trayecto? 1 Do I have to change? **2** *¿Duai jävtu tchéindch?*

¿A qué hora sale el tren? 1 When does the train leave? **2** *¿Uén daz dzœ tréin líiv?*

¿De qué vía sale? 1 Which platform does it go from? **2** *¿Uítch plä'tfoom däzit gou from?*

¿Dónde está el quiosco de periódicos? Deseo comprar una guía de ferrocarriles. 1 Where is the book stall? I want to buy a time table. **2** *¿Uériz dzœ búk stóol? Ai uónt tubáia taim téibul.*

Mientras tanto, puede usted facturar el equipaje. 1 In the meantime you can register your luggage. **2** *In dzœ míintáin yucän rédchista yóa laggidch.*

Acompáñeme al tren. 1 See me to the train. **2** *Síimi tu dzœ tréin.*

Primera, segunda, tercera clase. 1 First, second, third class. 2 *Fœst, sékand, zœd claas.*

Son dos, tres, cuatro, cinco bultos. 1 There are two, three, four, five pieces. 2 *Dzéara, tú, zrí, fóa, fáiv, píisiz.*

Haga el favor de subir las maletas. 1 Please put the bags in. 2 *Plíiz pútzœ bág zin.*

Deme el talón del equipaje. 1 Give me the luggage ticket. 2 *Guívmi dzœ lággidch tíkit.*

En el tren
On the train

Primera clase. 1 First class. 2 *Fœst cláas.*

Segunda clase. 1 Second class. 2 *Sécand cláas.*

El departamento. 1 The compartment. 2 *Dzœ compáatment.*

La puerta. 1 The door. 2 *Dzœ doa.*

La ventanilla. 1 The window. 2 *Dzœ uíndou.*

Plaza reservada. 1 Reserved seat. 2 *Riservt sit.*

El asiento. 1 The seat. 2 *Dzœ sit.*

La litera. 1 The couchette. 2 *Dzœ kuschet.*

Esta ventanilla no se puede abrir, no se puede cerrar. 1 This window doesn't open, doesn't close. 2 *Dzis uíndou dázant óupan, dázant clóuz.*

Voy a consultar la guía. 1 I am going to look at the time table. 2 *Aim góuing tulúkat dzœ táimtéibul.*

¿No hay coche restaurante, coche salón? 1 Is there no restaurant, no saloon car? 2 *¿Izd zéa nóu réstarong cáa, nóu salún?*

Aquí no se puede fumar. 1 One can't smoke here. 2 *Uán cáant smouk jía.*

¿Le molesta que esté abierta la ventanilla? 1 Do you mind if the open window? 2 *¿Duyu máind if ái ópen uíndou?*

Journey. Train

Entra mucho aire y mucho polvo. 1 A lot of wind and dust isgetting in. **2** *Alótav uíndand dást izgueting.*

Deseo dormir. 1 I want to sleep. **2** *Ai uónt tuslíip.*

¿Ya está hecha la cama? 1 Is the bed made? **2** *¿Iz dzœ béd méid?*

Perdone, este asiento está reservado. 1 Excuse me, this seat is taken. **2** *Iksciúz mi, dzis síit iz téikan.*

Si usted quiere podemos apagar la luz. 1 If you wish, we can put out the light. **2** *Ifyu uísch, uícän pútáut dzœ láit.*

Estas maletas son mías. 1 These suitcases are mine. **2** *Dziz siút kéisiz amáin.*

¿Puedo poner aquí mis maletas? 1 Can I put my bags here? **2** *¿Cä'nai put mai bágz jía?*

¿Cuántas estaciones faltan para llegar a...? 1 How many stations are there to...? **2** *¿Jáuméni stéischanz áadzea tu...?*

Faltan cuatro. Llegaremos dentro de una hora. 1 Four more. We shall be there in an hour. **2** *Fóa móa. Ui shäl bizéa ina náua.*

Voy a la cantina. 1 I'n going to the snack bar. **2** *Aim góuing tudzœ snäk ba.*

¿Qué estación es ésta? 1 What station is this? **2** *¿Uóts téischan iz dzís?*

Deseo subir. 1 I want to get in. **2** *Ái uóntu getín.*

Deseo bajar. 1 I want to get out. **2** *Ái uóntu getáut.*

Deseo ir al retrete. 1 I want to go the lavatory. **2** *Ai uónt tugóu tudzœ lävatori.*

Deseo lavarme. 1 I'm going wash my hands. **2** *Aim góing tu uásch mái hánds.*

Quisiera llegar pronto. 1 I should like to get there soon. **2** *Áischud láik tu guét dzéa súun.*

Ya hemos llegado. 1 We are there. **2** *Uía dzéa.*

¿Me permite bajar? 1 May I get out? **2** *¿Méi ái guetáut?*

Buen viaje, señores. 1 Have a good journey, gentlemen. **2** *Jäv a gud cháni, dchéntulmen.*

Cambio de tren
A change of trains

Tren directo. **1** Through train. **2** *Zrú tréin.*
Tren expreso. **1** Express train. **2** *Iksprés tréin.*
Tren rápido. **1** Fast train. **2** *Fáast tréin.*
Tren mixto. **1** Mixed train. **2** *Mikst tréin.*
Tren ligero. **1** Slow train. **2** *Slóu tréin.*
Tren correo. **1** Mail train. **2** *Méil tréin.*

En la próxima estación debemos cambiar de tren. **1** We have to change at the next station. **2** *Uí jävtu tchéindch ätdzœ nékst stéischan.*

¡Mozo! Indíqueme el tren que va a... **1** Porter, which is the train for...? **2** *Póota, ¿uítchiz dzœ tréin fo...?*

¿Debemos pasar a ese tren? **1** Is this our train? **2** *¿Izdzät áua tréin?*

¿Podemos subir ya? **1** Can we get in now? **2** *¿Cänui guetin náu?*

¿Va este tren directo a...? **1** Is this train through to...? **2** *¿Iz dzis tréin zrú tu...?*

La llegada*
The arrival

En automóvil — By car

Guardia, tenga la bondad de decirnos dónde está el Hotel ... 1 Policeman where is the Hotel, please? **2** *Polisman ¿uéariz dzœ ... Joutél?*

¿Podría indicarme un hotel de primera categoría, de segunda, de tercera, una pensión? 1 Could you tell me a first, second, third class hotel, a boarding house? **2** *¿Kudyu télmia fœst, secand zœd claas jotel, œ bóoding jáus (pénschan)?*

En avión — By plane

El viaje ha sido excelente. ¿Qué trámites debemos cumplir? 1 It's been a splendid trip. What do we have to do now? **2** *Its bíina spléndid trip. ¿Uótdui jäv tudú náu?*

Hemos de pasar por la aduana. Los altavoces ya nos avisarán. 1 We have to pass through Customs. We shall be warned by loud speaker. **2** *Ui jävtu páas dzru kástamz. Uíschal bi uóond bái láud spiika.*

Oiga, señor, ¿dónde está el lavabo? 1 Excuse me, where is the lavatory? **2** *Iksiuz mi. ¿Uéariz dozæ lä'vatari?*

¿Está muy lejos la ciudad del aeropuerto? 1 Is the town very far from the airport? **2** *¿Izdzœ táun véri fáa from dzœ éapoat?*

---

* Véase también p. 50, **La aduana**; p. 94, **Medios de locomoción.**

¿Podemos subir ya al autocar? 1 Can we get into the coach already? **2** *¿Cänui get íntu dzœ cóch alrédi?*

¿Dónde he de retirar el equipaje? 1 Where do I get muy luggage. **2** *¿Uéa duai get mái laggidch?*

Prefiero retirarlo en la ciudad, a la llegada. 1 I would rather get it when we arrive in town. **2** *Ái úud ráadzœ gétit uén ui aráiv in táun.*

Se ha perdido mi maleta. 1 My suit-case is lost. **2** *Mai sintkeis is lost.*

¿Podemos bajar ya? 1 Can we get out now? **2** *¿Cä'nuf getáut náu?*

Mozo, tenga mi billete y retíreme el equipaje. 1 Porter, here's my ticket. Get my luggage. **2** *Póota, jíaz mái tíkit. Guét mái laggidch.*

Lleve mi equipaje a un taxi. 1 Take my baggage to a taxi. **2** *Téik mai bagaich tu a táxi.*

Chófer. Lléveme al Hotel... 1 Driver, take me to... Hotel. **2** *Dráiva, téikmi tu... Jóutél.*

En barco — By boat

El práctico. 1 The pilot. **2** *Dzœ páilat.*

El práctico se ha hecho cargo del barco. 1 The pilot has taken over. **2** *Dzœ páilat jäz teikan óuva.*

Estamos entrando ya en el puerto. 1 We are coming into the harbour. **2** *Uía cáming íntu dzœ jáaba.*

Los remolcadores también han entrado en acción. 1 The tugs have also taken over. **2** *Dzœ tágz jäv ólsou téikan óuva.*

¿Tardaremos mucho en poder desembarcar, oficial? 1 Will it be long before we go ashore, Captain? **2** *¿Vílit bi lóng bifóa ui góu eschóa, cáptin?*

Antes hemos de pasar por los trámites de sanidad y de inmigración, y a continuación por la aduana. 1 First we have to see the medical and immigration officers, and then go through Customs. **2** *Foest uijäv tusi dzœ médical änd imigréischan ófisaz dzen go dzru cástamz.*

¿Cuánto tiempo libre tenemos en esta ciudad? 1 How much free time have we in this city? **2** *¿Jaumach fri taim jefni in dzis siti?*

¿Dónde podemos recoger el pasaporte? 1 Where can we get back our passports? **2** *¿Oea kanui guetbak aur posports?*

Mozo, retíreme el equipaje del camarote y de la bodega. Tengo cinco bultos. Aquí tiene mi pasaje. 1 Porter, get my luggage from the cabin and from the hold. There are five pieces. Here is my ticket. **2** *Póota, gétmái lággidch from dzœ cäbin and from dzœ jóuld. Dzéra fáiv píisiz. Jíriz mái tíkit.*

En tren — By train

¿Falta mucho para llegar? 1 Have we far to go yet? **2** *¿Jävui fáa tugóu yet?*

¡Mozo! ¡Mozo! 1 Porter! Porter! **2** *¡Póota! ¡Póota!*

Tome usted mis maletas y búsqueme un taxi. 1 Take my bags to a taxi. **2** *Téik mái bakz túa táksi.*

Coloque usted los bultos en el taxi. 1 Put the luggage in the taxi. **2** *Pút dzœ laggidch indzœ táksi.*

Espere, mozo; tome este talón, y sáqueme el baúl que viene facturado. Le espero dentro del auto. 1 Wait, porter. Take this ticket and get the registered trunk. I'll wait for you in the taxi. **2** *Uéit, póota. Téik dzis tikit and guét dzœ rédchistad trank. Aíl uéit foyu in dzœ táksi.*

Coloque el baúl al lado del chófer y las maletas en el interior. 1 Put the trunk by the driver and the bags inside. **2** *Put dzœ trank bái dráiva and dzœ bägz insáid.*

La aduana*
La frontera

The customs
The border

La aduana. **1** Customs. **2** *Kástams.*
El vista de aduana. **1** The Customs officer. **2** *Dzœ kástamz ofisa.*
El policía. **1** The policeman. **2** *Dzœ polisman.*
La matrona. **1** The policewoman. **2** *Dzœ polísuoman.*
El mozo. **1** The porter. **2** *Dzœ póota.*
El equipaje. **1** The luggage. **2** *Dzœ lággidj.*
El baúl. **1** The trunk. **2** *Dzœ trank.*
La maleta. **1** The suit case. **2** *Dzœ siút kéis.*
El portamantas. **1** The portmanteau. **2** *Dzœ poot-mä'nto.*
La cámara fotográfica. **1** The camera. **2** *Dzœ kämara.*
La filmadora. **1** The movie camera. **2** *Dzœ múvi kämara.*
El bolso. **1** The bag. **2** *Dzœ bäg.*
La cartera. **1** The portfolio. **2** *Dzœ pootfólio.*
El bastón. **1** The walking stick. **2** *Dzœ uáking stik.*
El paraguas. **1** The umbrella. **2** *Dzœ ambréla.*
El viajero. **1** The traveller. **2** *Dzœ trä'vla.*
La revisión. **1** The inspection. **2** *Dzœ inspékschan.*
El pasaporte. **1** The passport. **2** *Dzœ páaspoot.*
El pasaporte colectivo. **1** The group passport. **2** *Dzœ grup páaspoot.*
La documentación. **1** Your papers. **2** *Yóa péipaz.*
La carta verde. **1** The green card. **2** *Dzœ grin kärd.*

Ya estamos en la frontera. **1** Here we are at the border. **2** *Jía uiá ät dzœ bóda.*

---

* Véase también p. 47, **La llegada**.

Customs. Border

Hemos de pasar por la aduana. 1 We have to pass customs. **2** *Ui jäv tupáas kástamz.*

Llame, por favor, a un empleado de la aduana. 1 Please call me a Customs officer. **2** *Pliiz cóolmia castamz ófisa.*

Me acompañan mi mujer y mi hija. 1 My wife and daughter are with me. **2** *Mai uyaif eind douter ar wiz mi.*

El objeto de mi viaje es... 1 The purpose of my journey is to... **2** *Za perpos ov mi ghurné ís tu...*

Vacaciones, turismo, ampliación de estudios, asuntos familiares. 1 Holidays, touring, studies, family affairs. **2** *Jolidiz, túring, stadiz, fämili afeaz.*

Mis datos personales son... 1 My personal data are... **2** *Mai personal daita ar...*

Pienso estar ... días en este país. 1 I expect to stay ... days in this country. **2** *Aikspéct tustéi ... deiz in dzis cántri.*

Está todo conforme. 1 All right. **2** *Óol ráit.*

Visado de entrada. 1 Entry permit (visa). **2** *Entri pœmit (viza).*

Visado de estancia. 1 Permit to stay. **2** *Pœmit tustéi.*

Visado de tránsito. 1 Transit visa. **2** *Tränsit viza.*

El permiso internacional de conducción. 1 Your international driving licence. **2** *Yóar intanáschanul dráiving láisans.*

El tríptico. 1 The customs pass for cars. **2** *Dzœ cástoms päs foa cáas.*

La documentación del automóvil. 1 The car's documents. **2** *Za kars dakwumens.*

El cuaderno de exportación temporal. 1 The temporary export licence. **2** *Dzœ témparari éxpoot láisens.*

La tarjeta de admisión provisional. 1 The temporany import permit. **2** *Dzœ témparari éxpoot pœmit.*

¿Hemos de bajar del coche? 1 Have we to get out of the coach? **2** *¿Jävui tugét ántav dzœ cóutch?*

Está en regla. **1** That's all right. **2** *Dzätz ool ráit.*

¿Revisarán en seguida el equipaje? **1** Will the luggage be examined now? **2** *¿Uildzœ lággidj bieg zä'mind náu?*

No llevo nada que declarar. **1** I have nothing to declare. **2** *Hai jav nazin tu dikler.*

Examine. **1** Please look. **2** *Pliiz luk.*

No llevo tabaco, licores. **1** I have no tobacco, spirits. **2** *Ai jäv nóu tabäco, spíritz.*

No llevo moneda extranjera. **1** I haven't got any foreign currency. **2** *Hai javint gat eni forein kurensi.*

Llevo seis mil... **1** I have six thousand... **2** *Áijäv siks záuzänd...*

En este baúl hay prendas de mi uso personal, ropa blanca, un traje, y dos pares de zapatos. **1** In this trunk I have personal clothing, linen, one suit and two pairs of shoes. **2** *In dzís trank aijav pœsanal klóudzing, línin, uán syút and tú péazav schúz.*

¿Debo abrir el maletín? **1** Must I open this small bag? **2** *¿Mástai óupan dzis smóol bag?*

Vea usted. **1** Here you are. **2** *Jía yuá.*

¿Hay algo que pague derechos? **1** Is there anything dutiable? **2** *¿Iz dzéar éninzing dyútiabul?*

¿Puedo cerrar la maleta? **1** May I close the bag? **2** *¿Méai clouœ bä'g?*

¿Cuánto he de pagar de derechos? **1** How much duty have I to pay? **2** *¿Jáu match dyúti jävai tupéi?*

¿Dónde está la oficina de cambio de moneda? **1** Where is the exchange office? **2** *¿Uéariz dzi ikstchéindch ófis?*

Haga el favor de cambiarme... en moneda del país. **1** Will you please change me ... into ... money. **2** *¿Úilyu plíiz tchéindch mí... íntu ... máni?*

¿Qué cambio ha cotizado? **1** What rate have you given me? **2** *¿Uót réit jävyu guivan mi?*

En el hotel*
At the hotel

Hotel de primera, segunda, tercera. 1 First, second, third class hotel. 2 *Fest, second, dzœd klosotel.*
Hostal. 1 Inn. 2 *In.*
Residencia. 1 Guest house. 2 *Guest jáus.*
Albergue. 1 Inn. 2 *In.*
Pensión. 1 Boarding-house. 2 *Booding-jaus.*
El vestíbulo. 1 The hall. 2 *Dzœ jóol.*
El portero. 1 The porter. 2 *Dzœ póota.*
El conserje. 1 The clerk. 2 *Dzœ cláak.*
El botones. 1 The bell boy. 2 *Dzœ bel boi.*
El ascensorista. 1 The elevator boy. 2 *Dzi eleveitor boi.*
El impuesto de lujo. 1 Lux tax. 2 *Laks taks.*
Servicio incluido. 1 Service inclused. 2 *Sevis incliud.*
La dirección. 1 The management. 2 *Dzœ mä'nidchment.*
La caja. 1 The cashier's desk. 2 *Dzœ cäshias desk.*
El intérprete. 1 The interpreter. 2 *Dzœ intœprita.*
El camarero. 1 The waiter. 2 *Dzœ uéita.*
La camarera. 1 The waitress. 2 *Dzœ uéitris.*
El ascensor. 1 The lift. 2 *Dzœ lift.*
La escalera. 1 The staircase. 2 *Dzœ stéia kéis.*
El bar americano. 1 The cocktail bar. 2 *Dzi cókteil báa.*
El comedor. 1 The dining room. 2 *Dzœ dáining rum.*
El fumador. 1 The smoking room. 2 *Dzœ smóuking rum.*
La biblioteca. 1 The library. 2 *Dzœ láibrari.*

---

* Véase también p. 65, **En el restaurante** y p. 77, **En la ciudad**.

El primer piso. **1** The first floor. **2** *Dzœ fœst flóa.*

Las habitaciones. **1** The rooms. **2** *Dzœ rumz.*

Las habitaciones interiores y exteriores. **1** The inner and outer rooms. **2** *Dzi ínarand áuta rumz.*

El pasillo. **1** The corridor. **2** *Dzœ córidoa.*

El cuarto de baño. **1** The bath room. **2** *Dzœ báaz rum.*

El lavado. **1** The lavatory. **2** *Dzœ lávatari.*

El timbre eléctrico. **1** The electric bell. **2** *Dzi iléctric bel.*

La radio. **1** The radio. **2** *Dzœ réidio.*

El televisor. **1** The television set. **2** *Dzœ télivision set.*

El teléfono. **1** The telephone. **2** *Za telifoin.*

Recepción — Reception

La oficina de recepción. **1** The reception office. **2** *Dzœ risépschan ófis.*

La administración. **1** The managment. **2** *Dzœ mä'ridchment.*

Tengo reservada una habitación a nombre de... **1** I have booked a room for M... **2** *Ái jäv búkta rum fo...*

Siento no haber podido llegar antes. **1** I'm sorry I couldn't get here sooner. **2** *Áim sóri Ai cúdant guét jía súna.*

Deseo una habitación con una cama. **1** I want a single bedroom. **2** *Ái uónta síngul bédrum.*

Deseo una habitación con una cama y cuarto de baño. **1** I want a single bedded room and a bath room. **2** *Ái uónta síngul bédid rum ända báaz rum.*

Quisiera dos habitaciones con baño. **1** I would like two rooms with a bath. **2** *Áischud láik tú rúmz uidha báaz.*

Dos habitaciones con comunicación interior. **1** Two communicating roms. **2** *Tú camiúnikeiting rumz.*

Hotel. Reception

Una habitación con dos camas o cama de matrimonio. 1 A double bedroom. **2** *Adábal bédrum.*

Deseo que la habitación tenga teléfono. 1 I'd like a phone in the room. **2** *Haid laik a foin in za rum.*

¿Cuánto importa la habitación? ¿Y la pensión? 1 How much is the room? And the board? **2** *¿Jáumatch izdzœ rum? ¿Andzœ bóod?*

¿Todo incluido? 1 Is everything included? **2** *¿Iz evrizing incliúdid?*

Conforme. ¿Se ha de llenar alguna hoja-registro de entrada? 1 All right. Do I have to fill up any form? **2** *¿Duái jävtu filáp éni fóom?*

Mi nombre y apellido son ... 1 My name and surname are ... **2** *Mái néim and sœneim aa ...*

Treinta años. 1 Thirty. **2** *Zœti.*

Soltero. Casado. Viudo. 1 Married, single, widower. **2** *Mä rid, síngul, uídoa.*

Industrial. 1 Manufacturer. **2** *Mäyufä'ctyura.*

El motivo del viaje es turismo, negocios... 1 The purpose of the trip is for a holiday, for business... **2** *Za perpos ov za trip ís fur a jaladé, fur bisiniss.*

¿Podría indicarme dónde está el consulado de...? 1 Can you tell me where the... consulate is? **2** *¿Cänyu télmi uéa dzœ... cónsolet iz?*

Haga subirme el equipaje. 1 Have my luggage sent up. **2** *Jävmai lággidch sentáp.*

Me gusta esta habitación. 1 I like this room **2** *Ai láik dzœ rum.*

Está bien. Es clara. Me quedo con ella. 1 It's all right. It's light. I'll take it. **2** *Its óol ráit. Its láit. Ail téikit.*

¿Hará el favor de despertarme a las seis, a las siete y media...? 1 Please wake me at six, half past seven... **2** *Plíiz uékmi at síks, jáaf páast séven.*

Agua fría. 1 Cold water. **2** *Cóuld uóta.*

Agua caliente. 1 Hot water. **2** *Jat uyáter.*

¿Podrán limpiarme los zapatos? 1 Can you clean my shoes? **2** *¿Cänyu clíin mái schuz?*

¿Está ahora abierta la caja del hotel? Deseo depositar cierta cantidad. **1** Is the office open yet? I want to leave some money there. **2** *¿Izdzi ófis óupan yet? Áiuónt tu líiv sam máni dzéa.*

¿Quiere guardarme usted ese dinero? Ahí tiene mi tarjeta. El número de habitación es el... **1** Will you keep this money for me, please? Here is my card. Room No... **2** *¿Uílyu kíip dzis máni fomi, plíiz? Jíariz mái cáad. Rum namba...*

¿Puede decirme dónde hay un garaje cerca del hotel? **1** Can you tell me where there is a garage near the hotel? **2** *¿Cäanyu télmi uéa dzeríza gä'ridch nía dzœ jotél?*

¿Cuánto hacen pagar por día? **1** What do they charge a day? **2** *¿Uót dudhéi tcháadcha déi?*

Deseo alquilar un automóvil con chófer, sin chófer. **1** I want to hire a car with, without a driver. **2** *Ai uóntu jáiara cáa uiz, uizáuta dráiva.*

Al acostarse — Going to bed

El dormitorio. **1** The bedroom. **2** *Dzœ bédrum.*

La cama. **1** The bed. **2** *Dzœ bed.*

La cama de matrimonio. **1** The double bed. **2** *Dzœ dábul bed.*

La almohada. **1** The pillow. **2** *Dzœ pílou.*

El almohadón. **1** The large pillow. **2** *Dzœ láadch pilóu.*

El sommier. **1** The spring matress. **2** *Dzœ spring mä'tris.*

Las sábanas. **1** The sheets. **2** *Dzœ schíits.*

La manta. **1** The blanket. **2** *Dzœ blä'nkit.*

La colcha. **1** The counterpane. **2** *Dzœ cáuntapein.*

El edredón. **1** The eiderdown quilt. **2** *Dzi áida dáun cuilt.*

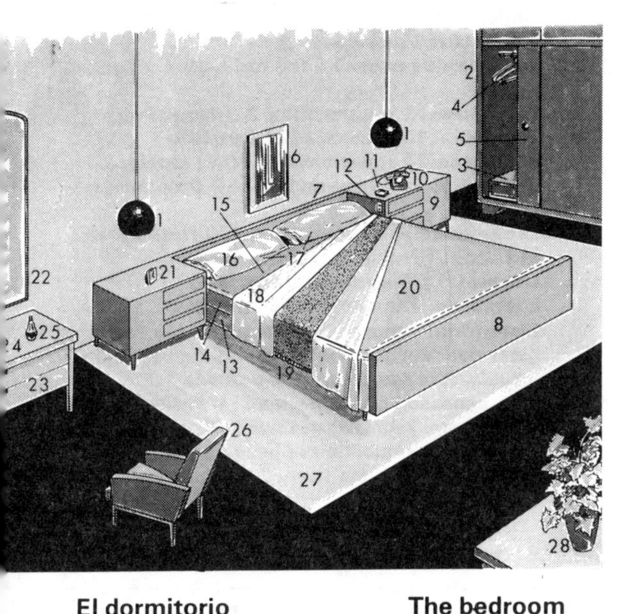

El dormitorio

The bedroom

1. Lámpara, *lamp.*
2. Armario, *cabinet.*
3. Cajón, *drawer.*
4. Colgador, *clother-hanger.*
5. Puerta corredera, *sliding door.*
6. Cuadro, *picture.*
7. Cabezal de la cama, *head of the bed.*
8. Cama, *bed (stead).*
9. Mesita noche, *bedside table.*
10. Teléfono, *telephone.*
11. Cenicero, *ash-tray.*
12. Interruptores, *switches.*
13. Jergón, *spring mattress.*
14. Colchón, *mattress.*
15. y 18. Sábanas, *sheets.*
16. Almohadón, *bolster.*
17. Almohadas, *pillows.*
19. Manta, *blanket.*
20. Colcha, *quilt.*
21. Despertador, *alarm clock.*
22. Espejo, *mirror.*
23. Tocador, *dressing table.*
24. Joyero, *jewel-case.*
25. Vaporizador, *scent spray.*
26. Butaca, *armchair.*
27. Alfombra, *carpet.*
28. Florero, *vase.*

La alfombra, alfombrilla. 1 The carpet, the mat. 2 *Dzœ cáapit, dzœ mät.*

La mesita de noche. 1 The night table. 2 *Dzœ náit téibul.*

Los sillones. 1 The armchairs. 2 *Dzi áamtchéaz.*

El armario. 1 The cupboard. 2 *Dzœ cábad.*

Las butacas. 1 The armchairs. 2 *Dzi áamtchéaz.*

El tocador. 1 The dressing table. 2 *Dzœ drésing téibul.*

El despertador. 1 The alarm clock. 2 *Dzi aláam clok.*

El balcón. 1 The balcony. 2 *Dzœ bálkoni.*

La terraza. 1 The terrace. 2 *Dzœ térris.*

La ventana. 1 The window. 2 *Dzœ uíndou.*

Siento frío. Póngame otra manta en la cama. 1 I am cold. Put another blanket on the bed. 2 *Áiyam cóuld. Púta nadzœ blánkit on dzœ bed.*

Estoy cansado. Dormiré bien. 1 I'm tired. I shall sleep well. 2 *Áim táiad. Á schal slíip uél.*

Hacen mucho ruido, no se puede dormir. 1 There is a lot of noise. I can't sleep. 2 *Dzéaza lótav nóiz, ai cáant slíip.*

El cuarto de baño — The bathroom

La bañera. 1 The bath. 2 *Dzœ báaz.*

Los grifos. 1 The taps. 2 *Dzœ täps.*

La ducha. 1 The shower bath. 2 *Dzœ scháua báaz.*

El water o lavabo. 1 The lavatory. 2 *Dzœ lä'vatari.*

El espejo. 1 The mirror. 2 *Dzœ mira.*

Las toallas. 1 The towels. 2 *Dzœ táuelz.*

El toallero. 1 The towel rack. 2 *Dzœ táuel räc.*

El jabón. 1 The soap. 2 *Dzœ sóup.*

La jabonera. 1 The soap tray. 2 *Dzœ sóup trei.*

La esponja. 1 The sponge. 2 *Dzœ spandch.*

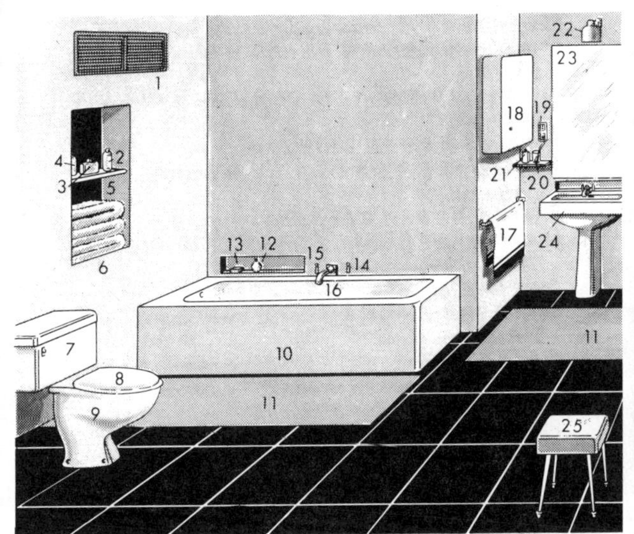

El cuarto de baño

The bathroom

1. Ventilación, *ventilator.*
2. Agua de colonia, *eau de cologne.*
3. Loción, *lotion.*
4. Polvos de talco, *talcum powder.*
5. Repisa, *shelf.*
6. Toallas para baño, *bath towels.*
7. Depósito de agua, *water tank, cistern.*
8. Tapa del W. C., *lavatory lid.*
9. Cubeta, *water-closet bowl.*
10. Basera, *(full-length) bath.*
11. Alfombra o estera, *bath mat.*
12. Sales de baño, *bath salts.*
13. Jabón, *soap.*
14. Llave de agua caliente, *hot water tap lever.*
15. Llave de agua fría, *cold water tap lever.*
16. Grifo, *tap.*
17. Toalla, *towel.*
18. Armarito, *bathroom cabinet.*
19. Interruptor y enchufe, *switch and socket.*
20. Cepillo de dientes, *tooth brush.*
21. Loción y masaje, *massage lotion.*
22. Lámpara, *wall light.*
23. Espejo, *mirror.*
24. Lavabo, *wash-basin.*
25. Taburete, *bathroom stool.*

El servicio. 1 The lavatory. **2** *Dzœ lävatori.*

El cepillo de dientes. 1 The tooth brush. **2** *Dzœ túuz brásch.*

La pasta dentífrica. 1 The tooth paste. **2** *Dzœ túuz péist.*

El peine. 1 The comb. **2** *Dzœ cóum.*

El cepillo para el cabello. 1 The hair brush. **2** *Dzœ jéa brasch.*

El bidé. 1 The bidet. **2** *Dzœ bíde.*

El guante para fricción. 2 The friction glove. **2** *Dzœ frikschan glav.*

Sales para baño. 1 Bath salts. **2** *Báaz solts.*

Cepillo para masaje. 1 Massage brush. **2** *Másaadch brasch.*

Polvos de talco. 1 Talcum powder. **2** *Tálcam páuda.*

¿Dónde está el cuarto de baño? 1 Where is the bath room? **2** *¿Uéariz dzœ báazrum?*

Prepáreme usted jabón y toallas. 1 Get the towels and soap ready for me. **2** *Guét dzœ táuelzand sóup rédi fomi.*

Esta toalla es pequeña. 1 This towel is very small. **2** *Dzis táual iz véri smóol.*

Déme una toalla grande para el baño. 1 Give me a bath towel. **2** *Guiv mi a baz taúl.*

El desayuno* Breakfast

¿Qué hora es? 1 What's the time? **2** *¿Uót dzœ táim?*

He dormido toda la noche de un tirón. 1 I slept right through. **2** *Ai slept ráit dzru.*

Tráigame el desayuno. 1 Bring me breakfast. **2** *Brink mi brékfás-ta.*

Un café. 1 Coffee. **2** *Cófi.*

Chocolate. 1 Chocolate. **2** *Tchókolit.*

---

* Véase también p. 65, **En el restaurante** y p. 99, El bar.

Huevos con jamón, mermelada y café con leche. 1 Ham and eggs, marmalade, white coffee. **2** *Jäman egz, máameléid, uáit cófi.*

Café con leche, un panecillo y mantequilla. 1 White coffee, a roll and butter. **2** *Uáit cófi, aróul and báta.*

Camarero, café con leche, azúcar, mermelada de ciruelas, de fresas, de albaricoque, de melocotón. 1 Waiter, white coffee, sugar, plum, strawberry, apricot, peach jam. **2** *Uéita, uáit cófi, schúga, plam, stróberi, éipricot, píitch dcham.*

Tráigame un panecillo. 1 Bring me a roll. **2** *Bríngmia róul.*

Esta leche está fría. 1 This milk is cold. **2** *Dzis mílkiz cóuld.*

Déme agua fresca. 1 Bring me some cold water. **2** *Bringmi sam could uóta.*

Quiero pan tostado. 1 I want some toast. **2** *Ai uónt sam tóust.*

Quiero chocolate y leche. 1 I want chocolate with milk. **2** *Ai uónt tchócolet uidz milk.*

Déme bizcochos. 1 Give me some sponge fingers. **2** *Guívmi sam spandch fíngas.*

Tráigame una tortilla. 1 Bring me an omelette. **2** *Bríngmi anómlet.*

Huevos fritos, huevos con jamón. 1 Fried eggs, ham and eggs. **2** *Fráid egz, jämanégz.*

Tostadas. 1 Toast. **2** *Tóust.*

Miel. 1 Honey. **2** *Jáni.*

Mantequilla. 1 Butter. **2** *Báta.*

Por favor, tráigame un yogur. 1 Please, bring me a yoghurt. **2** *Plíiz bring mi a yógat.*

Tráigame mondadientes. 1 Bring me some toothpicks. **2** *Bringmi sam túz piks.*

Un paquete de cigarrillos. 1 A packet of cigarettes. **2** *Apäkitav sigaréts.*

Déme un fósforo. 1 Give me a match, please. **2** *Guivmia mä'tsch, plíiz.*

Servicios — Services

Lavado de la ropa
Washing service

Hagan el favor de recoger mi ropa para lavar. 1 Kindly come to collect my clothes to be washed. **2** *Caint-li coum tu kolekt mai clois tu bi uyás-chta.*

Aquí tiene usted la lista. 1 Here is the list. **2** *Jiariz dzœ list.*

Hay dos camisas. 1 There are two shirts. **2** *Dzéra túu schœts.*

Cuatro pares de calcetines. 1 Four pairs of socks. **2** *Fóa péiazav socs.*

Dos calzoncillos. 1 Two pairs of underpants. **2** *Túu péas av ándapänts.*

Ocho pañuelos. 1 Eight handkerchiefs. **2** *Éit jä'ncatschifs.*

Dos camisetas. 1 Two vests. **2** *Túu vests.*

Dos pijamas. 1 Two pyjamas. **2** *Túu pidchámaz.*

Me es muy urgente. 1 I need it urgently. **2** *Hai niíd it erchint-li.*

Lo antes posible. 1 As soon as possible. **2** *Az súnaz pósibul.*

Para escribir una carta*
To write a letter

Tráigame papel y sobre. 1 Bring me some paper and an envelope. **2** *Bríngmi sam péiparandan énvaloup.*

¿A cuántos estamos? 1 What is the date? **2** *¿Uótiz dzœ déit?*

¿Dónde están las postales? 1 Where are the post cards? **2** *Vea ardzœ poust cards?*

* Véase también p. 220, **Cartas y telegramas.**

¿Tiene sellos? **1** Have you stamps? **2** *Jef yu stamps?*

¿Puede usted enviar este telegrama? **1** Could you send this cable? **2** *¿Kudiusend dzis keibol?*

Dígame dónde puedo echar estas cartas. **1** Where can I post these letters? **2** *¿Uéa canái póust dziz létaz?*

¿Dónde está el buzón más próximo para echar estas cartas? **1** Where is the nearest pillar box? **2** *¿Uériz dzœ níarista pílaboks?*

Écheme esta carta al correo. **1** Please post this letter. **2** *Plíiz póust dzis léta.*

No olvide poner los sellos. **1** Don't forget to put the stamps on. **2** *Dóunt faguét tupút dzœ stamps on.*

El equipaje
The luggage

¿Puede usted enviarme el equipaje a...? **1** Could you send my luggage to...? **2** *¿Kudiu sent mai lágach tu...?*

¡Mande buscar mi equipaje! **1** Please, ask for my luggage. **2** *Pliss, askfa mai lágach.*

Mi equipaje está en el coche. **1** My luggage is in the car. **2** *Mai lágach is in dzœ kar.*

¡Lléveme el equipaje a la habitación, por favor! **1** Please, take my luggage to the room. **2** *Plis, teik mai lágach tu dzœ rum.*

¿Está mi equipaje en la habitación? **1** Is my luggage in the room? **2** *¿Is mai lágach in dzœ rum?*

¿Dónde está mi equipaje? **1** Where is my luggage? **2** *¿Vea is mai lágach?*

Creo que mi maletín ha desaparecido de la habitación número... **1** My case has disappeared from the room number... **2** *Mai keis jes disapirt from dzœ rum manba...*

Vaya con cuidado con esta maleta. **1** Be careful with this suitcase. **2** *Bi keaful uiz dzis siutkeis.*

Estas dos maletas van a la habitación número... y esta otra a la... 1 These two cases go to room number... and this other one to number... **2** *Dzis tu keises gou tu rum mamba... end dzis ódzauan tu mamba...*

Servicios varios
Sundry services

Desearía un guía que hable... 1 I want a guide who speaks... **2** *Ái uónta gáid ju spíiks...*

¿Hay peluquería en el hotel? 1 Is there a hairdresser's in the hotel? **2** *¿Ís zeir a jer-dreisers in za jo-tel?*

Pregunte si hay cartas para mí. 1 Ask if there are any letters for me. **2** *Áskif dzéraréni létaz fomi.*

Si pregunta alguien por mí diga usted que volveré en seguida. 1 If anybody asks for me, tell them I shall be back immediately. **2** *Iféníbódi ásks fomi, tél dzem ái schel bibäk imidietli.*

Quiero alquilar un automóvil. 1 I want to hire a car. **2** *Ai uant tu jáia a cáa.*

La despedida — The departure

Nos vamos el día... 1 We are leaving on the... **2** *Viar living on dzœ...*

Me marcharé mañana a las... 1 I leave to morrow at... **2** *Ai liv tumoru et...*

¿Quiere hacerme la factura? 1 Could you make out my bill? **2** *Kudiu meik áut mai bil?*

Creo que se han equivocado. 1 I think there is a mistake. **2** *Ai dzink dzearis a misteik.*

¿Me puede detallar la factura? 1 Could you break down the bill forme? **2** *¿Kudiu bréik daún dzœ bil foa mi?*

¿Quiere enviar a alguien para que bajen el equipaje? 1 Could you send someone to take my luggage down? **2** *¿Kudiu sendsamuan tuteik mai lágach dáun?*

¿Puedo dejar aquí mis cosas hasta que vuelva? 1 Could I leave these things here until my return? **2** *¿Kudai liv dziszings jia ontil urai ritorn?*

Por favor, llame un taxi. 1 Please, call me a taxi. **2** *Pliz, colmi a teksi.*

En el restaurante*

In the restaurant

La mesa — The table

El mantel. 1 The table cloth. **2** *Dzœ téibul clóoz.*
La servilleta. 1 The serviette. **2** *Dzœ sœviet.*
El plato. 1 The plate. **2** *Dzœ pléit.*
El vaso. 1 The glass. **2** *Dzœ glaas.*
La copa. 1 The wine glass. **2** *Dzœ uáin glaas.*
La copita. 1 The liqueur glass. **2** *Dzœ likiúa glaas.*
La cuchara. 1 The spoon. **2** *Dzœ spúun.*
La cucharilla. 1 The desert spoon. **2** *Dzœ dizœt spóun.*
El tenedor. 1 The fork. **2** *Dzœ fook.*

* Véase también p.53. **En el hotel** y p. 99, **El bar**.

La mesa — The table

1. Plato sopero, *soup plate (deep plate).*
2. Plato llano, *dinner plate, flat plate.*
3. Cuchara, *spoon.*
4. Cuchillo, *knife.*
5. Cuchillo para pescado, *fish knife.*
6. Cuchillo para postre, *fruit knife.*
7. Cucharilla, *teaspoon.*
8. Cucharilla para postre, *dessert spoon.*
9. Tenedor, *fork.*
10. Tenedor para pescado, *fish fork.*
11. Tenedor para postre, *dessert fork.*
12. Vinagreras, *casters.*
13. Salero, *salt cellar.*
14. Pimienta, *pepper cellar.*
15. Copa para champaña, *champagne glass.*
16. Copa para vino blanco, *white-wine glass.*
17. Copa para agua, *water glass, tumbler.*
18. Copa para vino tinto, *red-wine glass.*
19. Servilleta, *(table) napkin.*
20. Candelabro, *cadlestick.*
21. Salsera, *sauce boat.*
22. Mantel, *table cloth.*
23. Velas, *candles.*
24. Sopera, *soup tureen.*
25. Ensaladera, *salad bowl.*
26. Fuente, *dish.*
27. Tenedor para langosta, *lobster fork.*
28. Vasos para aperitivo, *aperitif glass.*
29. Copa para jerez, *sherry glass.*
30. Copa para licor, *liqueur glass.*
31. Copa balón, *brandy glass.*
32. Jarra de terracota para cerveza, *tankard, beer mug.*
33. Jarrita, *little mug.*
34. Espátula, *slice.*
35. Cazo, *soup ladle.*
36. Cucharón, *vegetable spoon, serving spoon.*
37. Trinchante, *carving fork.*
38. Bandeja, *tray.*
39. Pinzas para ensalada, *salad tongs.*
40. Taza para té, *tea cup.*
41. Taza para café, *coffee cup.*
42. Tetera, *teapot.*

El cuchillo. 1 The knife. **2** *Dzœ náif.*

El vino. 1 The wine. **2** *Dzœ uáin.*

El champán. 1 Champagne. **2** *Schämpéin.*

El agua. 1 Water. **2** Uóta.

El agua mineral. 1 Mineral water. **2** *Minarul uóta.*

Agua mineral con gas. 1 Mineral water with gas. **2** *Minarul uóta uíz gaz.*

Agua mineral sin gas. 1 Mineral water without gas. **2** *Minarul uóta uizáut gaz.*

El aceite. 1 Oil. **2** *Óil.*

El vinagre. 1 Vinagar. **2** *Vinaga.*

Restaurant. The table

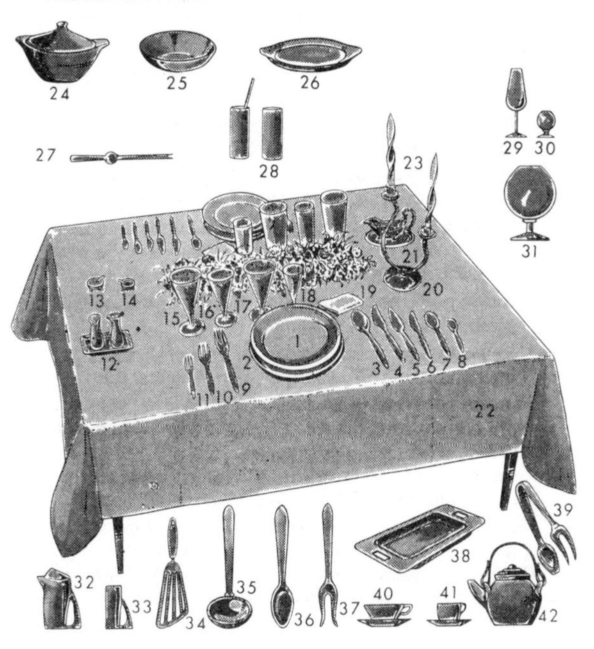

La cerveza. 1 Beer. **2** *Bía.*
La leche. 1 Milk. **2** *Milk.*
El pan. 1 Bread. **2** *Bred.*
La mostaza. 1 Mustard. **2** *Mástad.*
La sal. 1 Salt. **2** *Salt.*
El salero. 1 The saltceller. **2** Dzœ sóolt séla.
La pimienta. 1 Pepper. **2** *Pépa.*
La silla. 1 The chair. **2** *Dzœ tchéa.*
Frío, caliente, tibio. 1 Cold, hot, warm. **2** *Cóuld, jot, uóom.*
Los mondadientes. 1 Toothpicks. **2** *Túuz piks.*

Las comidas — The meals

El menú o la minuta. 1 The menu, the card. **2** *Dzœ menyu, dzœ cáad.*

¿Se puede pasar al comedor? 1 Can one go to the dining room? **2** *¿Cänúan góu tu dzœ däining rum?*

Camarero, desearíamos una mesa junto a la ventana. 1 Waiter, we should like a table near the window. **2** *Uéita, úi schud láika téibul nía dzœ uíndou.*

¿Dónde podemos sentarnos? 1 Where can we sit? **2** *¿Uéa cánui sit?*

¿No podemos ocupar aquella mesa? 1 Can't we have that table? **2** *¿Cáant uí jäv dzät téibul?*

Camarero, sírvame el cubierto. 1 Waiter, give me the plat du your, please. **2** *Ueita, guívmi dzœ pla du dchúa, plíiz.*

Camarero, déme la carta. 1 Waiter, give me the menu, please. **2** *Ueita, guívmi dzœ menyu, plíiz.*

Déme la lista. 1 Give me the menu. **2** *Guívmi dzœ ményu.*

Camarero, haga usted mismo el menú. 1 Waiter, please bring me whatever you think is best on the menu. **2** *Uéita, pliz bring mi uatéva yu dzink iz best an dzœ ményu.*

Sírvanos primero entremeses. Luego una buena sopa, pescado, legumbres, pollo o chuletas de ternera, bistec, etc., y postres, café y licores. 1 Give us some hors d'oeuvres first, then a good soup, fish, vegetables, chicken or veal cutlet, steak, etc., dessert, coffee and liqueurs. **2** *Guivas sam óodœvz fœst, dzena gud súp, fisch, védchtabúlz, tchíkin o víil cátlit, stéik, etsétara, disát, cófiand licyúaz.*

Tráiganos entremeses variados. 1 Bring us some hors d'oeuvres. **2** *Bríngas sam ódœvz.*

Jamón, salchichón, mantequilla, atún, aceitunas... 1 Ham, salami-type, sausage, butter, tunny, olives. 2 *Jäm, salámi-táip, sósidch, báta, táni, ólivz.*

A continuación sírvanos lenguado a la normanda. 1 Then some sole normande. 2 *Dzen sam sóuld normánd.*

A mí pollo asado con unas hojitas de lechuga. 1 For me, chicken and salad. 2 *Famí, tchíkin änd säIad.*

Unas chuletas de ternera con patatas fritas. 1 Veal cutlets and fried potatoes. 2 *Viil cátlits änd fráid patéitouz.*

Y a mí, merluza a la romana con un poquito de limón. 1 And for me, some hake Romaine with a little lemon. 2 *And famí, sam jéik roméin uídza lítul léman.*

Camarero, tráigame otro plato, un tenedor, un vaso. 1 Waiter, bring me another plate, a fork and a glass. 2 *Uéita, bringmia nádza pléit, a fóok ända glas.*

Champán. 1 Champagne. 2 *Schampéin.*

Vino blanco o tinto. 1 White wine, red wine. 2 *Uáit uáin, red uáin.*

Déme la lista de vinos. 1 Please, give me the wine list. 2 *Plis, guivmi dzœ list of uaìms.*

¿Qué vino me aconseja usted? 1 Which wine do you recommend? 2 *¿Uich uáin du yu recoménd?*

Tráigame una botella de vino del país. 1 Please, bring me a bottle of table wine. 2 *Plis, bringmi a bótal of téibeluaìn.*

Sírvanos los postres. 1 Bring the dessert. 2 *Bring dzœ desö'rt.*

Tráigame queso Roquefort y fresas. 1 Bring me some Roquefort and strawberries. 2 *Bríngmi sam rócfort and stróoberiz.*

A mí, peras y un helado. 1 For me, some pears and an icecream. 2 *Fomí, sam péaz anaiscrim.*

A mí lo mismo. 1 The same for me. **2** *Dzœ séim fomí.*

Yo prefiero dulces. 1 I prefer sweets. **2** *Ai prifœ suits.*

Después sírvanos café. 1 Then serve us the coffe. **2** *Dzen serv ás dzœ cáfi.*

Algún estomacal de buena marca. 1 A good one that is good for the digestion. **2** *A gud uán dzat iz gud fóa dzœ daidchéstion.*

Lista de platos — Dishes

Entremeses

Entremeses. 1 Hors d'œuvres. **2** *Óo dœvz.*

Aceitunas. 1 Olives. **2** *Ólivz.*

Anchoas. 1 Anchovies. **2** *Antchóuviz.*

Chorizo. 1 Salamy-type Pork sausage. **2** *Salámi-táip Póok sósidch.*

Jamón. 1 Ham. **2** *Jäm.*

Mantequilla. 1 Butter. **2** *Báta.*

Mortadela. 1 Mortadella (sausage). **2** *Mortadella (sósidch).*

Ostras. 1 Oysters. **2** *Óistaz.*

Salchichón. 1 Salami-type sausage. **2** *Salámi-táip sósidch.*

Sardinas. 1 Sardines. **2** *Saadíinz.*

Sopas

Arroz. 1 Rice. **2** *Ráis.*

Caldo, consomé. 1 Broth, consommé. **2** *Brooz, consóme.*

Fideos. 1 Noodles. **2** *Núdels.*

Pan. 1 Bread. **2** *Bred.*

Legumbres y verduras

Legumbres y verduras. **1** Vegetables and greens. **2** *Vedchtabulz änd gríinz.*
Cebollas. **1** Onions. **2** *Ánian.*
Coles. **1** Cabbage. **2** *Cäbidch.*
Coliflor. **1** Cauliflower. **2** *Cóliflaua.*
Espárragos. **1** Asparagus. **2** *Aspäragas.*
Espinacas. **1** Spinach. **2** *Spínidch.*
Garbanzos. **1** Chick peas. **2** *Tchik píiz.*
Habas. **1** Broad beans. **2** *Bróod bíinz.*
Judías secas, tiernas. **1** Beans dried, fresh. **2** *Bíinz dráid, fresch.*
Lechuga. **1** Lettuce. **2** *Létas.*
Lentejas. **1** Lentils. **2** *Léntils.*
Patatas. **1** Potatoes. **2** *Patéitóuz.*
Setas. **1** Mushrooms. **2** *Máschrumz.*

Pastas

Pastas. **1** Pastas. **2** *Pästas.*
Canalones. **1** Canalones. **2** *Canalones.*
Fideos. **1** Vermicelli. **2** *Vœmséli.*
Macarrones. **1** Macaroni. **2** *Macaróni.*
Raviolis. **1** Ravioli. **2** *Ravioli.*

Huevos

Huevos. **1** Eggs. **2** *Egz.*
Duros. **1** Hard. **2** *Jaad.*
Fritos. **1** Fried. **2** *Fraid.*
Pasados por agua. **1** Boiled. **2** *Bóild.*
Tortilla. **1** Omelet. **2** *Ómlet.*

Aves y caza

Aves y caza. **1** Game and Poultry. **2** *Ghéim änd Póultri.*
Becada. **1** Woodcock. **2** *Uúdcoc.*
Codorniz. **1** Quail. **2** *Cuéil.*

Despiece de reses — Cuts of meat

A. Buey, *ox.*
1. Morro, *muzzle.*
2. Cabeza, *head.*
3. Pescuezo, *neck.*
4. Agujas, *chuck.*
5. Pecho, *brisket and fore ribs.*
6. Espaldilla, *shoulder and middle ribs.*
7. Morcillo, *leg.*
8. Falda, *brisket and the thin flank.*
9. Costillar, *fore flank.*
10. Solomo, *prime ribs.*
11. Solomillo, *sirloin.*
12. Lomo bajo, *hind flank.*
13. Cadera, *rump.*
14. Contratapa, *silverside.*
15. Badilla, *the thick flank.*
16. Corvejón, *hock.*
17. Hígado, *liver.*
18. Lengua, *tongue.*
19. Seso, *brain.*

B. Ternera, *veal.*
20. Culata, *leg.*
21. Filete, *loin.*
22. Lomo, *flank.*
23. Solomillo, *best end.*
24. Espaldilla, *shoulder.*
25. Pescuezo, *neck.*
26. Cabeza, *head.*
27. Tapa, *part of the leg.*
28. Corvejón, *knuckles.*
29. Falda, *brisket.*
30. Pecho, *breast.*

C. Cordero, *lamb.*
31. Lomo, *loin.*
32. Espaldar, *back.*
33. Pierna, *hind leg.*
34. Costillas, *ribs.*
35. Espaldilla, *shoulder.*
36. Cabeza, *head.*
37. Faldilla, *brisket.*
38. Cuello, *neck.*
39. Patas, *legs.*

D. Cerdo, *pork.*
40. Jamón, *leg, (ham).*
41. Paletilla, *bladebone.*
42. Lomo, *back fat.*
43. Solomillo, *fillet of pork.*
44. Magra, *neck.*
45. Papada, *dewlap.*
46. Cabeza, *head.*
47. Ventresca, *belly.*
48. Jarrete o codillo, *the part of the leg near the knuckle.*
49. Pies, *trotters.*

Conejo. 1 Rabbit. **2** *Räbit.*
Liebre. 1 Hare. **2** *Jéa.*
Pato. 1 Duck. **2** *Dak.*
Pavo. 1 Turkey. **2** *Tœki.*
Perdiz. 1 Partridge. **2** *Páatridch.*
Pichón. 1 Pigeon. **2** *Pídchin.*
Pollo. 1 Chicken. **2** *Tchíkin.*

Pescados y mariscos

Almejas. 1 Clams. **2** *Cläms.*
Anguilas. 1 Eels. **2** *Iilz.*
Atún. 1 Tunny. **2** *Táni.*
Bacalao. 1 Cod. **2** *Cod.*

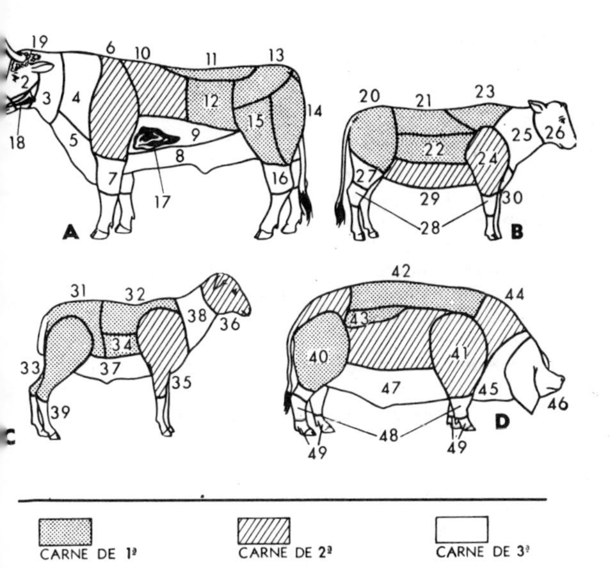

Bonito. 1 Bonito; striped tunny. **2** *Boníto; stráipd túni.*
Calamares. 1 Squids. **2** *Scuídz.*
Gambas (fritas o a la plancha). 1 Shrimps (fried or grilled) **2** *Schrimpz (fráido grild).*
Langosta. 1 Lobster. **2** *Lóbsta.*
Langostinos. 1 Prawns. **2** *Próonz.*
Mejillones. 1 Mussels. **2** *Másulz.*
Merluza. 1 Hake. **2** *Jéik.*
Mero. 1 Jewfish; grouper. **2** *Dchúfisch; grúpa.*
Percebes. 1 Goose-cles. **2** *Gús-aculz.*
Pescadilla. 1 Whiting. **2** *Uáiting.*
Pulpos. 1 Octopus. **2** *Áctapas.*

Salmón. 1 Salmon. 2 *Säman.*
Salmonete. 1 Red mullet. 2 *Red málit.*
Truchas. 1 Trout. 2 *Traut.*

Carnes y asados

Buey. 1 Beef. 2 *Biif.*
Cerdo. 1 Pork. 2 *Póok.*
Cordero. 1 Lamb. 2 *Lämb.*
Ternera. 1 Veal. 2 *Viil.*
Vaca. 1 Beef. 2 *Bíf.*
Costillas de cerdo. 1 Pork chops. 2 *Pook tchops.*
Filetes de ternera. 1 Fillet of veal. 2 *Filitav viil.*
Empanada de ternera. 1 Veal pie. 2 *Viil pái.*
Chuleta de cordero. 1 Lamb cutlet. 2 *Läm cátlit.*
Filete de buey, bistec. 1 Fillet of beef, beaf steak. 2 *Fílitav biit, biif stéik.*
Pierna de carnero. 1 Leg of lamb; mutton. 2 *Láig av läm; mátan.*
Lomo de cerdo. 1 Loin of pork. 2 *Lóinav póok.*
Lomo de ternera. 1 Loin of veal. 2 *Lóinav viil.*
Asado. 1 Roast. 2 *Róust.*
Callos. 1 Tripe. 2 *Tráip.*
Lechón. 1 Suckling pig. 2 *Sákling pig.*
Lengua. 1 Tongue. 2 *Tang.*
Riñones. 1 Kidneys. 2 *Kídniz.*
Sesos. 1 Brains. 2 *Bréins.*
Asado de vaca con puré de patatas. 1 Roast beef with mashed potatoes. 2 *Róust bif uíd mäscht patéitouz.*
Bistec con ensalada. 1 Beef steak and salad. 2 *Biif stéik and sälad.*
Chuleta de carnero con patatas. 1 Veal cutlet and potatoes. 2 *Viil cátlit and pateitouz.*
Pollo. 1 Chicken. 2 *Tchíkin.*

Quesos

Camembert. 1 Camembert. 2 *Camanbert.*

Gruyére. 1 Gruyère. 2 *Gruyère.*
Holanda. 1 Dutch cheese. 2 *Datch tchiiz.*
Roquefort. 1 Roquefort. 2 *Rocfor.*
Suizo. 1 Swiss cheese. 2 *Suís tchíiz.*
Manchego. 1 Manchego. 2 *Manchigo.*
Mahón. 1 Mahón. 2 *Máon.*
Roncal. 1 Roncal. 2 *Ronkal.*
Cabrales. 1 Cabrales. 2 *Käbrälehs.*

Postres y helados

Dulces. 1 Sweets, pudding. 2 *Suíts, púding.*
Pastel/Tarta. 1 Pastry/Cake. 2 *Peistri/Quék.*
Flan/Crema. 1 Caramel/Whipped cream. 2 *Cáramel/Uípd crím.*
Helados. 1 Ices. 2 *Áisiz.*
El café. 1 Coffee. 2 *Cófi.*
El té. 1 Tea. 2 *Tí.*
El azúcar. 1 Sugar. 2 *Schuga.*
El licor. 1 Liqueur. 2 *Likœ.*

Salsas y condimentos

Romescu. 1 Romescu (Catalan sauce). 2 *Romesku (kátalan sos).*
Vinagre. 1 Vinegar. 2 *Vinaga.*
Aceite. 1 Oil. 2 *Óil.*
Mostaza. 1 Mustard. 2 *Mastard.*
Pimienta. 1 Pepper. 2 *Pépa.*
Sal. 1 Salt. 2 *Solt.*
Salero. 1 Salt cellar. 2 *Séla.*
Salsa de tomate, de carne. 1 Tomato sauce, meat sauce. 2 *Tomato sos, meat sos.*
Mayonesa. 1 Mayonnise. 2 *Máyones.*

Bebidas

Vino. 1 Wine. 2 *Uaìn.*
Vino blanco, tinto, rosado. 1 White, red, rosé wine. 2 *Uaìt, red, rous uaìn.*

Vino seco. 1 Dry wine. 2 *Draì uaìn.*
Vino de la casa. 1 Table wine. 2 *Téibol uaìn.*
Medio litro de vino. 1 Half a litre of wine. 2 *Jaf a lita of uaìn.*
Champán. 1 Champagne. 2 *Champein.*
Dulce, seco, semi seco, brut. 1 Sweet, dry, semi-sec, brut. 2 *Suit, drai, semi-sek, brut.*
Cerveza (dorada, negra). 1 Beer (light, brown). 2 *Bía (lait, bráun).*
Agua. 1 Water. 2 *Uota.*
Agua mineral. 1 Mineral water. 2 *Míneral uota.*

El té — Tea

Camarero, sírvame un té. 1 Waiter, give me a tea, please. 2 *Uéita, guívmia ti, pliiz.*
Con leche. 1 With milk. 2 *Úídz milk.*
Té flojo, fuerte. 1 Weak, strong tea. 2 *Uíik, strong ti.*
Deseo un té completo. 1 I want a higth tea. 2 *Ai uónt jái ti.*
Con pan y mantequilla. 1 With bread and butter. 2 *Uyiz bréd ant vater.*
Prefiero algunas pastas secas. 1 I had rather have some dry cakes. 2 *Aí jäd ráadze jäv sam drái kéiks.*
Déme agua fresca. 1 Give me some fresh water. 2 *Guívmi sam frésch uóta.*
Sírvame un poco más de azúcar. 1 Give me a little more sugar. 2 *Guiívmia lítal móa schúga.*
El té me gusta fuerte y muy caliente. 1 I like my tea strong and very hot. 2 *Ai láik mái ti stróng and véri jot.*
Pan tostado. 1 Toast. 2 *Toust.*
Miel, mermelada. 1 Honey, jam. 2 *Jáne, dchäm.*
Agua caliente. 1 Hot water. 2 *Jot uóta.*

La cuenta — The bill

Camarero, traiga la cuenta. **1** Waiter, the bill, please. **2** *Uéita, dzœ bil, plíiz.*

¿Me traerá la factura? **1** Could you bring me the bill? **2** *¿Kudiu bidngmì dzœ bil.*

¡Aún estoy esperando la factura! **1** I'm still waiting for the bill. **2** *Aiam stil uéting fadzœ bil.*

Creo que se han equivocado. **1** I think that you have made a mistake. **2** *Ai dzink dzatin jäv méid a mistéik.*

Aquí me cargan... **1** Here you charge me... **2** *Jia iu charchmi...*

Aquí falta... **1** Here you have leftout... **2** *Jía yu jäv leftáut...*

Tráigame el libro de reclamaciones por favor. **1** Please, bring me the complaints book. **2** *Plis, bringmi dzœ campléints buk.*

En la ciudad*
In the city

La ciudad. **1** The town. **2** *Dzœ táun.*
La calle. **1** The street. **2** *Dzœ stríit.*
El paseo. **1** The Promenade. **2** *Dzœ prómenéid.*
La avenida. **1** The Avenue. **2** *Dzœ ävanyu.*
El pasaje. **1** The Passage. **2** *Dzœ päsidch.*
La plaza. **1** The Square. **2** *Dzœ skuéa.*
El callejón. **1** The Lane. **2** *Dzie léin.*

* Véase también p. 65, **En el restaurante** y p. 112, **De compras.**

Los jardines. 1 The gardens. 2 *Dzœ gáadanz.*
La fuente. 1 The fountain. 2 *Dzœ fáunten.*
El surtidor. 1 The fountain. 2 *Dzœ fáuntin.*
La calzada. 1 The road. 2 *Dzœ róud.*
La acera. 1 The pavement. 2 *Dzœ péivment.*
El guardia urbano, el guardia de tráfico. 1 The traffic policeman. 2 *Dzœ träfic palisman.*
Los árboles. 1 The trees. 2 *Dzœ triz.*
El autobús. 1 The bus. 2 *Dzœ bas.*
La parada del autobús. 1 The bus stop. 2 *Dzœ basstop.*
El tranvía. 1 The tram. 2 *Dzœ träm.*
El trolebús. 1 The trolley bus. 2 *Dzœ trólibas.*
El cable eléctrico. 1 The overhead wires. 2 *Dzi óuva jed uáia.*
El metro. 1 The tube (underground). 2 *Dzœ tyúb (ánda gráund).*
La estación del metro. 1 The tube station. 2 *Dzœ tiub steisdron.*
El camión. 1 The lorry. 2 *Dzœ lóri.*
La camioneta. 1 The small lorry. 2 *Dzœ smóol lóri.*
La motocicleta. 1 The motor cycle. 2 *Dzœ mótasáikul.*
El triciclo. 1 The tricycle. 2 *Dzœ trái síkul.*
La bicicleta. 1 The bicycle. 2 *Dzœ báisicul.*
Los peatones. 1 The padestrians. 2 *Dzœ pedéstrianz.*
El paso de peatones. 1 The pedestrian crossing. 2 *Dzœ pedéstrian crásing.*
El semáforo. 1 The traffic lights. 2 *Dzœ trafik laits.*
El edificio. 1 The building. 2 *Dzœ bilding.*
La casa. 1 The house. 2 *Dzœ jáus.*
La torre. 1 The villa. 2 *Dzœ vila.*
La puerta. 1 The door. 2 *Dzœ dóa.*
Los balcones. 1 The balconies. 2 *Dzœ bälconiz.*
Las ventanas. 1 The windows. 2 *Dzœ uíndouz.*
Las galerías. 1 The balconies. 2 *Dzœ bálcanis.*
La azotea. 1 The terraced roof. 2 *Dzœ térrist rúuf.*
El tejado. 1 The roof. 2 *Dzœ rúuf.*

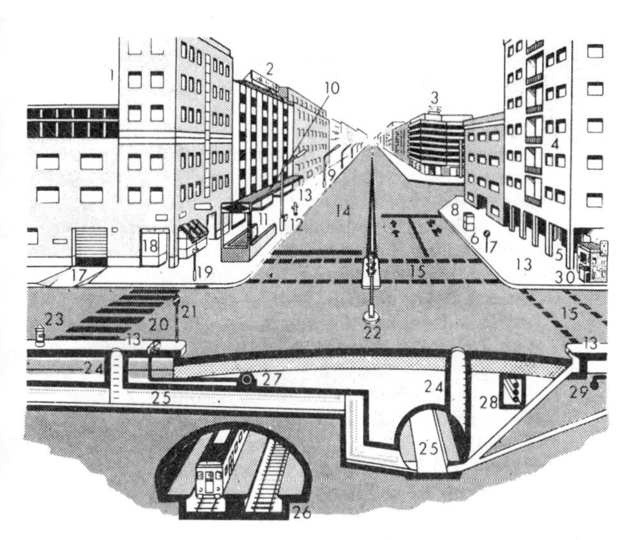

La calle

The street

1. Edificios, *buildings.*
2. y 3. Letreros luminosos, *luminous advertisements.*
4. Galerías, *terraces.*
5. Soportales, *colonnade, portico.*
6. Cabina telefónica, *telephone kiosk.*
7. Señales tráfico, *traffic sign.*
8. Chaflán, *street corner.*
9. Faroles, *street lamps.*
10. Marquesina, *canopy.*
11. Boca de estación del metro, *the entrance to the tube.*
12. Papelera, *litterbin.*
13. Aceras, *pavements,* AMÉR *sidewalks.*
14. Calzada, *roadway.*
15. Paso de peatones, *pedestrian crossing.*
16. Toldo, *awning.*
17. Vado, *entrance ramp.*
18. Escaparate, *shop window.*
19. Semáforo, *traffic light.*
20. Paso cebra, *zebra crossing.*
21. Señal de tráfico, *traffic sign.*
22. Semáforo, *traffic lights.*
23. Buzón de correos, *pillar box.*
24. Pozos de registro, *manhole.*
25. Alcantarillas, *sewers.*
26. Estación de metro, *tube station.*
27. Conducción de agua, *water main.*
28. Conducción de líneas telefónicas, *telephone cables.*
29. Conducción de gas, *gas main.*
30. Kiosco, *bookstall.*

City

El pararrayos. 1 The lightning conductor. 2 *Dzœ láitning candácta.*

Un barrio. 1 The district. 2 *Dzœ dístrict.*

El Ayuntamiento. 1 The Town Hall. 2 *Dzœ táun jóol.*

La Diputación. 1 The Local Authority. 2 *Dzœ Lócal Azóriti.*

El consulado. 1 The Consulat. 2 *Dzœ cónsalat.*

La universidad. 1 The University. 2 *Dzœ yúnivœsiti.*

La biblioteca. 1 The Library. 2 *Dzœ láibrari.*

El museo. 1 The Museum. 2 *Dzœ Miúsíum.*

Correos y Telégrafos. 1 The Post and Telegraph Office. 2 *Dzœ póustand télegraf ófis.*

Teléfonos. 1 The Telephone Office. 2 *Dzœ télefóun ófis.*

La oficina de turismo. 1 The tourist office. 2 *Dzœ túrist ófis.*

El hospital. 1 The hospital. 2 *Dzœ jóspitul.*

La catedral. 1 The Cathedral. 2 *Dzœ cazídrul.*

La iglesia. 1 The church. 2 *Dzœ tscœtch.*

El banco. 1 The bank. 2 *Dzœ bänk.*

El restaurante. 1 The restaurànt. 2 *Dzœ réstarong.*

La farmacia. 1 The chemist's. 2 *Dzœ kémists.*

El bar. 1 The public house. 2 *Dzœ páblic jáus.*

El hotel. 1 The hotel. 2 *Dzœ jóutél.*

La cárcel. 1 The prison. 2 *Dzœ prízan.*

La comisaría de policía. 1 The police station. 2 *Dzœ palísstéischan.*

La pensión. 1 The boarding house. 2 *Dzœ bóoding jáus.*

La tienda. 1 The shop. 2 *Dzœ schop.*

Los grandes almacenes. 1 The department stores. 2 *Dzœ dipátment stóoz.*

El cine. 1 The cinema. 2 *Dzœ sínema.*

El teatro. 1 The theatre. 2 *Dzœ zíata.*

La fortaleza. 1 The fortress. 2 *Dzœ fortress.*

El castillo. 1 The castle. 2 *Dzœ cásal.*

Las murallas. 1 The walls. 2 *Dzœ uols.*

El palacio. 1 The palace. 2 *Dzœ pálas.*

La cabina telefónica. 1 The telephone cabin. **2** *Dzœ telefoun kábin.*

El parque zoológico. 1 The zoo. **2** *Dzœ zsú.*

El circo. 1 The circus. **2** *Dzœ sœkas.*

La sala de fiestas. 1 The dance hall. **2** *Dzi däns jóol.*

El club nocturno. 1 The night club. **2** *Dzœ náit clab.*

El estadio, el campo de deportes. 1 The stadium, the sports ground. **2** *Dzœ stéidiam, dzœ spóots gráund.*

Las atracciones. 1 The fair. **2** *Dzœ féa.*

La estación. 1 The station. **2** *Dzœs téischan.*

La plaza de toros. 1 The bull ring. **2** *Dzœ búlring.*

El puerto. 1 The port. **2** *Dzœ póot.*

La compañía de navegación. 1 The shipping company. **2** *Dzœ schíping cámpani.*

La compañía de aviación. 1 The air line. **2** *Dzi éa láin.*

La agencia de viajes. 1 The travel agency. **2** *Dzœ trávul éidchensi.*

El quiosco de periódicos. 1 The newspaper stand. **2** *Dzœ niúz péipa stand.*

El estanco. 1 The tobacconist's. **2** *Dzœ tabácanists.*

La peluquería. 1 The hairdresser's. **2** *Dzœ jéa drésas.*

El mercado. 1 The market. **2** *Dzœ máakit.*

El autoservicio. 1 The self-service. **2** *Dzœ sellsevis.*

Para pedir una dirección
Asking for an address

¿Conoce usted la ciudad? 1 Do you know the town? **2** *¿Duyu nóu dzœ taun?*

Usted perdone. ¿Está muy lejos la calle de...? 1 Excuse me, Is... street far from here? **2** *Iks kyúzmi. ¿Iz...stríit fáa from jía?*

¿Está cerca el Hotel de...? 1 Is it near the... Hotel? **2** *¿Ízit nía dzœ... jóutél?*

Está lejos. Está cerca. Tome usted la primera, la segunda, la tercera calle a la derecha. 1 Rather far. Quite near. Take the first, second, third street on the right. **2** *Raadza faa. Kuáit néa. Téik dzœ fœst, sécans, zœd stríit on dzœ ráit.*

Siga usted esta misma calle. 1 Go straight on along this street. **2** *Góo stréit on alóng dzis stríit.*

Guardia, ¿puede decirme dónde está el consulado...? 1 Policeman, can you tell me where the... consulate is? **2** *Palisman, ¿cányu telmi uéa dzœ... cónsalit iz?*

En la avenida... 1 In... avenue. **2** *In... a'vanyu.*

¿Qué combinación puedo hacer para ir? 1 How can I get there? **2** *¿Jáu canái guét dzéa?*

¿Dónde está la iglesia de..., la plaza de..., la avenida de..., el Ayuntamiento, la comisaría de policía, el Hotel..., la plaza de toros, el museo de..., la oficina de turismo...? 1 Where is St... Church, Square... Avenue, The Town Hall, the police station, the Hotel, the bull ring... Museum, the Tourist Office? **2** *¿Uériz séint... tchœtch... skuéa..., ävanyu, dzœ táun jool, dzœ políis téischan, dzœ... jóutél, dzœ bulring, ...miúsíam, dzœ póust ófis?*

¿Qué tranvía, autobús, trolebús, metro, he de coger para ir a...? 1 What tram, bus, trolleybus underground must I take to get to...? **2** *¿Uót tram, bas, trálibas ándagráund mástai téik tu guét tu...?*

¿Cómo podré ir al teatro...? 1 How can I get to the theatre? **2** *¿Jáu canái guét tudzœ zíata?*

¿Está lejos? 1 Is it far? **2** *¿Izit fáa?*

¿Qué distancia aproximada hay? 1 About how far is it? **2** *¿Ebáut fáarizit?*

¿Dónde está la parada del tranvía, del autobús...? 1 Where is the tram, the bus stop? **2** *¿Uériz dzœ tram, dzœ bas stop?*

¿Hay cerca de aquí una tienda de material fotográfico? 1 Is there a photography shop near here? **2** *Iz dzéra fotágrafi schop nía jía?*

¿Dónde hay una farmacia? 1 Where is there a chemist's? **2** *¿Vea is a dzéa a kemists?*

¿Para ir a Correos, por favor? 1 Which is the way to the Post Office, please? **2** *¿Uítchiz dzœ uéi tu dzœpóust ófis, pliiz?*

La cita
The appointment

La cita. 1 The appointment. **2** *Dzœ opointmant.*

¡Hola, amigo! 1 Hallo, friend! **2** *¡Jalou frend!*

¡Ah! ¿Es usted, amigo? 1 Ah, it's you, old man. **2** *Aa, its yú óuld män.*

¿Cómo le prueba esta ciudad? 1 How do you like this town? **2** *¿Jáu duyu láik dzis táun?*

¿Desde cuándo está usted aquí? 1 How long have you been here? **2** *¿Jáu long jävyu bíin jía?*

Me ha dado una sorpresa muy agradable. 1 You have given me a very pleasant surprise. **2** *Yujäv guívanmia véri plésant sapráiz.*

¿Cuánto tiempo se quedará usted en...? 1 How long will you be here? **2** *¿Jáu long uilyu bi jía?*

No lo sé aún exactamente. 1 I don't know exactly yet. **2** *Ái dóunt nóu egzä'ctli yet.*

Pienso permanecer por lo menos una semana. 1 I expect to be here at least a week. **2** *Ai ekspéct tubi jiaratlíista uíik.*

Muy bien. 1 Very well. **2** *Véri uél.*

¿Cenará usted conmigo hoy? 1 Will you dine with me today? **2** *¿Uílyu dáin uídz mi tudéi?*

Lo siento mucho, pero hoy me es imposible. 1 I'm sorry, but it's quite impossible today. **2** *Áim sóri, batits kuáit impósibul tudéi.*

¿Cuándo podré tener el gusto de cenar con usted? **1** When can I expect the pleasure of dinning with you? **2** *¿Uén canai euspékt dzœ plezya rav dáining uídz yu?*

¿Dónde y a qué hora quiere que le espere? **1** Where and at what time may I expect you? **2** *¿Uérandat uót táim méi ái ekspéktyu?*

En el restaurante... a las ocho y media. **1** At... restaurant at half past eight. **2** *At... réstarong at háaf páast éit.*

Bien, no faltaré. **1** Good, without fail. **2** *Gud, uidzáut féil.*

Hasta mañana. **1** Until tomorrow. **2** *Antíl tamorou.*

El saludo
The greeting

¡Hola! ¿Cómo está usted? **1** Hallo. How are you? **2** *Jalóu. ¿Jauáyu?*

Muy bien. **1** Very well. **2** *Véri uél.*

Lo celebro mucho. **1** I'm glad to hear it. **2** *Áim glad tujíarit.*

¿Qué tal, señor, señora, señorita? **1** How are you Mr., Mrs., Miss...? **2** *¿Jauáyu mista, mísiz, mis...?*

¿Cómo le va? **1** How are you getting on? **2** *¿Jauáyu guéting on?*

Bien, ¿y a usted? **1** Well, and you. **2** *Uél, ¿and yu?*

Buenos días, señor. **1** Good morning, sir. **2** *Gud móoning, sœ.*

Buenas tardes, señor. **1** Good afternoon, sir. **2** *Gudáfta núunsa.*

¿Cómo está usted? **1** How are you? **2** *¿Jáuáyu?*

Le presento a... **1** Let me introduce you to... **2** *let mi introdus yo tu...*

¿Sigue bien su familia? **1** Is your family well? **2** *¿Izyoa fämili uél?*

Todos gozan de excelente salud. 1 They are all in the best of health. **2** *Dzéaróol in dzœ bestav helz.*

Me alegro mucho. 1 I am very glad. **2** *Áiam véri glad.*

Le ruego que los salude en mi nombre. 1 Please give them my kind regards. **2** *Plíiz guívdzem mái káind rigáadz.*

Muy agradecido por todo. 1 Thank you for your kindness. **2** *Zänc yu for yur cáindnis.*

Mi señora y mi cuñada han estado algo enfermas. 1 My wife and sister-in-law have been a little unwell. **2** *Mái uáifand sístarin lóo jävbíina lítul anúel.*

A Dios gracias ya están bien. 1 I am glad to say they are well. **2** *Áiyam glad tuséi dzea uel.*

Me alegro mucho de haberle visto. Recuerdos a todos. 1 I'm glad to have seen you. Kind regards to everybody. **2** *Áim glad tujäv síinyu. Káind rigáadz tu évribodi.*

Recuerdos a nuestros amigos. 1 Best regards to our friends. **2** *Best régards tu áua frendz.*

Besos a los niños. 1 Kisses for the children. **2** *Kísiz foza tchuldran.*

Encantado de conocerle. 1 Delighted to meet you. **2** *Diláited to míit yu.*

Hasta muy pronto. 1 See you very soon. **2** *Si yu véri súun.*

Hasta mañana. 1 See you tomorrow. **2** *Si yu tumórou.*

Hasta luego. 1 See you then. **2** *Si yu dzen.*

Hasta la vista. 1 Till next time. **2** *Til nekst táim.*

No hablo francés, español, inglés, etc. 1 I don't speak French, Spanish, English, etc. **2** *Ai dóunt spíik frentsch, spänisch, ínglisch, etsétara.*

Hablo francés, español, inglés, etc. 1 I speak French, Spanish, English, etc. **2** *Ai spíik frensch, spänisch, ínglisch, etsétara.*

Perdóneme, que tengo prisa. 1 Excuse me. I'm in a hurry. **2** *Ikskyúmi. Áim ina jári.*

De visita*
On a visit

El señor..., ¿está en casa? **1** Is M... at home? **2** *¿Iz místa... at jóum?*

¿Es el señor...? **1** Are you Mr...? **2** *¿Áyu místa...?*

¡Cuánto celebro verle! **1** I am so glad to see you. **2** *Áim sóu glad tusiyu.*

Le agradezco la visita. **1** Thank you for your visit. **2** *Zänkyu foyóa vízit.*

Siempre tenemos un gran places en verle a usted. **1** We are always very pleased to see you. **2** *Uía róluéiz véri plíizd tusíyu.*

Pase usted adelante. **1** Come along please. **2** *Cámalóng plíiz.*

Siéntese usted. **1** Sit down. **2** *Sit dáun.*

Le vemos a usted muy poco. **1** We don't see you very often. **2** *Uí dóunt síyu véri ófen.*

Vine ayer y no tuve el gusto de verle. **1** I came yesterday but I did not have the pleasure of seeing you. **2** *Ai keim yéstadi bat Ai did nat jäu dzœ plézya rov síing yu.*

Hoy comerá usted con nosotros. **1** You will lunch with us today. **2** *Yúul lantch uídzás tudéi.*

Se lo agradezco mucho, pero hoy me esperan. **1** Many thanks, but some one is waiting for me. **2** *Méni zánks, bat samuan is ueting fami.*

Permítame que le presente mi mujer. **1** May I introduce my wife? **2** *¿Méi ái intradyús mái uáif?*

Tengo mucho gusto en conocerla, señora. **1** I am pleased to meet you. **2** *Áiam plíizd tumíityu.*

Les presento mis padres y mi hermana. **1** I'd like you to meet. My parents and my sister. **2** *Aid láik yu tu nít. Mái péirants and mái sísta.*

Encantado de conocerles. **1** Delighted to meet you. **2** *Diláitid tumíityu.*

---

* Véase también p. 149, **Objetos para regalo** y p. 150, **La floristería**.

Veo que ha cumplido su palabra. **1** I see you have kept your promise. **2** *Áisíi yujäv keptyóa prómis.*

Ya le dije que vendríamos a visitarles. **1** I said we would come and see you. **2** *Aisédui uúd cámand síiyu.*

Les agradecemos mucho esta visita. **1** We are very grateful for this visit. **2** *Uía véri gréitful fodzís vízit.*

Lamento que mi esposa esté ausente. **1** I'm sorry my wife is away. **2** *Áim sóri mái uáifiz auéi.*

Tenga la bondad de saludarle en nuestro nombre. **1** Please give her our kind regards. **2** *Plíiz guívjœr áua káind rigáadz.*

¿Ustedes no tienen hijos? **1** Have you no children? **2** *¿Jä'vyu tchúldran?*

Sí, dos casados ya, y uno de ellos, el mayor, con una niña preciosa. **1** Yes, two, both married. The elder son has a lovely girl. **2** *Yes, tu, bádz mä'rid. Dzi élda san jäza lávli görl.*

Así, ¿son ustedes ya abuelos? **1** So you are already grandparents? **2** *¿Sóu yuár olrédi grä'ndpéirants?*

Esperamos que nos veamos más frecuentemente. **1** I hope we shall see each other often. **2** *Ai jóup wíschal síitch aza móa ófen.*

Ahora les toca a ustedes venir a visitarnos. **1** It's your turn to visit us now. **2** *Its yóa tœn tuvízit ás náu.*

Pero, ¿ya se va usted? **1** But are you going already? **2** *¿Bat áyu olrédi góuing?*

Espere un poco más. **1** Stay a little longer. **2** *Stéia lítel lónga.*

¡Pero si acaba de llegar! **1** But you have only just come. **2** *Batyujäv ónli dchast cam.*

Siempre va usted de prisa. **1** You are always in a hurry. **2** *Yúa róluéiz ina jári.*

Estoy muy ocupado. **1** I'm very busy. **2** *Áim véri bízi.*

Volveré mañana. **1** I'll come again tomorrow. **2** *Áil cáma guéin tamórou.*

Volveré otro día. **1** I'll come back another day. **2** *Áil cam bäca nádza déi.*

Que usted lo pase bien. **1** Have a good time. **2** *Jäv a gud táim.*

No sea usted tan caro de ver. **1** Let us see more of you. **2** *Létas simóarav yu.*

Hasta la vista. **1** See you! **2** *¡Si yu!*

Hasta pronto. Recuerdos a... **1** Until then. My regards to... **2** *Antíl dzen. Mái rigáadz tu...*

Muchas gracias, igualmente. Adiós. **1** Thanks. The same to you... **2** *Zanks. Dzœ séim tuyú.*

Visita a museos y otros lugares de interés

Visit to museums and other places of interest

Horas de visita. **1** Visiting hours. **2** *Visiting aurs.*

Días abiertos. **1** Days open. **2** *Déis ópen.*

Prohibido hacer fotografías. **1** Pictures forbidden. **2** *Pikchars forbiden.*

Cerrado por reparaciones. **1** Closed for repairs. **2** *Kloust for ripéas.*

Abierto. **1** Open. **2** *Oupan.*

Cerrado. **1** Closed. **2** *Kloust.*

Taquilla. **1** Ticket office. **2** *Tiket ófis.*

Entrada gratuita. **1** Free entry. **2** *Fri éntri.*

Vigilante. **1** Guard. **2** *Gard.*

Guía. **1** Guide. **2** *Gaid.*

Catálogo. **1** Brochure. **2** *Braschúr.*

Libro-guía. **1** Guide-book. **2** *Gaid-buk.*

Visita con guía. 1 Guided tour. **2** *Gáided tur.*
Visita con conferencia. 1 Lecture tour. **2** *Lékchur tur.*
Salas. 1 Halls. **2** *Jols.*
Exposición. 1 Exhibition. **2** *Eksibisdión.*
Cuadro, lienzo. 1 Picture, canvas. **2** *Pikchar, kauvas.*
Pintura 1 Picture. **2** *Pikchar.*
Dibujo. 1 Drawing. **2** *Droing.*
Litografía. 1 Lithography. **2** *Lizógraf.*
Grabado. 1 Engraving. **2** *Engreiving.*
Reproducción. 1 Reproduction. **2** *Ripradakschön.*
Escultura. 1 Sculpture. **2** *Skulpchar.*
Retablo. 1 Retable. **2** *Riteibol.*
Relieve. 1 Relief. **2** *Rilif.*
Monumento. 1 Monument. **2** *Moniunmant.*
Basílica. 1 Basilica. **2** *Basilik.*
Catedral. 1 Cathedral. **2** *Kazidral.*
Abadía. 1 Abbey. **2** *Ábei.*
Monasterio. 1 Monastery. **2** *Monasteri.*
Baptisterio. 1 Baptistry. **2** *Báptistri.*
Campanario. 1 Belltower. **2** *Bel táua.*
Naves. 1 Nave. **2** *Neiv.*
Claustro. 1 Cloister. **2** *Kloista.*
Capilla. 1 Chapel. **2** *Chapel.*
Arcos ojivales. 1 Ogive arch. **2** *Óchiv ark.*
Arcos de medio punto. 1 Round arch. **2** *Raundárk.*
Crucero. 1 Transept. **2** *Tránsept.*
Cúpula. 1 Dome. **2** *Doum.*
Bóveda. 1 Vault. **2** *Volt.*
Ábside. 1 Apse. **2** *Aps.*
Rosetón. 1 Rose-window. **2** *Rous uindou.*
Vidrieras. 1 Stained glass windaus. **2** *Stéind glas uíndos.*
Capitel. 1 Capital. **2** *Käpital.*
Columna. 1 Column. **2** *Kólumn.*
Palacio. 1 Palace. **2** *Pálas.*
Torre. 1 Tower. **2** *Táua.*
Patio. 1 Yard. **2** *Yard.*

El arte — The art

Egipcio, *Egyptian* art.

1. Estatua de Ramsés II (Museo de Turín), *statue of Rameses II (Torino Museum).*
2. Columna papiriforme con ligazones y capitel campaniforme (XXV dinastía), *papyrus column with interlacings and bell capital (XXV dinasty).*

Indio, *Indian art.*

3. Estatua de bronce de Buda (siglo XIII). Museo de Berlín, *bronze statue of Buddah (XIII century). Berlin Museum.*

Japonés, *Japanese art.*

4. Tori o puerta monumental de madera en el agua, *torii, a wooden gateway in the water.*

Maya, *Mayan, art.*

5. Diosa maya llamada "Estrella de la tarde". (Uxmal),

   Mayan Goddes called "Evening Star" (Uxmal).

Antiguo mexicano, *ancient Mexican.*

6. "Lucero del Alba". Colosal cabeza de diorita (Museo Nacional México), *"Morning Star". Enormous diorite head (National Museum, Mexico).*

Inca. *Inca art.*

7. Antigua cerámica de los incas, *ancient piece of Incan ceramics.*

Griego, *Greek art.*

8. Capitel de orden dórico, *Doric capital.*
9. Capitel de orden jónico, *Ionic capital.*
10. Capitel de orden corintio, *Corinthian capital.*
11. El Partenón, *the Parthenon.*

Romano, *Roman art.*

12. Estatua de Augusto (Museo Vaticano), *statue of Augustus (Vatican Museum).*

Románico, *Romanesque art.*

13. Pórtico y campanario de Ursel (Francia), *porch and belfry of Ursel (France).*

Gótico, *Gothic art.*

14. Ventana de la catedral de Colonia, *window of Cologne cathedral*

Renacimiento, *Renaissance art.*

15. Estatua de San Jorge por Donatello (Florencia), *statue of Saint George by Donatello (Florence).*

Barroco, *Baroque art.*

16. Baldaquino de San Pedro construido en 1624 por Bernini, *Baldachin of Saint Peter's bulit by Bernini in 1624.*

Rococó, *Rococo art.*

17. Balaustre del altar de San Ignacio. Iglesia de Jesús en Roma, *Baluster of Saint Ignatins's altar, Jesus Church, Rome.*

Neoclásico. *Neoclassic art.*

18. Fachada del palacio del Pequeño Trianón. Versalles. *Petit Trianon palace, façade. Versailles.*

Sepulcro. **1** Sepulchre. **2** *Sipolkor.*
Sarcófago. **1** Sarcophagus. **2** *Sarcáfagas.*
Mármol. **1** Marble. **2** *Marbel.*
Alabastro. **1** Alabaster. **2** *Alabastar.*
Metal. **1** Metal. **2** *Métäl.*
Bronce. **1** Bronze. **2** *Bróuns.*
Piedra. **1** Stone. **2** *Stóun.*
Orfebrería. **1** Gold or silver work. **2** *Gouldor silvauork.*
Oro. **1** Gold. **2** *Gould.*
Plata. **1** Silver. **2** *Silva.*
Pedrería. **1** Precious stones. **2** *Présias stons.*
Cerámica. **1** Ceramics. **2** *Seramiks.*
Vasija. **1** Vase, vessel. **2** *Vaz, vesel.*
Dinastías. **1** Dinasties. **2** *Dinastis.*
Arte clásico. **1** Classic art. **2** *Klasikart.*

Arte griego. 1 Greek art. **2** *Grikart.*
Arte romano. 1 Roman art. **2** *Romanart.*
Artes industriales. 1 Industrial arts. **2** *Indastrial arts.*
Estilo pre-románico. 1 Pre-roman style. **2** *Prirroman stail.*
Estilo bizantino. 1 Byzantine style. **2** *Bisantín stail.*
Estilo románico. 1 Romanesque style. **2** *Romanesk stail.*
Estilo transición románico-gótico. 1 Romanesque-gothic transiction style. **2** *Romanesk-gotik transikschön stail.*
Estilo gótico. 1 Gothic style. **2** *Gotikstail.*
Estilo renacimiento. 1 Renaissance style. **2** *Renesanstail.*
Estilo barroco. 1 Baroque style. **2** *Barokstail.*
Estilo neoclásico. 1 Neoclassic style. **2** *Nioklasik stail.*
Estilo imperio. 1 Imperial style. **2** *Aimpiriol stail.*
Estilo romántico. 1 Romantic style. **2** *Romantín stail.*
Romanticismo. 1 Romanticism. **2** *Romantisism.*
Realismo. 1 Realism. **2** *Rialism.*
Impresionismo. 1 Impresionism. **2** *Impresionism.*
Cubismo. 1 Cubism. **2** *Kiubism.*
Fauvismo. 1 Fauvism. **2** *Fóvism.*
Puntillismo. 1 Pointillism. **2** *Póintilizm.*
Surrealismo. 1 Surrealism. **2** *Sörealism.*
Pintura metafísica, surrealista, expresionista, ingenuística, abstracta... 1 Metaphysical painting, expressionist, naif, abstract, etc. **2** *Metafisik peinting, expresionist, naíf, abstrakt, etc.*
Salón del trono. 1 Throne chamber. **2** *Zround chamba.*

¿Qué museos, monumentos, edificios notables, parques, hay en la ciudad? 1 What museums, monuments, noteworthy buildings, parks, ara there in the town? **2** *¿Uót miúzíamz, monyuments, nóutuœdzi bílding, páaks, árdzéa in dzœ táun?*

Tiene un especial interés turístico el museo..., la iglesia de..., el Ayuntamiento, la catedral, el edificio de..., el monumento de... 1 The... museum, St... Church, the Town Hall, the Cathedral, the... building, the... monument, are specially interesting for tourits. **2** *Dzœ... miúzíam sant... tchœtch, dzœ túun jó ol, dzœ cazídrul, dzœ... móniument áas péschali íntresting fotúrists.*

¿Está muy lejos el museo de...? 1 Is the Museum far? **2** *¿Iz dzœ miúzíam fáa?*

¿Qué medio de locomoción hay para ir a...? 1 What can I take to get to...? **2** *¿Uót canái téik tuguét tú...?*

¿Haría el favor de decirme qué lugares típicos hay en la ciudad? 1 What typical spots are there in the town, please? **2** *¿Uót típicul spots áadzéarin dzœ táun, plíiz?*

Desearía visitar el museo de Bellas Artes. 1 I should like to visit the Fine Arts Museum. **2** *Ai schud láik tuvízit dzœ Fáin Aats miuzíam.*

Un museo de Arte Antiguo. 1 A Classical Art Museum. **2** *A Cläsical Aat Miúsium.*

Un museo de Arte Moderno. 1 A modern art museum. **2** *A módan áat miúsium.*

Un museo de Arte Contemporáneo. 1 A Contemporary Art Museum. **2** *A contémparari áat Miúsium.*

De Artes Decorativas. 1 Of decorative art. **2** *Av décarativ áat.*

De Ciencias Naturales. 1 Of natural sciences. **2** *Av nätyural sáinsiz.*

De Arqueología. 1 Of archeology. **2** *Av árkióladchi.*

Naval. 1 Naval. **2** *Néival.*

De Aviación. 1 Aviation. **2** *Avi éischan.*

El monumento de... 1 The monument to... **2** *Dzœ móniument tu...*

¿Podría indicarme los días y horas de visita? 1 Can you tell me on what days and at what time it is open? **2** *¿Cä'nyu télmi on uót déiz and at uót táim ítiz óupan?*

Un guía, por favor. 1 A guide, please. **2** *A gáid, plíiz.*
¿Qué estilo tiene este edificio, esta iglesia? 1 In what style is this building, this church? **2** *¿In uót stáiliz dzis bílding, dzis tschœtch?*
Desearía visitar algún parque, jardín, parque zoológico, etc. 1 I should like to visit some park, garden, zoo, etc. **2** *Ái schud láik tuvízit sam páak, gáadan, zúu, etsétara.*

Medios de locomoción — Means of transport

El taxi
The taxi

¡Taxi, taxi! 1 Taxi!, Taxi! **2** *¡Täksi!, ¡Täksi!*
¿Está libre? 1 Are you free? **2** *¿Áyu fri?*
Vamos a dar un paseo por las avenidas principales. 1 We are going for a drive through the main streets. **2** *Uia góuing fóa a dráiv zru dzœ méin stríits.*
Chófer, al Hotel... 1 Driver, to... Hotel. **2** *Dráiva, tu... joutél.*
Vaya de prisa. 1 Please, drive quickly. **2** *Plíiz, dráiva kuikli.*
Vaya despacio. 1 Drive slowly. **2** *Dráiv slóuli.*
Lléveme a la calle..., número... 1 Take me to... street, No... **2** *Téik mi tu... stríit, namba...*
Vaya por el camino más corto. 1 Take the shortest way. **2** *Téik dzœ schóotist uei.*
Chófer, ¿falta mucho para llegar? 1 Driver, have we much farther to go? **2** *¿Dráiva, jävui match fáadza tugóu?*
¿Cómo se llama esta calle? 1 What's the name of this street? **2** *¿Uóts dzœ néimav dzis tríit?*

El parque zoológico

The zoological park

1. Gacelas, *gazelles.*
2. Cuidador de los animales, *animals keeper.*
3. Cartel de información, *Notice Board.*
4. Césped, *lawn.*
5. Leones, *lions.*
6. Foso de agua, *wasat.*
7. Valla de alambre, *wire fence safety barrier.*
8. Jirafas, *giraffes.*
9. Cabra montés *(mouflon) wild sheep.*
10. Jaulas, *cages.*
11. Elefantes, *elephants.*
12. Entradas, *entrance.*

¿Y aquél edificio que se ve al fondo? 1 And that building in the distance? **2** *¿And dzät bílding indzœ distans?*

Chófer, pare usted. 1 Driver, stop. **2** *Dráiva, stop.*

A la estación... 1 To the station. **2** *Tudzas téischan.*

¿Cuánto le debo? 1 How much do I owe you? **2** *¿Jáu match dúai óu yú?*

El metro — The underground station

A. Esquema de vagón, *and underground railway carriage.*
1. Operador de las puertas, *guard.*
2. Faro, *head light.*
3. Topes, *buffers.*
4. Controles de las puertas, *door control.*
5. Ventanillas, *window.*
6. Asientos, *seats.*
7. Cabina del conductor, *driver's cab*
8. Luces de posición, *side lights.*
9. Raíl, *rail.*

B. Esquema de una estación de metro, *diagram of underground station.*
12. Entrada, *way in.*
13. Escalera, *staircase.*
14. Escalera automática, *escalator.*
15. Escalerilla de servicio, *service staircase.*
16. Banco, *bench.*
17. Trole, *current collector.*
18. Salida, *way out.*
19. Semáforos, *traffic lights.*
20. Vías, *tracks.*
21. Taquillas, *ticket boxes.*
22. Entrada, *way in.*
23. Salida, *way out.*
24. Andenes, *platforms.*

C. Esquema de tranvía, *diagram of tramway.*
1. Trole, *current collector.*
2. Puerta automática, *remote controlled door.*
3. Indicador de línea y recorrido, *route plate.*
4. Cabina del conductor, *driver's cab.*
5. Mando de funcionamiento de las puertas, *door control.*
6. Asiento del cobrador, *conductor's seat.*
7. Agarraderas de sujeción, *hand-grip.*
8. Asiento, *seat.*
9. Respaldo, *back of the seat.*
10. Plataforma central, *central platform.*
11. Timbre de aviso de parada, *stop bell.*
12. Ventanilla, *window.*

El autobús, tranvía, metro
The bus, trolley, tube

¿A dónde va este autobús? 1 Where does this bus go to? **2** *¿Uéa daz dzis bas goutu?*

¿Cuánto vale el trayecto? 1 What is the fare? **2** *¿Uótiz dzœ féa?*

¿Por dónde pasa el autobús..., número...? 1 Where does No... bus, pass? **2** *¿Uéa daz námba... bas, páas?*

¿Este autobús va al puerto? 1 Does this bus go to the port? **2** *¿Daz dzis bas góu tu dzœ póot?*

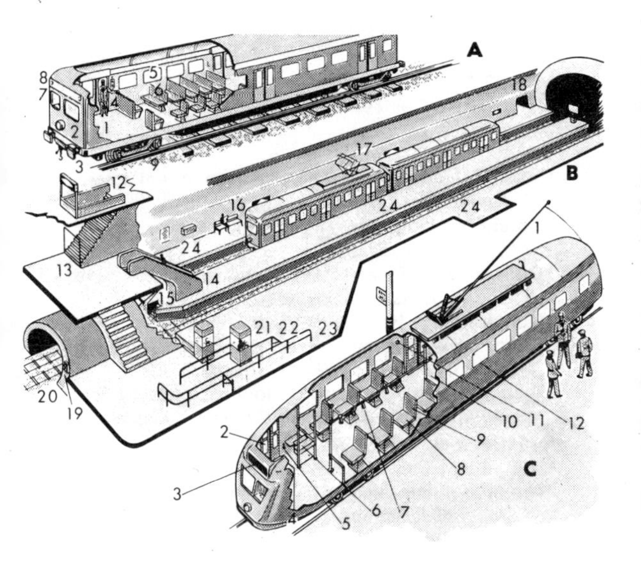

¿Hará el favor de avisarme cuando lleguemos? 1 Will you tell me when we get there? **2** *¿Uílyu télmi uén uí guét dzéa?*

Déme tres billetes. ¿Cuánto es? 1 Three tickets. How much is it? **2** *Zri tíkits. ¿Jáu match ízit?*

Para ir a... ¿qué medio de locomoción me aconseja? 1 What is the best way to go to...? **2** *¿Uótiz dzœ best uéi tugóu tu...?*

¿Dónde se coge el autobús, el tranvía, el metro para ir a...? 1 Where can I get the bus, the trolley, the tube to go to... **2** *Uyer quen hai guet za bos, za trali, za tub tu go tu...*

¿En qué estación he de bajar? 1 At what station do I get out? **2** *¿At uóts téischan dúai guétáut?*

Haga el favor de darme un billete para... 1 Please give me a ticket to... **2** *Plíiz guiumia tikit tu...*

Alquiler de automóviles Car rental

Desearía alquilar un coche. 1 I'd like to rent a car. **2** *Aid laik tu renta kar.*

Con chófer, sin chófer. 1 With driver, without driver. **2** *Uiz draiva, uizaut draiva.*

¿Qué marcas tienen? 1 What makes of cars have you? **2** *¿Udt meiks av kars jefiu?*

¿Qué precio? 1 How much? **2** *¿Jau mach?*

¿Cuánto cuesta diariamente? 1 How much does it perday? **2** *¿Jau mach dázit kostpá déi?*

¿Y cuánto por kilómetro? 1 How much does it cost per kilometer? **2** *¿Jau mach dázit kost pá kilomita?*

Para hoy sólo. 1 Only for today. **2** *Onli fa-tudei.*

Para... días 1 For... days. **2** *Fa... deis.*

¿Dónde lo puedo recoger? 1 Where may I pickit up? **2** *¿Uea meiaí píkit ap?*

¿Dónde lo puedo dejar? 1 Where may I leave it? **2** *¿Uea meiai livit?*

¿Qué tipo de seguro tiene? 1 How long does the insurance last? **2** *¿Jau long das dzœ insiurans last?*

¿Lo puedo dejar en el aeropuerto? 1 May I leave it at the airport? **2** *Mé hai liv it aht za erpurt?*

En el aparcamiento At the car park

Libre. 1 Vacant. **2** *Véikant.*

Ocupado. 1 Full. **2** *Ful.*

¿Dónde puedo aparcar? 1 Where may I park? **2** *¿Uea meiaì park?*

¿Cuánto cuesta la primera hora? 1 How much is the first hour? **2** *¿Jau mach is dzœ fest áua?*

¿Y cada hora? **1** And every hour after that? **2** *¿En déveri áua áfta dzät?*

Lo quiero dejar todo el día. **1** I wish to leave it all day. **2** *Ai uisch tu livit ol dei.*

¿Cuánto me costará? **1** How much is it going cost me? **2** *¿Jau mach ist going tu kost mi?*

Lo quiero dejar toda la noche. **1** I wish to leave it all night. **2** *Ai nisch tu livitol nait.*

¿Dejo las llaves? **1** Must I leave the keys? **2** *Mastai lid dzœ kis?*

¿Me lo pueden limpiar? **1** Could you clean it? **2** *¿Kudiu clinit?*

¿Dónde me dan el ticket? **1** Where may I get the ticket? **2** *¿Uea mei ai guet dzœ tiket?*

¿Cuánto es? **1** How much is it? **2** *¿Jau moch isìt?*

¿Pueden sacarme mi coche? **1** Could you bring me my car? **2** *¿Kudiu bringusi mai keis?*

¿Puede empujar aquel coche? **1** Could you push that car? **2** *¿Kudiu pasch dzat kar?*

No encuentro mi coche. **1** I can't find my car. **2** *Ai cänt faind mai kar.*

Es un... de matrícula... **1** It is a ... with licence number... **2** *Iitis a... uiz láisens noamba.*

El bar* The bar

El mostrador, la barra. **1** The counter, the bar. **2** *Dzœ cáunta, dzœ báa.*

El taburete. **1** The stool. **2** *Dzœ stuul.*

El camarero. **1**The waiter. **2** *Dzœ uéita.*

El aperitivo. **1** The aperitive. **2** *Dzi apérativ.*

* Véase también p. 65, **En el restaurante**.

Las tapas. 1 The snacks. 2 *Dzœ snäks.*

El refresco. 1 The refreshment. 2 *Dzœ rifréschment.*

Los licores. 1 The spirits. 2 *Dzœ spírits.*

Estomacal. 1 Digestif. 2 *Daidchestíf.*

Coñac. 1 Cognac. 2 *Cóunyak.*

Ginebra. 1 Gin. 2 *Dchin.*

Guisqui. 1 Whisky. 2 *Uísqui.*

Ron. 1 Rum. 2 *Ram.*

La bandeja. 1 The tray. 2 *Dzœ tréi.*

La botella de agua. 1 The bottle of water. 2 *Dzœ bótulav uóta.*

Agua mineral con gas, sin gas. 1 Carbonated mineral water, plain mineral water. 2 *Carvonetid mineral uyater, plein mineral uyater.*

El vaso. 1 The glass. 2 *Dzœ glas.*

La copa, la copita. 1 The wine glass. The liqueur glass. 2 *Dzœ uáin glas. Dzœ líta glas.*

La taza. 1 The cup. 2 *Dzœ cap.*

La cucharilla. 1 The tea spoon. 2 *Dzœ ti spuun.*

El azúcar. 1 The sugar. 2 *Dzœ schuga.*

La cafetera exprés. 1 The express coffee pot. 2 *Dzi ikprés cófi pot.*

La jarra, el doble, la caña de cerveza. 1 The jug, the pint, the half pint of beer. 2 *Dzœ dchag, dzœ páint, dzœ páint of bía.*

Cerveza de barril. 1 Draught beer. 2 *Draft bìa.*

Un combinado. 1 A cocktail. 2 *A cokteil.*

Un zumo de naranja, limón. 1 Orange, lemon juice. 2 *Oranch, lémon chuis.*

Un combinado, un cóctel. 1 A half and half, a cocktail. 2 *Ajáafan jáaf, a cókteil.*

Hielo. 1 Ice. 2 *Áis.*

Una taza de chocolate. 1 A cup of chocolate. 2 *A cápav tchócalet.*

Un café. 1 A coffee. 2 *A coufi.*

Un café largo (americano). 1 Coffee, American-style. 2 *Coufi, ameraquen stayl.*

Un café con leche. **1** Coffee with milk. **2** *Coufi wiz mehlk.*

Una limonada. **1** A lemonade. **2** *A lemanéid.*

Zumo de naranja con agua, con soda. **1** Orange juice with water, with soda. **2** *Orindch dchuus, iudz uota, uidz sóuda.*

Zumo de fruta. **1** Fruit juice. **2** *Fruut dchuus.*

El helado. **1** The ice-cream. **2** *Dzi áiscrim.*

El teléfono. **1** The telephone. **2** *Dzœ télefóun.*

El lavabo. **1** The lavatory. **2** *Dzœ lävatari.*

La coctelera. **1** The cocktail shaker. **2** *Dzœ cócteil scheika.*

Tengo sed, entremos en el bar. **1** I'm thristy. Let's go to the bar. **2** *Aim zœsti. Lets góu tu dzœ báa.*

Dentro hace calor, sentémonos afuera. **1** It's hot inside. Let's sit outside. **2** *Its jót insáid. Lets sit áutsáid.*

Camarero, póngame un refresco. **1** Waiter, get me a drink. **2** *Uéita, guétmia drink.*

Yo quiero una caña de cerveza. **1** I want a glass of beer. **2** *Ai uónta glasav bía.*

Yo tomaré un café exprés. **1** I'll have an express coffee. **2** *Áil jävan iksprés cófi.*

Yo prefiero una naranjada, una horchata, bien fresca, natural. **1** I'd rather have an orangeade, an orgeat, very fresh, natural. **2** *Aid ráadza jävan orindchéid, an órdchiat, véri fresch, nätyural.*

Camarero, un vermut con soda. **1** Waiter, a vermouth and soda. **2** *Uéita a vœmutan sœuda.*

Póngame almejas, patatas fritas, gambas, aceitunas, anchoas, ensaladilla, atún, etc. **1** Give me some clams, potato chips, shrimps, olives, anchovy, potato and vegetable salad, tunny, etc. **2** *Guívmi sam cläms patéitou tchips, schrimps, ólivz, antchouvi, patéito, änd védchetabel sälad, táni, etc.*

Póngame una copita de anís. **1** Give me a glass of anis. **2** *Guívmia glásav änis.*

Sírvame un té solo, té con leche, té completo. 1 Give me tea for one, tea with milk, a high tea. **2** *Guivmi tíi fo uán, tí uidz milk, ajái ti.*

Un refresco de naranja. 1 An orange drink. **2** *A nórindch drink.*

Deseo un café, un café con leche. 1 I'd like coffee, coffee with milk. **2** *Haid laik coufi, coufi uyiz mehlk.*

Este vaso está sucio. 1 This cup is dirty. **2** *Dzis cápiz dœti.*

Déme un poco más de azúcar. 1 Give me a little more sugar. **2** *Guívmia lítul móa schúga.*

Déme una botella de agua. 1 Give me a bottle of water. **2** *Guívmit bótulav uóta.*

¿Hace el favor de traer la lista de helados? 1 Please bring me the list of ice-creams? **2** *¿Pliiz bringmi dzœ lístv áiscríms?*

Traiga un helado de vainilla, de chocolate, de fresa, de nata. 1 Bring me a vanilla, chocolate, strawberry, cream, ice. **2** *Brigmi avaníla, tchócalet, stróubari, criim áis.*

Y a mí, un granizado de limón. 1 And for me an iced lemonade. **2** *And fomí anáist lémanéid.*

¿Dónde está la cabina del teléfono, el lavabo? 1 Where is the telephone and the lavatory? **2** *¿Uéariz dzœ télefoun and dzœ lávatari?*

Camarero, ¿cuánto le debo? 1 Waiter, my bill please. **2** *Uéita, mái bil pliiz.*

Tenga usted, y quédese el resto. 1 Here you are. Keep the change. **2** *Jía yuá. Kiip dzœ tchéindch.*

La comisaría — The police station

En la comisaría. 1 At the police station. **2** *Et dzi polis steischön.*

Se me ha perdido el pasaporte, el carné... 1 I've

lost my passport, identity card. **2** *Aif lost mái passport, idéntiti card.*

¿Qué debo hacer? 1 What should I do? **2** *¿Vot schudai du?*

Deseo formular una denuncia contra... 1 I wish to file a complaint against... **2** *Ai uisch tu fáil a campléint against...*

Me han robado... 1 I've been robbed... **2** *Aif bin rábd...*

...el automóvil, la cartera, el bolso... 1 ...the car, the pocketbook, the bag. **2** *...dzœ car, dzœ póketfbuk, dzœ bag.*

Ha desaparecido de mi habitación... 1 Has disappeared from my room... **2** *Jäs disapírt from mai rum...*

Me dejé olvidado mi... y ha desaparecido. 1 I forgot my... and it has disappeared. **2** *Ai jorgot mai... end itjäs disapirt.*

¿Lo han encontrado? 1 Have you faund it? **2** *¿Jäv infoundit?*

¿Lo han devuelto? 1 Have they sent it back? **2** *¿Jävdzei sentit back?*

Correos y Telégrafos*
Post and telegraph office

Correos y telégrafos. 1 Post and telegraph office. **2** *Póust and télegraf ófis.*

Las puertas giratorias. 1 The revolving doors. **2** *Dzœ rivólving dóaz.*

El vestíbulo. 1 The hall. **2** *Dzœ jól.*

---

* Véase también p. 220, **Cartas y telegramas**.

Los buzones. 1 The pillar boxes. 2 *Dzœ píla boksiz.*

El ordenanza. 1 The commissionaire. 2 *Dzœ camíschanéa.*

El oficial de Correos. 1 The post office clerk. 2 *Dzœ póust ófis cláak.*

El cartero. 1 The postman. 2 *Dzœ póustman.*

El repartidor de telégrafos. 1 The telegram boy. 2 *Dzœ télegram boy.*

La carta. 1 The letter. 2 *Dzœ léta.*

El sobre. 1 The envelope. 2 *Dzi énvalóup.*

El remitente. 1 The sender. 2 *Dzœ sendu.*

El destinatario. 1 The addressee. 2 *Dzi adresí.*

Los sellos para franqueo. 1 The postage stamps. 2 *Dzœ póustidch stämps.*

La carta ordinaria, urgente, certificada, por avión. 1 The ordinary, express registered, air mail letter. 2 *Dzi óodinari, exprés, rédchistœd, éa méil léta.*

Valores declarados. 1 Declared value. 2 *Dicléad väliú.*

La tarjeta postal. 1 The post card. 2 *Dzœ póust cáad.*

Papeles de negocio. 1 Business papers. 2 *Bíznis péipaz.*

Impresos. 1 Printed matter. 2 *Príntid mäta.*

El paquete postal. 1 The parcel. 2 *Dzœ páasal.*

El giro postal, telegráfico. 1 The postal, telegraphic order. 2 *Dzœ póustal, telegráfic óoda.*

La lista de Correos, de Telégrafos. 1 The poste restante. 2 *Dzœ póust réstant.*

El telegrama ordinario, urgente, telegrama-carta. 1 Ordinary, express telegram, telegram-letter. 2 *Ordinari, exprés télegram, telegram-léta.*

¿Cuánto es el franqueo de una carta para...? 1 What's the postage to...? 2 *¿Uóts dzœ póustidch tu...?*

¿Por correo ordinario o por avión? 1 By ordinary post or by air mail? 2 *Bái ódinari póust o bái éa méil?*

¿Y una tarjeta postal? 1 And a post card? 2 *¿Anda póust cáad?*

¿Y una carta urgente? 1 And an express letter? 2 *¿Anda exprés léta?*

Es una carta urgente certificada. 1 It's an express registered letter. 2 *Ítsan exprés rédchistad léta.*

¿Dónde venden los sellos para el franqueo? 1 Where do they sell postage stamps? 2 *¿Uéa dudzei sel póustidch stámps?*

Esta carta va certificada. 1 This is a registered letter. 2 *Dzísiza rédchistad léta.*

Esta carta va por correo ordinario. 1 This is an ordinary letter. 2 *Dzísiza nódinari léta.*

¿Qué documentos de identidad necesito para retirar un paquete postal? 1 What identity papers do I need to collect a parcel? 2 *¿Uót áidéntiti péipaz duái níid tu calécta páse?*

¿Para imponer un giro? 1 To send a money order? 2 *¿Tusénda máni óoda?*

Postal, telegráfico. 1 Postal, telegraphic. 2 *Póustal, telegráfic.*

¿Admiten giros para el extranjero? 1 Do they accept money orders for abroad? 2 *Du zey aksept mani orders for abroid?*

Quisiera preguntar si hay alguna carta para mí. 1 I should like to ask if there are any letters for me. 2 *Áischud láik túáask if dzéra éni létaz fomi.*

¿Dónde está la Lista de Correos, la Lista de Telégrafos? 1 Where is the roster for post, the roster for telegraphs? 2 *¿Uérizit dzœ róstar fo póust, dzœ róstar fo télegraf?*

¿Dónde está el buzón? 1 Where's the letter box? 2 *¿Ueáz dzœ léta boks?*

¿Han recogido ya las cartas? 1 Have you got your letters yet? 2 *¿Jävyu got yóa létaz yet?*

¿Hay servicio los días festivos? 1 Is the office open on Bank Holidays? 2 *¿Iz dzi ófils óupan on bank jólidiz?*

Haga el favor de certificarme esta carta y tráigame el recibo. **1** Please register this letter and give me the receipt. **2** *Pliiz rédchista dzis léta and guívmi dzœ risíit.*

Deseo enviar un telegrama a Madrid. **1** I want to send a telegram to Madrid. **2** *Ái uónt tusénda téle-gram tu Madrid.*

¿Cuánto cobran por palabra? **1** How much is it a word? **2** *¿Jáu match izita uœd?*

Lo deseo urgente y con contestación pagada. **1** It's express and reply paid. **2** *Its exprés and riplái péid.*

¿Cuánto vale este telegrama? **1** How much is this telegram? **2** *¿Jáu match iz dzis télegram?*

El teléfono* The telephone

El teléfono público. **1** Public telephone. **2** *Pablic tele-foun.*

La ficha. **1** The token. *2 Dzœ tóken.*

La central, la centralita. **1** Exchange. **2** *Ikstchéindch.*

Supletorio número... **1** Extension No... **2** *Ecsténs-chan námba...*

El aparato. **1** The receiver. **2** *Dzœ risíiva.*

El auricular. **1** The ear phone. **2** *Dzi íia fóun.*

¿Cómo se usa el teléfono en este país? **1** How do you use the telephone in this country? **2** *¿Jan doyn ins dzœ telefóun in dzis cántri?*

¿Cómo funciona este teléfono? **1** How does this telephone work? **2** *¿Jáu daz dzis télefon wak?*

¿Cuál es el número para ponerme en comunicación con información, reclamaciones, hora...? **1**

* Véase también p. 197, **Números telefónicos.**

Could you tell me the telephone number for enquiries? **2** *¿Kundin telmi dzi telefóun namba fóa éncuieris?*

Señorita, póngame con el número... **1** Please, put me through to. **2** *Pliiz, put mi dzru to.*

Deseo una conferencia con el número... de Barcelona. **1** I want a long distance call to No... at... **2** *Ai uónta long dístans óol tu námba... ät...*

¿Tardará mucho? **1** Will it take long? **2** *¿Uílit téiklóng.*

¿Es directo? **1** Is it direct? **2** *¿Isit doirect?*

¿Hay demora? **1** Is there a delay? **2** *Isdea a delay?*

¿Qué número he de marcar? **1** What number should I dial? **2** *¿Uat namba schúudai daiol?*

¿Me lo puede decir más despacio? **1** Could you say that more slowly? **2** *¿Kulin se dzät móa slóuti?*

Mi número de teléfono es... **1** My telephone number is... **2** *Mai telefoun namba is...*

Una ficha, por favor. **1** A token, please. **2** *A tóken, pliiz.*

¿Puedo usar este teléfono? **1** May I use this telephone? **2** *¿Méi ái yuz dzis telefóun?*

¡Oiga, oiga! **1** Hello, hello! **2** *¡Jélou, jélou!*

¡Diga!, ¿Con quién hablo? **1** Who is speaking, please? **2** *¿Ju is spíking, pliz?*

Soy... **1** It's me. **2** *Itsmi.*

No contesta. **1** There is no answer. **2** *There is no ánsar.*

Están comunicando. **1** It's engaged. **2** *Its engueisched.*

La línea está ocupada. **1** The line is engagead. **2** *Dzœ lain is enqueisdead.*

Señorita ¿cómo está la conferencia que he pedido? **1** Operator, how is the long distance call I asked for coming along? **2** *Opereita ¿jau is dzœ long distans kol ai asked for cáming alóng?*

¿Puedo hablar con...? **1** May I speak to...? **2** *¿Meiti spik tu...?*

¿Está el señor...? **1** Is Mr... there? **2** *¿Is mista... dzea?*
¿Tardará mucho en regresar? **1** Will he be long coming back? **2** *¿Víl ji bilong cáming bäk?*
¡Por favor, no cuelgue! **1** Don't hang up plase! **2** *¡Dount jenguap, pliiz!*
¿De parte de...? **1** Who is calling? **2** *¿Ju cáling?*
¿Quiere tomar el encargo? **1** Could you take a message? **2** *¿Kudiu teik a mésadch?*

El teatro, el cine — The theatre, the cinema

En el teatro, en el cine. **1** At the theatre, at the cinema. **2** *At dzœ zíata, ät dzœ sínima.*
La taquilla. **1** The booking office. **2** *Dzœ búcking ófis.*
El portero. **1** The porter. **2** *Dzœ póota.*
El vestíbulo. **1** The hall. **2** *Dzœ jool.*
El bar. **1** The bar. **2** *Dzœ baa.*
La sala. **1** The auditorium. **2** *Dzi óoditóriam.*
El lavado. **1** The lavatory. **2** *Dzœ lávatari.*
El guardarropa. **1** The cloak room. **2** *Dzœ-clóuk rum.*
El acomodador. **1** The attendant. **2** *Dzi aténdant.*
El pasillo. **1** The aisle. **2** *Dzi áil.*
El escenario. **1** The stage. **2** *Dzœ stéidch.*
Las candilejas. **1** The foot lights. **2** *Dzœ fútláits.*
El telón. **1** The curtain. **2** *Dzœ kœtan.*
Las decoraciones. **1** The scenery. **2** *Dzœ síinari.*
Los bastidores. **1** The wings. **2** *Dzœ uíngz.*
La concha del apuntador. **1** The prompt box. **2** *Dzœ prompt boks.*
Los palcos. **1** The stalls. **2** *Dzœ stoolz.*
Los palcos proscenios. **1** The orchestra stalls. **2** *Dzi óokistra stóolz.*
El director de orquesta. **1** The conductor. **2** *Dzœ candákta.*

Los músicos. 1 The musicians. **2** *Dzœ miúzíschanz.*
La orquesta. 1 The orchestra. **2** *Dzi óokistra.*
Las butacas de platea. 1 Pit stalls. **2** *Pitstals.*
Las butacas del primer piso. 1 The dress circle seats. **2** *Dzœ dres sœcul siits.*
El anfiteatro. 1 The dress circle. **2** *Dzœ drés sákel.*
General. 1 The pit. **2** *Dzœ pit.*
Película en blanco y negro, en color... 1 A film in black and white, in colour...
Las localidades, las entradas, los billetes. 1 The tickets. **2** *Dzœ tíkits.*
El apuntador. 1 The prompter. **2** *Dzœ prómpta.*
El actor. 1 The actor. **2** *Dzi äkta.*
La actriz. 1 The actress. **2** *Dzi äktris.*
El coro. 1 The chorus. **2** *Dzœ córas.*
La bailarina. 1 The dancer. **2** *Dzœ dáansa.*
El tenor. 1 The tenor. **2** *Dzœ téna.*
El barítono. 1 The baritone. **2** *Dzœ bäritoun.*
El cómico. 1 The comedian. **2** *Dzœ camídian.*
La tiple. 1 The soprano. **2** *Dzœ sapráanou.*
Una comedia. 1 A comedy. **2** *Œ cómidi.*
Un melodrama. 1 A melodrama. **2** *Améla dráama.*
Un juguete. 1 A sketch. **2** *A sketch.*
Una ópera. 1 An opera. **2** *A nópara.*
Una opereta. 1 An operetta. **2** *Œ nóparéta.*
Una zarzuela. 1 A musical comedy. **2** *A miúsical cómdii.*
Un acto. 1 An act. **2** *Anäkt.*
Un entreacto. 1 An interval. **2** *Aníntavul.*
La media parte. 1 Halfway interval. **2** *Jafuéi ínterval.*
Aplausos. 1 Applause. **2** *Aplóoz.*
Silbidos. 1 Whistles. **2** *Uísels.*
La pantalla. 1 The screen. **2** *Dzœ skriin.*
La pantalla panorámica (grande). 1 The panoramic screen (large). **2** *Dzœ pänarämic skriin (laadch).*
Noticiario. 1 News reel. **2** *Niúz riil.*
Documental. 1 Documentary. **2** *Dociuméntari.*

Película en blanco y negro, en color... 1 A film in black and white, in colour... **2** *A film in blamkand uait, in colo.*

Me gustaría ir al teatro esta noche. 1 I would like go to the theatre this evening. **2** *Aiud láik tugóu tudzœ zíata dzis ívning.*

¿Podría usted decirme dónde hacen buen programa? 1 Could you tell me where there is something good on? **2** *¿Cúdyu télmi uéa dzériz sámzing gúd on?*

Veamos la cartelera, los anuncios del periódico. 1 Let's look at the amusements guide in the newspaper. **2** *Lets lúkat dzœ amiúsments gáid in dzœ niúz péipaz.*

En el cine... hacen un programa estupendo. 1 There's a great programme on at the cinema. **2** *Dzéaza greit próugram on at dzœ sínima.*

¿Puede decirme si es apto para menores? 1 Can you tell me whether children are admitted? **2** *¿Canyu télmi uédza tchíldren áradmítid?*

Hacen una película de estreno, de reestreno. 1 They are showing a new, an old film. **2** *Dzéa showing a níu, anóuld film.*

Prefiero un cine que hagan sesión continua y alguna película de ambiente del país. 1 I prefer a continuous perfomance, and a film with some local colour. **2** *Ai prifœra contínyuas pafóomans anda film uidz sam lóucal cála.*

¿Hace el favor de indicarme a qué hora empieza la sesión? 1 When does the programme start, please? **2** *¿Uén daz dzœ prógram stáat, pliiz?*

¿Cuánto dura la película, el programa? 1 How long does the film last? **2** *¿Jáu long daz dzœ film láast?*

En el teatro... hacen una buena función. 1 There's a good show on at the theatre. **2** *Dzeriza gud schóu on ät dzœ zíata.*

¿Está lejos de aquí? 1 Is it far from here? **2** *¿Izit fáa from jía?*

Haga el favor de dos localidades para la función de esta noche. 1 Two tickets for this evening, please. **2** *Tu tíkits fo dzis ivning, pliiz.*

De platea, anfiteatro, delantera del primer piso... 1 Stalls, circle, dress circle. **2** *Stóolz, sákel, dres sœcul.*

Que estuvieran tocando al pasillo central. 1 Next to the centre aisle. **2** *Nekst tu dzœ sénta áiel.*

Me quedo éstas. ¿Cuánto es? 1 I'll take these. How much are they? **2** *Ail téik dziz. ¿Jáu match ádzei?*

Quisiera ir al guardarropa. 1 I should like to go to the cloak room. **2** *Ái schud láik tugóu tudzoe clóuk rum.*

¿Haría el favor de un programa? 1 A programme, please. **2** *A próugram pliiz.*

¿A qué hora empiezan? 1 At what time does it begin? **2** *¿At uót táim dazít biguín?*

¿Dura mucho la función? 1 Does it last very long? **2** *¿Dázit láast véri long?*

¿Cuántos entreactos hay? 1 How many intervals are there? **2** *¿Jáu méni íntavulz ádzea?*

¿Cuánto dura cada entreacto? 1 How long are the intervals? **2** *¿Jáu long aadzi íntavulz?*

¿A qué hora termina? 1 At what time does it finish? **2** *¿At uót táim dázit fínisch?*

De compras* Shopping

Los grandes almacenes — Department stores

Planta baja. 1 Ground floor. **2** *Gráund flóa.*

Primer, segundo, tercer piso. 1 First, second, third floor. **2** *Fœst, sécand, zœd floa.*

El ascensor. 1 The lift. **2** *Dzœ lift.*

Las escaleras. 1 The stairs. **2** *Dzœ stéaz.*

Las escaleras mecánicas. 1 Escalator. **2** *Eskaleita.*

Las secciones. 1 The departments. **2** *Dzœ dipáatments.*

El encargado de sección. 1 The head of the department. **2** *Dzœ jédav dzœ dipáatment.*

El dependiente, la dependienta. 1 The shop assistant. **2** *Dzi schap asístant.*

El botones. 1 The errand boy. **2** *Dzœ éränd bói.*

El mostrador. 1 The counter. **2** *Dzœ cáunta.*

Las vitrinas. 1 The shop windows. **2** *Dzœ schop uíndóuz.*

Los escaparates. 1 The shop windows. **2** *Dzœ schap uindous.*

Las estanterías. 1 The shelves. **2** *Dzœ schells.*

Las sillas. 1 The chairs. **2** *Dzœ tschéaz.*

La caja. 1 The cash desk. **2** *Dzœ cä'sch desk.*

La cajera. 1 The cashier. **2** *Dzœ cäschia.*

¿En qué sección podré encontrar un instrumento musical típico de aquí? 1 In wich department can I find a musical instrument typical of this place? **2**

---

* Véase también p. 77, **En la ciudad**.

¿In uítch dipáatment canai fáinda miúsicul instrument típicul ov dzis pléis?

Sección de perfumería, de regalos, de juguetería, de deportes, de fotografía, de papelería, de librería, de lencería, de calzados, de mobiliario, de peletería. 1 Perfume, gifts, toys, sports, photography, book, stockings, shoes, furniture, furs, Departments. **2** *Parfiums, gifts, tois, sports, fotógrafi, buk, stokings, schoes, furnichur, furs, Dipátments.*

¿La sección de camisería, por favor? 1 The shirt department, please? **2** *¿Dzœ schœt depártment, plíiz?*

Prendas de caballero
Men's garments

Abrigo. 1 Overcoat. **2** *Óuva cóut.*
Americana. 1 Jacket. **2** *Dchäkit.*
Bastón. 1 Stick. **2** *Stik.*
Batín. 1 Smoking jacket. **2** *Smóuking dchäkit.*
Boina. 1 Beret. **2** *Bére.*
Botas. 1 Boots. **2** *Búuts.*
Bufanda. 1 Scarf. **2** *Scáaf.*
Calcetines. 1 Socks. **2** *Soks.*
Calzoncillos. 1 Under pants. **2** *Unda pänts.*
Camisa. 1 Shirt. **2** *Schœt.*
Camiseta. 1 Vest. **2** *Vest.*
Cinturón. 1 Belt. **2** *Belt.*
Corbata. 1 Tie. **2** *Tái.*
Chaleco. 1 Waistcoat. **2** *Uéistcóut.*
Chaqué. 1 Morning coat. **2** *Móaning cót.*
Frac. 1 Evening dress. **2** *Ívning dres.*
Gabardina. 1 Trench coat. **2** *Trensch cóut.*
Gemelos. 1 Cuff links. **2** *Köf links.*
Gorra. 1 Cap. **2** *Cäp.*
Guantes. 1 Gloves. **2** *Glavz.*
Impermeable. 1 Rain coat. **2** *Réin cóut.*

Los grandes almacenes

1. Entrada, *entrance.*
2. Escaparate, *shop window.*
3. Carteles, *posters.*
4. Sección de discos, *record department.*
5. Estanterías, *shelves.*
6. Mostradores, *counters.*
7. Manguera contra incendios, *fire-extinguisher hose. extinguisher hose.*
8. Extintor, *fire-extinguisher.*
9. Portero, *doorman, porter,* AMÉR. *janitor.*
10. Sección de fotografía, *photograpy department.*
11. Probador, *fitting room.*
12. Sección de juguetes, *toy department.*
13. Maniquí, *dummy.*
14. Dependienta, *show assistant, sales girl.*
15. Sección de bolsos y artículos de piel, *the leather goods department.*
16. Sección de confección de señora, *ladies, wear department.*
17. Escaleras, *stairs.*
18. Escaleras mecánicas, *escalators.*
19. Sección de tejidos, *material or fabric department.*

Department stores

1. Sección de deportes, *sports department.*
2. Perfumería, *cosmetics.*
3. Cafetería, *cafeteria.*
4. Camarero, *waiter.*
5. Taburetes, *stools.*
6. Oficinas para la venta a plazos, *hire purchase office.*
7. Artículos de recuerdo, *souvenirs.*
8. Indicación de los artículos expuestos en los diferentes pisos, *indicator of the articles sold on the different floors.*
9. Ascensor, *lift,* AMÉR *elevator.*
10. Ascensorista, *liftboy.*
11. Cuadro luminoso que señala la situación del ascensor, *floor indicator.*
12. Intérprete, *interpreter.*
13. Cajera, *lady cashier.*
14. Registradora, *electric cash register, till.*
15. Cajón, *till.*
16. Albarán de venta, *receipt, bill.*
17. Papel engomado, *adhesive tape, Scotch tape.*
18. Paquete, *parcel.*
19. Rollo de papel, *wrapping paper roll.*
20. Cordel, *string.*
21. Toallas, *towels.*
22. Sección de novedades para señora, *ladies' novelty department.*
23. Venta de artículos del día, *special offer.*
24. Medias, *hosiery department.*

Jersey. 1 Jersey. 2 *Dchœzi.*
Pantalón. 1 Trousers. 2 *Tráuzaz.*
Pantalón de deporte. 1 Sports trousers. 2 *Spóats tráuzaz.*
Pantalón de golf. 1 Golfing trousers. 2 *Golfing tráusas.*
Pantalón de montar. 1 Riding breeches. 2 *Raáiding brítchiz.*
Pantalón de esquís. 1 Skiing trousers. 2 *Skíing tráuzaz.*
Pantalón corto. 1 Shorts. 2 *Schorts.*
Pañuelos de bolsillo. 1 Pocket handkerchiefs. 2 *Pókit jänkatchíifs.*
Pañuelo para el cuello. 1 Neckerchief. 2 *Nékatchíif.*
Paraguas. 1 Umbrella. 2 *Ambréla.*
Pijama. 1 Pyjamas. 2 *Pidchámaz.*
Smoking. 1 Dinner jacket. 2 *Dína dchäkit.*
Sombrero de fieltro. 1 Felt hat. 2 *Felt jät.*
Sombrero de copa. 1 Top hat. 2 *Tap ját.*
Tirantes. 1 Braces. 2 *Bréisiz.*
Zapatillas. 1 Slippers. 2 *Slípaz.*
Zapatos negros, marrón, combinados. 1 Black, brown, two-tone shoes. 2 *Bläk, bráun, tútón schuz.*

Prendas de señora
Ladies' garments

Abanico. 1 Fan. 2 *Fän.*
Abrigo. 1 Overcoat. 2 *Óuvacóut.*
Bata. 1 Dressing gown. 2 *Drésing gáun.*
Blusa. 1 Blouse. 2 *Bláuz.*
Bolso. 1 Bag. 2 *Bäg.*
Bragas. 1 Drawers. Knickers. Panties. 2 *Dróaz. Níkaz. Päntis.*
Camisón. 1 Nightgown. 2 *Náitgáun.*
Capa de noche. 1 Evening cloak. 2 *Ívning clóuk.*

Cartera. 1 Pocket book. Wallet. 2 *Pókit buk. Uálet.*
Cinturón. 1 Belt. 2 *Belt.*
Combinación. 1 Slip. 2 *Slip.*
Cuello de piel. 1 Fur collar. 2 *Fœ cóla.*
Chal. 1 Shawl. 2 *Schóol.*
Chaquetón. 1 Jacket. 2 *Dchäkit.*
Faja. 1 Corset. 2 *Cóaset.*
Falda. 1 Skirt. 2 *Skœt.*
Falda abierta. 1 Open skirt. 2 *Óupan skœt.*
Falda ceñida. 1 Narrow waisted skirt. 2 *Nä'róu uéistid skœt.*
Falda plisada. 1 Pleated skirt. 2 *Plíitid skœt.*
Gabardina. 1 Raincoat. 2 *Réincóut.*
Guantes. 1 Gloves. 2 *Glavz.*
Jersey. 1 Jersey. 2 *Dchœzi.*
Mantilla. 1 Mantilla. 2 *Mantilla.*
Medias de algodón. 1 Cotton stockings. 2 *Cótan stókingz.*
Medias de hilo. 1 Mesh stockings. 2 *Mesh stókingz.*
Medias de nylón. 1 Nylon stockings. 2 *Náilon stókingz.*
Medias de seda. 1 Silk stockings. 2 *Silk stókingz.*
Monedero. 1 Purse. 2 *Pœs.*
Pañuelos de algodón. 2 Cotton handkerchiefs. 2 *Cóton jänkatchífs.*
Pañuelos de batista. 1 Batiste handkerchiefs. 2 *Batíist jänkatchífs.*
Pañuelos de hilo. 1 Linen handkerchiefs. 2 *Línin jänkatchífs.*
Pañuelos de nylón. 1 Nylon handkerchiefs. 2 *Náilon jänkatchífs.*
Paraguas. 1 Umbrella. 2 *Ambréla.*
Pijama. 1 Pyjamas. 2 *Pidchámaz.*
Rebeca. 1 Cardigan. 2 *Cáadigan.*
Salto de cama. 1 Dressing gown. 2 *Drésing gáun.*
Seda artificial. 1 Artificial silk. 2 *Áatifíschal silk.*
Seda natural. 1 Natural silk. 2 *Nätcharal silk.*
Sombrero. 1 Hat. 2 *Jät.*

Sostenes, sostenedores, sujetadores. **1** Brassieres, Bras. **2** *Bräsiaz, Bras.*
Traje sastre. **1** Tailormade costume. **2** *Téilaméid costiúm.*
Traje de noche. **1** Evening dress. **2** *Ivening dres.*
Zapatos de ante. **1** Suede shoes. **2** *Suéid schuuz.*
Zapatos marrón, negro, combinados. **1** Black, brown, two-tone shoes. **2** *Bläk, bráun, túton schúuz.*

En la camisería
At the haberdashery's

Deseo dos camisas blancas y otras dos de color. **1** I want two white shirts and two coloured ones. **2** *Ai uónt túu uáit schœts and tú cälad uánz.*
Quisiera una camisa algo típica, como recuerdo. **1** I want a rather typical shirt, as a souvenir. **2** *Ai uónta rádza típical schœt aza súvaniía.*
Esta clase no me gusta. Las quiero más finas. **1** I don't like this sort. I want finer ones. **2** *Ai dount laik dzis soot. Ai uont fáina uánz.*
De hilo, de nylón. **1** In linen, in linen nylon. **2** *In línin, in náilon.*
Esta tela es muy fina. ¿Es de hilo? **1** This cloth is very fine. Is it linen? **2** *Dzis clóoz iz véri fáin. ¿Lit linin?*
¿Me irá bien esta medida? **1** Is this my size? **2** *¿Iz dzis mái sáiz?*
El cuello me va un poco justo. **1** The collar is a little tight. **2** *Dzœ cóla iza lítul táit.*
Probaremos una talla mayor. **1** We'll try a larger size. **2** *Uíil tráia ladcha sáiz.*
Póngame también media docena de camisetas, con mangas, sin mangas. **1** Give me half a dozen vests, too, please, with sleeves, without sleeves. **2**

Prendas de vestir Clothings accesories

1. Slip, *(men's) under pants;* AMÉR. *shorts.*
2. Camiseta, *vest;* AMÉR *under-shirt.*
3. Calcetines, *socks.*
4. Cinto, *belt.*
5. Tirantes, *braces;* AMÉR *suspenders.*
6. Camisa, *shirt.*
7. Corbata, *tie; neck-tie.*
8. Paraguas plegable, *collapsible umbrella.*
9. Pañuelo para la cabeza, *head square, foulard, neckerchief headscarf.*
10. Guantes, *gloves.*
11. Camisa, *shirt.*
12. Lazo, *bow-tie.*
13. **Gemelos,** *cuff-links.*
14. Sombrero de señora, *lady's hat.*
15. Bolso, *lady's handbag.*
16. Pañuelos, *handkerchiefs.*
17. Boina, *beret.*
18. Sombrero de caballero, *gentleman's hat.*
19. Ala, *brim.*
20. Pinza, *dent.*
21. Copa, *hat crown.*
22. Lazo o banda, *hatband.*
23. Borde, *edge of the hat brim.*
24. Medias, *stockings.*
25. Sostén, *brassière, "bra".*
26. Combinación, *slip, petticoat.*
27. Gorro de lana deportivo, *woolen ski-cap.*
28. Gafas, *snow goggles.*
29. Bufanda, *scarf.*
30. Mañanita, *bed-jacket.*
31. Jersey sin mangas, *sleeveless pullover.*
32. Botón de fantasía, *button.*
33. (Gancho y ojal) corchetes; *hook and eye.*

Guiivmi háafa dázan vest, tu, plíiz, uidz sliivz, uidzáut sliivz.

De verano, de invierno. 1 For summer, for winter. **2** *Fo sáma, fo uínta?*

Hágame el favor de enseñarme las corbatas. 1 Please show me the ties. **2** *Plíiz schóumi dzœ táiz.*

Quiero ver los modelos que se llevan esta primavera. 1 I would like to see those that are being worn this spring. **2** *Aischud láik tusí dzouz dzäta bíing uóon dzis spring.*

Las quiero de seda natural, de seda artificial... 1 I want them in natural silk, man-made silk... **2** *Ai uóntdzœm in neitural silk, man-meide silk...*

Déme estas tres. 1 Give me these three. **2** *Guívmi dziiz zri.*

Pañuelos de bolsillo. 1 Some handkerchiefs. **2** *Sam jankatchifs.*

Quisiera ver las gabardinas y paraguas. 1 I should like to see some raincoats and umbrellas. **2** *Áischud láik tusí sam réincóuts and ambrélaz.*

¿Cuánto vale este paraguas? 1 How much is this umbrella? **2** *¿Ju match iz dzis ámbréla?*

Lo deseo más barato. 1 I want a cheaper one. **2** *Ai uónta tchíipa uán.*

¿Para comprar unos guantes? 1 Where are the gloves? **2** *¿Uéra dzœ glavz?*

De lana, de piel, de algodón, de ante... 1 Wool, fur, cotton, leather... **2**

De piel y color marrón claro. 1 Light brown leather. **2** *Láit bráun lédza.*

Me quedo con éstos. 1 I'll take these. **2** *Ail téik dziiz.*

Ahora quisiera comprar un jersey. 1 Now I want to buy a jersey. **2** *Náu ai uónt tubáia dchœzi.*

Lo quiero abierto, cerrado, con mangas, sin mangas, de punto grueso, de punto delgado. 1 I want it open, closed, with sleeves, without sleeves, coarse, fine-knitted. **2** *Ai uóntit ópen, closed uizsliuis, uizanzlius, cors, fainneited.*

Lo deseo de un gris obscuro. 1 I want a dark grey one. **2** *Ai uónta dáak gréi uán.*

Éste me gusta. 1 I like this one. **2** *Ai láik dzis uán.*

¿Cuánto importa todo? 1 How much is that all together? **2** *¿Jáumátchiz dzat óol taguédza?*

¿Dónde debo pagar? 1 Where do I pay? **2** *¿Uéa duái péi?*

¿Podrían llevármelo al Hotel...? 1 Could you have them sent to the... Hotel? **2** *¿Cúdyu jävdzem sent tudzœ... jóutel?*

¿Cuándo lo recibiré? 1 When shall I get them? **2** *¿Uén schalai guét dzem?*

La casa de modas* — The dress shop

Quisiera comprar un vestido confeccionado. 1 I want to buy a ready made dress. **2** *Ai uónt tubáia rédi méid dres.*

Algodón. 1 Cotton. **2** *Cótan.*

Seda natural. 1 Natural silk. **2** *Nätiural silk.*

Lana. 1 Wool. **2** *Uúl.*

Estambre. 1 Worsted. **2** *Uústad.*

Hilo. 1 Linen. **2** *Línin.*

Poliéster. 1 Polyester. **2** *Poliester.*

Terciopelo. 1 Velvet. **2** *Vélvit.*

Nylón. 1 Nylon. **2** *Náilon.*

De punto. 1 Knitted. **2** *Nítid.*

Escotado, no escotado. 1 Low-necked, not low-necked. **2** *Lóunekd, nat lóunekt.*

Con, sin mangas. 1 With sleeves, without sleeves. **2** *Uizslivs, uizauzslius.*

* Véase también p. 201, **Las medidas.** Medidas humanas.

Mangas largas, cortas. 1 Long sleeves, short sleeves. **2** *Lanslivs, shortslivs.*

Abierto, cerrado. 1 Opened, closed. **2** *Opant, cloust.*

Este de gris claro me gusta. 1 I like this light grey one. **2** *Al láik dzis láit gréi uán.*

Me lo probaré. 1 I'll try it on. **2** *Ail tráit on.*

Me está un poco largo y ancho de caderas. 1 It's rather long for me, and a bit wide in the hips. **2** *Its ráadza long fomi ända bit uáid in dzœ jips.*

Me hace una arruga aquí. 1 It has a wrinkle here. **2** *It jäs a rinkel jía.*

Deseo también un abrigo. 1 I want an overcoat, too. **2** *Ai uóntan óuva cóut, tuu.*

Fibra acrílica. 1 Acrilic fibre. **2** *Akrilik friba.*

Hilo. 1 Linen. **2** *Línan.*

Lana. 1 Wool. **2** *Uul.*

Seda natural, artificial. 1 Natural, artificial silk. **2** *Nachurarl, artifishal silk.*

Terciopelo. 1 Velvet. **2** *Vélvet.*

Lavable. 1 Washable. **2** *Uoshíbal.*

Inarrugable. 1 Wrinkle proof. **2** *Vrinkal pruf.*

Cuello ancho, estrecho. 1 With a wide, narrow neck. **2** *Uíz a uáid, näro nek.*

No, de cheviot. 1 No, cheviot. **2** *Nóu, tchéviat.*

Franela. 1 Flannel. **2** *Flänal.*

Sport. 1 Sports. **2** *Spoots.*

Entretiempo. 1 "Between seasons". **2** *"Bituín sísans".*

Invierno. 1 Winter. **2** *Uinta.*

Desearía un conjunto de mañana. 1 I want a morning suit dress. **2** *Ai uónta móoning siút dres.*

Blusa blanca, falda negra plisada y chaquetón a base de encarnado. 1 White blouse, black pleated skirt and a jacket with a red pattern. **2** *Uáit bláuz, bläk plittitid skœt ända dchäkit uídza red putan.*

El chaquetón que sea de última moda. 1 The jacket should be the latest thing in fashion. **2** *Dzœ dchäkit soulbi dzœ lateszing in faeschon.*

Tallas y sus equivalencias

Mujeres	Vestidos de señora						Vestidos de niña				
EE.UU.	10	12	14	16	18	20	9	11	13	15	17
Gran Bretaña	32	34	36	38	40	42	30	31	32	33	35
Europa continental	38	40	42	44	46	48	34	36	38	40	42

	Medias						Zapatos					
EE.UU	8	8½	9	9½	10	10½	6	6½	7	8	8½	9
Gran Bretaña							4½	5	5½	6½	7	7½
Europa continental	0	1	2	3	4	5	36	37	38	38½	39	40

Hombres	Vestidos/Abrigos					
EE.UU. Gran Bretaña	36	38	40	42	44	46
Europa continental	46	48	50	52	54	56

	Camisas							
EE.UU. Gran Bretaña	14	15	15½	16	16½	17	17½	18
Europa continental	36	38	39	41	42	43	44	45

	Zapatos								
EE.UU. Gran Bretaña	5	6	7	8	8½	9	9½	10	11
Europa continental	38	39	40	41	42	43	43	44	44

Es liso; me gustaría con algún dibujo. 1 It's plain. I should like one with a pattern. **2** *Its pléin. Áischud láik uán uídza pätan.*

Enséñenme los dibujos que tienen. 1 Show me the patterns you have. **2** *Schóumi, dzœ pätanz yu jäv.*

Éste me gusta. 1 I like this one. **2** *Ai láik dzis uán.*

Pasaré al probador. 1 I'll go to the fitting room. **2** *Ail go tu dzœ fiting rum.*

¿Cuánto sube todo? 1 How much is that altogether? **2** *¿Jáumatch iz dzat óol tuguédza?*

¿Podrían indicarme cuándo harán exhibición de modelos? 1 Can you tell me when there will be a dress show? **2** *¿Cänyu télmi uén dzea uílbía dres schóu?*

Si no pasan ustedes colección ¿podrían enseñarme modelos? 1 If you have no samples, could you show me some designs? **2** *Ifyu jäv nóu sámpulz cúdyu schóumi sam dizáins?*

¿Pueden enseñarme modelos de traje sastre? 1 Can you show me some designs of tailor made costumes? **2** *¿Cänyu schóumi sam dizáins téila méid costiúmz?*

Chaqueta sastre. 1 Tailor made jacket. **2** *Téila méid dchákit.*

De fantasía. 1 Fancy. **2** *Fänsi.*

Seda estampada. 1 Printed silk. **2** *Príntid silk.*

Esta ropa me gusta y el modelo también. 1 I like this material and the dress, too. **2** *Ái láik dzis matírial and dzœ dres túu.*

¿Cuánto cuesta un traje sastre con esta tela? 1 What will a tailor made cost in this cloth? **2** *¿Uót uíla téila méid cost in dzis matírial?*

Haga el favor de enseñarme aquel vestido de noche. 1 Will you show me that evening dress. **2** *¿Uilyu pliiz schóumi dzat ívning dres?*

¿Qué precio tiene? 1 What is its price? **2** *¿Uótizits práis?*

¿Ese otro modelo, en qué otra tela se puede confeccionar? 1 In what other cloth could you make this design? **2** *¿In uót ádza cloz cúdyu méik dzis dizáin?*

En tela o gasa. 1 In cloth or in gauze. **2** *In clóz órin góiz.*

Terciopelo. 1 Velvet. **2** *Vélvit.*

Seda. 1 Silk. **2** *Silk.*

Brocado. 1 Brocade. **2** *Brokéid.*

Nylón. 1 Nylon. **2** *Náilon.*

¿Tiene algún otro modelo? 1 Have you any other designs? **2** *¿Jävyu éni ádza dizáins?*

Es moda de París, Turín, Inglaterra, americana. 1 It's the fashion in Paris, Turin, England, America. **2** *Its dzœ fäschan in päris, tiúrín, ingland, américa.*

Lo encuentro algo extremado. 1 I find it rather extreme. **2** *Ai fáindit ráadza ikstríim.*

¿Qué género es éste? 1 What cloth is this? **2** *¿Uót clóziz dzis?*

Organdí. 1 Organdine. **2** *Organdíin.*

Organza. 1 Organza. **2** *Organza.*

Nylón. 1 Nylon. **2** *Náilon.*

¿Puede enseñarme algún croquis o dibujo? 1 Can you show me some sketches? **2** *¿Cänyu schóumi sam dróingz?*

Desearía un vestido en terciopelo negro. 1 I should like a black velvet dress. **2** *Aischud láika bläk velvit dres.*

En una tela estampada. 1 It's a print. **2** *Itsa print.*

Con encaje de blonda. 1 With blond lace. **2** *Uidz blond léis.*

¿El cinturón es de la misma tela? 1 Is the belt in the same material? **2** *¿Iz dzœ belt in dzœ séim matírial?*

Me gusta la falda un poco larga y ceñida. 1 I like the skirt rather long and narrow waisted. **2** *Ai láik dzœ skœt ráadza long and närou uéistid.*

Me haré este modelo. 1 I will have this design. **2** *Ail uil jäv dzís dizáin.*

Haga el favor de pasar al probador para tomarle medidas. 1 Please come to the fitting room to be measured. **2** *Pliiz cam tudzœ fíting rum tubi mézyad.*

¿Cuándo he de venir a hacerme la primera prueba. 1 When can I come for the first fitting? **2** *¿Uén canäi cám fodzœ fœst fíting?*

Me corre muchísima prisa. El lunes salgo de viaje. 1 I am in a great hurry. I am going away on Monday. **2** *Áiyam ina gréit jári. Áim going auéi on mándi.*

¿Así cuándo podrán entregarme el vestido? 1 So when could you let me have the dress? **2** *¿Sóu uén cúdyu létmi jäv dzœ dres?*

¿Podrán enviármelo al Hotel...? **1** Could you send it to the hotel for me? **2** *¿Cúdyu séndit tu dzœ jóutél fomi?*

He aquí mi nombre y habitación en que me hospedo. **1** Here is my name and the number of my room. **2** *¿Jiariz mái néim and dzœ námbarov mái rum?*

¿La sección de sombreros? **1** The hat department? **2** *¿Dzœ jät dipáatment?*

Lo deseo pequeño de alas, grande de alas... **1** I want it with a small brim, a large brim... **2** *Ai uónt it uitz a small brim, a lardrer brim...*

De paja. **1** Straw. **2** *Stroo.*

De fieltro. **1** Felt. **2** *Felt.*

¿Qué vale éste? **1** How much is this one? **2** *¿Jáumatch iz dzis uán?*

La sastrería* | The tailor's

Alfileres. **1** Pins. **2** *Pins.*

Agujas de coser. **1** Needles. **2** *Nídels.*

Americana. **1** Coat. **2** *Cóut.*

Botones. **1** Buttons. **2** *Báton.*

Carrete de hilo. **1** Reel of thread. **2** *Ríel av zred.*

Cierres. **1** Zips. **2** *Zips.*

Cinta. **1** Ribbon. **2** *Ríbon.*

Corchetes. **1** Catch. **2** *Kätch.*

Cremallera. **1** Zipper. **2** *Zípa.*

Chaleco. **1** Waistcoat. **2** *Uéist cóut.*

Dedal. **1** Thimble. **2** *Zímbel.*

Estuche de costura. **1** Sewing-case. **2** *Söingkeis.*

Hebilla. **1** Buckle. **2** *Bákol.*

---

* Véase también p. 201, **Las medidas**. Medidas humanas.

Imperdible. 1 Safety-pin. 2 *Seiftipin.*
Pantalón. 1 Trousers. 2 *Tráuzaz.*
Tijeras. 1 Scissors. 2 *Sísors.*

Desearía un traje de entretiempo. 1 I want a spring suit. 2 *Ai uónta spring siút.*
A medida. 1 To measure. 2 *Tu mézya.*
De confección. 1 Ready made. 2 *Rédi méid.*
Claro u obscuro. 1 Light or dark. 2 *Láit o dáak.*
Azul marino, gris, marrón. 1 Navy blue, gray, brown. 2 *Néivi blu, gréi, bráun.*
¿Cuál es la moda de este año? 1 What's the fashion this year? 2 *¿Uóts dzœ fäschan dzis yía?*
Éste es el que más me gusta. 1 This is the one I like best. 2 *Dzísiz dzœ uán ai láik best.*
Lo probaremos. 1 Let's try it on. 2 *Lets tráiit on.*
Me viene pequeño. 1 It's too small. 2 *Its túu smóol.*
Sí, éste me viene mejor, pero hace una arruga en el hombro. 1 Yes, that's better, but there's a wrinkle on the shoulder. 2 *Yes, dzäts béta, bat dzérza rinkul on dzœ scóulda.*
El forro no acaba de gustarme. 1 I don't care much for the lining. 2 *Ai dóunt kéia match fodzœ láining.*
Deseo hacerme un traje. 1 I want to have a suit made. 2 *Ai uont tujäva siút méid.*
Liso, de rayas, de cuadros. 1 Plain, striped or check. 2 *Pléin, stráipt o tchek.*
De verano, de entretiempo, de invierno. 1 Summer, spring or winter. 2 *Sáma, spring o uíinta.*
¿Tienen este mismo dibujo en gris? 1 Have you the same pattern in grey? 2 *¿Jävyu dzœ séim pätan in gréi?*
¿Qué clase de género es? 1 What sort of material is it? 2 *¿Uót sóotav matírial ízit?*
¿Qué cuesta un traje de esta calidad? 1 What will a suit of this quality cost. 2 *¿Uót uila siútav dzis kuóliti cost?*

Trajes

Costumes

1. Polo, *polo shirt.*
2. Batín, *smoking jacket.*
3. Bata, *dressing-gouwn.*
4. Cazadora, *lumber jacket.*
5. Camisa deportiva, *sports shirt.*
6. Chaqueta, *jacket.*
7. Abrigo, *overcoat.*
8. Gabardina, *rain-coat.*
9. Frac, *dress suit.*
10. Jersey, *jumper, sweater.*
11. Traje cruzado, *double-breasted suit.*
12. Pantalón, *trousers.*
13. Americana, *jacket.*
14. Camisa, *shirt.*
15. Cuello de la camisa, *shirt collar.*
16. Solapa, *lapel.*
17. Corbata, *tie, neck-tie.*

¿Tiene algún figurín? 1 Have you got a model? **2** *¿Jävyu góta módul?*

Me interesaría que me lo hicieran en seguida. 1 I should like to have it made at once. **2** *Áischud laik tujävit méid atuans.*

¿Se paga por adelantado o a su entrega? 1 Do I pay in advance or when it is ready. **2** *¿Duáai péi inad váans o uénitiz rédi?*

Vestidos — Dresses

1. Pijama, *lady's pyjamas.*
2. Conjunto de chaqueta y blusa de punto, *twin-set.*
3. Traje chaqueta, *tailored costume.*
4. Falda, *skirt.*
5. Chaqueta, *jacket.*
6. Bufanda, *scarf.*
7. **Guantes,** *gloves.*
8. Traje de noche largo, *evening dress.*
9. Traje de noche corto, *cocktail dress.*
10. Pantalón y blusa, *holiday out fit.*
11. Abrigo, *overcoat.*
12. Sombrero, *hat.*
13. Falda y blusa, *skirt and shirt blouse.*
14. Traje tarde, *afternoon dress.*
15. Traje deportivo, *sports outfit.*
16. Vestido liso de minifalda, *miniskirt.*

¿Tienen buenos paños para abrigos? 1 Have you any good cloth for an overcoat? **2** *¿Jävyu éni gud cloz fóran óuvacóut?*

¿Qué vale un abrigo a medida? 1 What's the price of an overcoat made to measure. **2** *¿Uóts dzœ práis ovanóuva cóut méid tumézya?*

De esta calidad, que es la mejor. 1 Of this cloth, which is the best quality. **2** *Ov dzis cloz, uitchiz dzœ best kuoliti.*

¿No tiene una clase inferior a ésta, pero buena? 1 Have you got anything of a slightly inferior quality, but good? **2** *¿Jävyu got énizing ova sláitli infíria kuóliti, bat gud?*

Me quedo con este color. 1 I will have this colour. **2** *Ai uíl jäv dzis cála.*

Me gusta un poco ancho. 1 I like if fairly wide. **2** *Ai láikit féali uáid.*

Abierto, cerrado. 1 Double or single breasted? **2** *¿Dábul o síngul bréstid?*

Con cinturón, sin cinturón. 1 With or without belt. **2** *¿Uídzo uidzáut belt?*

Solapa ancha. 1 Broad lapel. **2** *Bróod läpul.*

¿Cuándo estará? 1 When will it be ready? **2** *¿Uén uílit birédi?*

La zapatería — The shoe shop

Deseo un par de zapatos. 1 I want a pair of shoes. **2** *Ai uonta péarav schuuz.*

De color marrón, negros, combinados. 1 Brown, black, two-tone. **2** *Bráun, bläk túu-ton.*

De suela doble. 1 Double sole. **2** *Dábul sóul.*

De piel, de ante. 1 Leather, suede. **2** *Lédza, suéid.*

Con tacón de goma. 1 Rubber heels. **2** *Rába jíilz.*

Con piso de suela, de crepé, de goma. 1 Whith leather, crepe, rubber soles. **2** *Uídz lédza, créip, rába sóulz.*

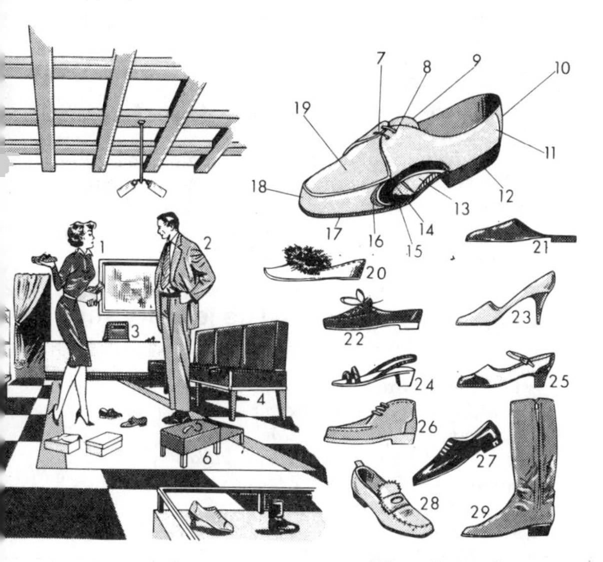

La zapatería

The shoe shop

1. Dependiente, *shop assistant.*
2. Cliente, *customer.*
3. Registradora, *cash register, till.*
4. Diván, *upholstered bench.*
5. Calzador, *shoehorn.*
6. Probador, *stool.*
7. Cordón, *shoelace,* AMÉR *shoestring.*
8. Ojal u ojete, *eyelet.*
9. Lengüeta, *tongue.*
10. Contrafuerte, *counter.*
11. Talón, *heel-piece.*
12. Tacón, *heel.*
13. Cambrillón, *insole.*
14. Plantilla, *insole.*
15. Vira, *welt.*
16. Forro, *lining.*
17. Suela, *sole, outsole.*
18. Puntera, *toe cap.*
19. Empeine, *vamp.*
20. Zapatilla de señora, *lady's slipper, babouche.*
21. Zapatillas de caballero, *gentleman's slipper.*

22, 23, 24 y 25. Zapatos de señora, *lady's shoes.*

26. Bota deportiva, *sports boot.*
27. Zapato de caballero, *gentleman's shoe.*
28. Mocasín, *moccasin.*
29. Bota de montar, *high boot.*

Me aprietan un poco. 1 They're a little tight. 2 *Dzéara lítul táit.*

Me son un poco grandes. 1 They are a little too large. 2 *Dzéara lítul tuu láadch.*

Tengo los pies muy delicados. 1 My feet are very tender. 2 *Mái fíita véri ténda.*

Haga el favor de enseñarme el modelo que está en el escaparate con el número... 1 Will you please show me the pair that is in the window? No... 2 *¿Uílyu pliiz schóumi dzœ péa dzátiz in dzœ uíndou? Námba...*

La joyería-relojería* The jewelry shop

Alfiler de corbata. 1 Tie pin. 2 *Tái pin.*

Brazalete. 1 Bracelet. 2 *Bréislit.*

Brillantes. 1 Diamonds. 2 *Dáiamandz.*

Collar. 1 Collar, Necklace. 2 *Cóla, néklis.*

Diamantes. 1 Diamonds. 2 *Dáiamandz.*

Esmeralda. 1 Emerald. 2 *Émarald.*

Gemelos. 1 Cuff links. 2 *Caf links.*

Imperdible. 1 Safety pin. 2 *Séifti pin.*

Oro. 1 Gold. 2 *Gould.*

Pendientes. 1 Earrings. 2 *Íaringz.*

Perlas. 1 Pearls. 2 *Pœlz.*

Plata. 1 Silver. 2 *Silva.*

Platino. 1 Platinum. 2 *Plätinam.*

Pulsera. 1 Bracelet. 2 *Bréislit.*

Reloj. 1 Clock. 2 *Clok.*

Reloj de pulsera. 1 Wrist watch. 2 *Rist uótch.*

Reloj de pulsera digital. 1 Digital watch. 2 *Dígital uótch.*

Reloj de bolsillo. 1 Pocket watch. 2 *Pokit uótch.*

Reloj de pared. 1 Clock. 2 *Klok.*

Reloj de torre. 1 Tower clock. 2 *Táua clok.*

* Véase también p. 149, **Objetos para regalo**.

Reloj de sol. 1 Sundial. 2 *Sándail.*

Reloj de arena. 1 Sand glass. 2 *Sänd glaas.*

Reloj de péndola. 1 Pendulum clock. 2 *Péudyulam clok.*

Reloj de cuclillo. 1 Cuckoo clock. 2 *Cúcu clok.*

Despertador. 1 Alarm clock. 2 *Aláam clok.*

Las agujas, saetillas, manecillas. 1 The hands. 2 *Dzœ jändz.*

Las minuteras. 1 The minute hands. 2 *Dzœ mínit jändz.*

Esfera. 1 The dial. 2 *Dzœ dáil.*

Automático. 1 Automatic. 2 *Óotamätic.*

Antimagnético. 1 Antimagnetic. 2 *Antimagnétic.*

Cronómetro. 1 Chronometer. 2 *Cronómita.*

Rubíes. 1 Rubies. 2 *Rúbiz.*

Cadena. 1 Chain. 2 *Tchéin.*

Correa. 1 Strap. 2 *Sträp.*

Cristal irrompible. 1 Unbreakable glass. 2 *Anbréikabul glas.*

Rubí. 1 Ruby. 2 *Rúbi.*

Solitario. 1 Solitaire (diamond). 2 *Solitéa (dáiamand).*

Sortija. 1 Ring. 2 *Ring.*

Hágame el favor de enseñarme relojes de pulsera. 1 Please show me some wrist watches. 2 *Plíiz schóumi sam ríst aótchíz.*

Para caballero, para señora. 1 For gentlemen, for ladies. 2 *For chentlemen, for ledies.*

De acero, pero que sea de buena marca. 1 Steel, but a good make. 2 *Stiil, báta gud meík.*

¿Qué vale éste? 1 What's the price of this one? 2 *¿Uóts dzœ práisav dzísuán?*

¿Y ése otro? 1 And this one? 2 *¿And dzísuan?*

Lo encuentro algo caro. 1 I think it's rather dear. 2 *Ai zínkits rádza día.*

¿Tardarían muchos días en arreglarme este reloj? 1 Will it take long to mend this watch? 2 *¿Uílit téik long tuménd dzis uótch?*

Mi reloj se adelanta, se atrasa. 1 My watch runs fast, slow. **2** *May uótch runs fast, lou.*

Le he dado un golpe algo fuerte y se ha parado. 1 I gave it a rather hard knock and it has stopped. **2** *Ai géivita ráadza jáad nok and it jäz stopt.*

Tiene la cuerda rota. 1 The spring is broken. **2** *Dzœ spríngiz bróukan.*

Me es imposible dejarlo. Salgo de viaje pasado mañana. 1 I can't leave it. I'm leaving on a journey the day after tomorrow. **2** *Ai cánt líivit. Aim líving óna dchœni dzœ déiafta tumórou.*

¿Podría enviármelo al Hotel...? El conserje tendrá instrucciones. 1 Could you send it to... Hotel? I will warn the porter. **2** *¿Cúdyu séndit tu... joutél? Ai uíl uóon dzœ póota.*

¿Cuánto importará la reparación? 1 How much will it cost? **2** *¿Jáumátch uílit cost?*

Cámbieme la correa de paso. 1 Please change the strap. **2** *Pliiz tchéindch dzœ strap.*

¿Qué vale ésta? 1 How much is that? **2** *¿Jáumáach iz dzät?*

La peluquería — The hairdresser's

En la peluquería. 1 At the hairdresser's. **2** *Et dzœ jeardresaz.*

El (la) recepcionista. 1 The receptionist. **2** *Dzœ risepschonist.*

El peluquero, el barbero. 1 The hairdresser, the barber. **2** *Dzœ jéadrésa, dzœ báaba.*

El aprendiz. 1 The apprentice. **2** *Dzi aprentis.*

El sillón. 1 Barber's chair. **2** *Bábas chéa.*

El peinador. 1 The barber's smock. **2** *Bábas smák.*

La toalla. 1 The towel. **2** *Dzœ taval.*

El espejo. 1 The mirror. **2** *Dzœ mirror.*
El peine. 1 The comb. **2** *Dzœ coum.*
La lendrera, el peine espeso. 1 The thick comb. **2** *Dzœ zik coum.*
Las tijeras. 1 The scissors. **2** *Dzœ scizaz.*
El cepillo. 1 The brush. **2** *Dzœ brasch.*
La navaja. 1 The razor. **2** *Dzœ réiza.*
La brocha. 1 The shaving brush. **2** *Dzœ schéiving brasch.*
El jabón. 1 The soap. **2** *Dzœ sœup.*
El secador. 1 The hairdryer. **2** *Dzœ jéadráia.*
La maquinilla de cortar el pelo. 1 The hair-clipper. **2** *Dzœ jéaclípas.*
Los frascos de colonia, loción, masaje. 1 Bottles of scent, lotion, shampoo. **2** *Bóttulzav sent, lœuschan, schampú.*
El pulverizador, vaporizador. 1 The spray, vaporizer. **2** *Dzœ spréia, veiparaiza.*
La laca. 1 The lacquer. **2** *Dzœ láca.*
La loción. 1 The lotion. **2** *Dzœ lóschon.*
La fricción. 1 The friction. **2** *Dzœ fricschon.*
El bigote. 1 The mustache. **2** *Dzœ mústach.*
La barba. 1 The beard. **2** *Dzœ berd.*
El champú. 1 The shampoo. **2** *Dzœ schampú.*
Las pinzas, los rulos. 1 The curlers. **2** *Dzœ cálas.*
La redecilla. 1 The hair net. **2** *Dzœ jéanet.*
Las cremas. 1 The creams. **2** *Dzœ crims.*
El marcado. 1 The set. **2** *Dzœ set.*
El moño. 1 The bun. **2** *Dzœ ban.*
La trenza. 1 The pigtail. **2** *Dzœ pigteil.*
El rizo. 1 The hairlock. **2** *Dzœ jealok.*
El flequillo. 1 The fringe. **2** *Dzœ rinch.*
El secador. 1 The dryer. **2** *Dzœ draia.*
La ondulación. 1 The wave. **2** *Dzi véiv.*
El tinte. 1 The dyeing. **2** *Dzœ daieing.*
El tinte con decoloración. 1 The bleach and dye. **2** *Dzœ blich änd dái.*

El postizo. **1** The hairpiece. **2** *Dzœ jéapis.*

La peluca. **1** The wig. **2** *Dzœ uíg.*

¿Puede usted darme hora para...? **1** At what time may I come? **2** *¿Et úat taim meiai kam?*

¿Tienen parking? **1** Is there a car park? **2** *¿Isdea a cáa pák?*

¿Tendré que esperar mucho? **1** Will I have to wait for long? **2** *¿Uíl ai jäv tueit fa long?*

Tengo prisa. **1** I'am in a hurry. **2** *Aiam inajarri.*

De caballeros
Men's

En la peluquería de caballeros. **1** Men's hairdresser's. **2** *Mens jeardresaz.*

Deseo afeitarme. **1** I want a shave. **2** *Ai uónta schéiv.*

Me hace un poco de daño. **1** It hurts a little. **2** *It jarts a lital.*

Hágame masaje. **1** Give me a massage please. **2** *Guívmia mássaadch, plíiz.*

Arrégleme el bigote. **1** Trim the mustache. **2** *Trim dzœ mústach.*

Córteme el pelo a navaja. **1** A razor cut, please. **2** *Aréiza cat, pliz.*

Córteme el pelo a tijeras. **1** A scissor cut, please. **2** *A síza cat, pliz.*

Sólo arréglemelo. **1** Just a trim, please. **2** *Dchast a trim, pliz.*

Lo deseo un poco corto. **1** I want it rather short. **2** *Ai uóntit ráadza schóot.*

Arrégleme sólo el cuello y las patillas. **1** Just trim the back of the neck and the sidesboards. **2** *Dchast trim dzœ bäcav dzœ nec and dzœ sálidbóads.*

No corte mucho. **1** Don't cut it much. **2** *Dount katit mach.*

Un poco más de los lados. 1 A little more off the sides. **2** *A lítel móa af dzœ sáids.*

Láveme la cabeza. 1 A shampoo, please. **2** *Aschampú, pliz.*

Tengo caspa. 1 I have dandruff. **2** *Ai jef daudruff.*

Mi pelo es graso. 1 My hair is greasy. **2** *May jea is grisi.*

Me cae mucho el pelo. 1 I'm losing a lot of hairs. **2** *Aim lúsing a lat af jéa.*

Hágame una fricción de colonia, de quina. 1 Give me a friction with eau de cologne, Bay Rum. **2** *Give mi a frikssdrón niz ode colóñ, kina.*

No me ponga laca. 1 Don't put any hair lacquer on. **2** *Dount put äni jéa läca an.*

De señoras
Women's

Quisiera lavado y peinado. 1 I would like to have my hair washed and dressed. **2** *Ai ud laik tujel mai jea uósh eina dresst.*

¡Córteme sólo las puntas! 1 Cut me only the ends. **2** *Katmi onli dzi ends.*

Láveme la cabeza. 1 A shampoo, please. **2** *A schampú, pliz.*

¡Qué no esté muy caliente el agua! 1 Don't use very hot water. **2** *Dount iúz verijot uota.*

Deseo la permanente. 1 I want a permanent wave. **2** *Ai uánt a pérmanent uéiv.*

Quisiera teñirme el pelo... 1 I'd like to dye my hair. **2** *Aiad laik tu dai mai jeu.*

De rubio, ceniza, trigueño, rubio claro, castaño, cobrizo, negro. 1 Blond, ash-blonde, red, light blond, chesnut, copper red, black. **2** *Blond, aschblond, rued, lait bland, chésnat, cupared, blak.*

¡Sólo retocar el tinte! 1 Just touch up the dye. **2** *Dchast tach ap dzœ déi.*

Deseo mi color natural. **1** I want my natural colour. **2** *Ai uánt mai nácthural cóla.*

Es demasiado claro, oscuro. **1** It's too light, too dark. **2** *It's tulait, tudáak.*

Péineme la peluca. **1** Comb the wig. **2** *Comb dzœ uíg.*

Deseo me hagan la manicura. **1** Give me a manicure. **2** *Gív mi a manikiur.*

Déjeme las uñas... **1** Let me see your nails, please. **2** *Let mi si yóa néils, pliz.*

...cortas, largas, redondeadas, en punta... **1** Short, long, round, pointed... **2** *Schort, long, raund, póinted...*

Póngame laca transparente. **1** Use transparent lacquer. **2** *Iús transparent läca.*

La perfumería — The perfumery

Artículos de tocador
Toiletries

Aceite bronceador. **1** Sun-tan oil. **2** *Sun-tan óil.*

Aceite de limpieza. **1** Cleansing oil. **2** *Klénzing óil.*

Colonia. **1** Cologne. **2** *Colón.*

Colorete compacto. **1** Compact. **2** *Cómpact.*

Colorete crema. **1** Colouring cream. **2** *Cálaring críim.*

Cosmético Rimmel. **1** Rimmel cosmetic. **2** *Rímel cosmétic.*

Crema para afeitar. **1** Shaving cream. **2** *Schéiving críim.*

Crema antisolar. **1** Antisun cream. **2** *Antisán críim.*

Crema limpiadora. **1** Cleansing cream. **2** *Clénsing críim.*

Crema para masaje. **1** Massage cream. **2** *Másidch críim.*

Crema nutritiva. 1 Skin. 2 *Skin.*

Crema volátil. 1 Vanishing cream. 2 *Vänisching críim.*

Hojas de afeitar. 1 Razor blades. 2 *Réiza bléidz.*

Jabón para afeitar. 1 Shaving soap. 2 *Schéiving sóup.*

Jabón perfumado. 1 Scented soap. 2 *Séntid sóup.*

Lápiz para las cejas. 1 Eyebrow pencil. 2 *Áibráu pénsil.*

Lápiz para los labios. 1 Lipstick. 2 *Lípstik.*

Leche de belleza. 1 Beauty milk. 2 *Biúti milk.*

Loción. 1 Lotion. 2 *Lóuschan.*

Maquillaje compacto. 1 Make up compact. 2 *Méikap cómpact.*

Maquillaje crema. 1 Make up cream. 2 *Méikap críim.*

Maquillaje en polvo. 1 Make up powder. 2 *Méikap páuda.*

Perfilador para los labios. 1 Lip outliner. 2 *Lip áutláina.*

Perfume. 1 Scent. 2 *Sent.*

Polvos faciales. 1 Face powders. 2 *Féis páudaz.*

Pulverizador. 1 Pulveriser. Spray. 2 *Pálvaráiza. Spréi.*

Regenerador. 1 Regenerator. 2 *Ridchénaréita.*

Ron quina. 1 Bay rum. 2 *Béiram.*

Tintura instantánea. 1 Instantaneous colourer. 2 *Instantéinas cálara.*

Tintura progresiva. 1 Gradual colouring. 2 *Grädiúal cálaring.*

Tónico facial. 1 Face tonic. 2 *Féis tónic.*

Tónico astringente. 1 Astringent tonic. 2 *Astrindchant tónic.*

Artículos de higiene
Toilet articles

Artículos de higiene. 1 Toilet articles. 2 *Tóilet áaticulz.*

Cepillo cabello. 1 Hair brush. 2 *Jéia brásch.*
Cepillo para dientes. 1 Toothbrush. 2 *Túuz brasch.*
Depilatorio en cera. 1 Hair removing wax. 2 *Jéia rimúving uáks.*
Depilatorio en crema. 1 Hair removing cream. 2 *Jéia rimúving críim.*
Depilatorio en polvo. 1 Hair removing powder. 2 *Jéia rimúving páuda.*
Depilatorio líquido. 1 Liquid hair remover. 2 *Lícuid jéia rimúva.*
Desodorante en crema. 1 Deodorant cream. 2 *Dióudarant críim.*
Desodorante líquido. 1 Deodorant liquid. 2 *Dióudarant lícuid.*
Elixir dentífrico. 1 Tooth elixer. 2 *Túuz ilíksa.*
Lápiz desodorante. 1 Deodorant pencil. 2 *Dióudarant pénsil.*
Pasta dentífrica. 1 Tooth paste. 2 *Túuz péist.*
Peine. 1 Comb. 2 *Cóum.*
Pinzas depiladoras. 1 Hair removing tweezers. 2 *Jáia rimóuving tuízaz.*
Polvos de talco. 1 Talcum powder. 2 *Tälcam páuda.*

Artículos de manicura
Manicure articles

Artículos de manicura. 1 Manicure articles. 2 *Mänikyúa áaticulz.*
Alicates para las uñas. 1 Nail clippers. 2 *Néil clípaz.*
Alicates para las pieles. 1 Skin clippers. 2 *Skin clípaz.*
Bajapieles. 1 Skin removers. 2 *Rimúvas.*
Cepillo para las uñas. 1 Nail brush. 2 *Néil brasch.*
Disolvente quita esmalte. 1 Nail varnish remover. 2 *Néil vánisch rimúva.*
Esmalte. 1 Enamel. 2 *Inämul.*
Lima esmeril. 1 Emery file. 2 *Emari fáil.*

Lima metal. 1 Metal file. 2 *Métul fáil.*
Pulidor de uñas. 1 Nail polisher. 2 *Néil pólischa.*
Tijeras para las pieles. 1 Skin scissors. 2 *Skin sízaz.*
Tijeras para las uñas. 1 Nail scissors. 2 *Néil sízaz.*

La librería-papelería
Book shop-stationer's

El librero. 1 The book-seller. 2 *Dzœ buksela.*
Un bolígrafo. 1 A ball point pen (A pen). 2 *A Balpoint-pen (a pen).*
La pluma. 1 A pen. 2 *A pen.*
El rotulador. 1 Marker pen. 2 *Máka pen.*
El lápiz. 1 A pencil. 2 *A pensil.*
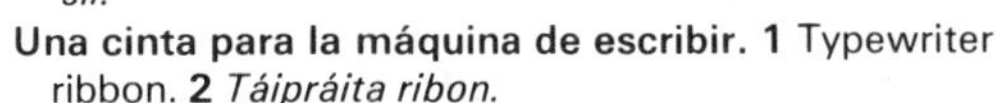
Una cinta para la máquina de escribir. 1 Typewriter ribbon. 2 *Táipráita ribon.*
Un cuaderno. 1 An exercise book. 2 *An écsersais buk.*
Una carpeta. 1 File. 2 *Fáil.*
Unas cuartillas. 1 Some sheets of paper. 2 *Sam schíts av péipa.*
Papel carbón. 1 Carbon paper. 2 *Kárbon peipa.*
Un diccionario español. 1 Spanish dictionary. 2 *Spánish dikchioneri.*
Un libro de arte. 1 An art book. 2 *Anart buk.*
En rústica. 1 Unbound. 2 *Anbáund.*
Encuadernado. 1 Bound. 2 *Baund.*
Edición. 1 Edition. 2 *Edischön.*
Publicación. 1 Publication. 2 *Pablikeischön.*
Autor. 1 Author. 2 *Ózor.*
Grabado. 1 Engraving. 2 *Engréiving.*

Lámina en color. **1** Colour illustration. **2** *Kólorilastréischan.*

Novela. **1** Novel. **2** *Nóvel.*

Guía turística. **1** Tourist guide. **2** *Túristgaid.*

Guía de la ciudad. **1** City guide. **2** *Sitigaid.*

Plano de la ciudad. **1** City map. **2** *Sitimap.*

Mapa de carreteras. **1** Road map. **2** *Roudmap.*

¿Tiene guías de la ciudad, de carreteras del país? **1** Have you any plans of the town, road maps of the country? **2** *¿Jävyu éni plänzav dzœ táun, roud mäpsav dzœ cántri?*

Desearía tarjetas postales ilustradas de la ciudad. **1** I want some postcards with views of the town. **2** *Ai uónt sam póust cáadz uídz viúzav dzœ táun.*

Déme esas fotografías de vistas de la ciudad. **1** Give me these photos of the town. **2** *Guívmi dziiz fófouzav dzœ táun.*

¿Dónde puedo comprar un mapa de carreteras, un plano de ciudad? **1** Where may I buy a road map, a city map? **2** *¿Ueameiaí baia roudman, a sitimap?*

Desearía un libro que hiciese referencia a la historia y arte de esta ciudad, de este país. **1** I'd like a book concerning the history and art of this city, of this country. **2** *Aid laik a buk conserning dzœ jístori enart of dzissiti of dzis cäntri.*

¿Puedo encontrarlo traducido en español? **1** May I find it translated into Spanish? **2** *¿Mei ai faindit transleited intuspanish?*

Periódicos y revistas
Newspapers and magazines

Los periódicos, los diarios. **1** The newspapers. **2** *Dzœ niúzpéipaz.*

Los periódicos deportivos. **1** Sporting papers. **2** *Spóoting péipaz.*

Déme un periódico de la mañana, de la tarde. 1 Give me a morning, evening paper. **2** *Guívmia móoning, ívning péipa.*

¿Tiene diarios ingleses, franceses, españoles, alemanes, portugueses...? 1 Have you any English, French, Spanish, German, Portuguese papers? **2** *¿Jávyu éni ínglisch, frensch, spänisch, dchœman, póotyuguíz péipaz?*

Las revistas. 1 The magazines. **2** *Dzœ mägazíinz.*

Los semanarios infantiles. 1 Children's weeklies. **2** *Tchíldranz uíikliz.*

Deseo una revista infantil, deportiva... 1 I want a children's, a sporting paper. **2** *Ai uónta tchúldranz, as pórting péipa.*

Tarjetas postales ilustradas. 1 Picture postcards. **2** *Píctcha póstcáadz.*

Colecciones de fotografías. 1 Sets of photos. **2** *Sets av foutouz.*

Música y fotografía
Music and photography

Música
Music

Discos y cassetes. 1 Records and cassettes. **2** *Rékords änd casèts.*

Música sinfónica. 1 Symphonic music. **2** *Sinfonik miusik.*

Música moderna. 1 Modern music. **2** *Modern miusik.*

Microsurco. 1 Microgroove. **2** *Maikrogrouv.*

Estéreo. 1 Stereo. **2** *Stírious.*

Alta fidelidad. **1** High fidelity. **2** *Jii fidéloti.*
Ópera. **1** Opera. **2** *Ópera.*
Jazz. **1** Jazz. **2** *Tchás.*
Canción popular. **1** Folk song. **2** *Fólksong.*
Música de ballet. **1** Ballet music. **2** *Báletmiusik.*

¿Tienen cassetes, cintas magnetofónicas? **1** Have you cassettes, recording tapes? **2** *¿Jefiu caséts, ricáding téips?*
¿Tiene el disco de...? **1** Have you the record of...? **2** *Jefiu dzœ rékord of...?*
Desearía una radio, un magnetofón. **1** I'd like a radio, a taperecorder. **2** *Aid laik a ruedio, a téip ricáda.*

Fotografía
Photography

El aparato fotográfico. **1** The camera. **2** *Dzœ cämara.*
Objetivo. **1** The lens. **2** *Dzœ lenz.*
Diafragma. **1** The diaphragm. **2** *Dzœ dáiafräm.*
Graduación del diafragma. **1** The aperture scale. **2** *Dzœ äpatiur skéil.*
Botón para bobinar. **1** The winder. **2** *Dzœ uáinda.*
Botón de rebobinar. **1** The film-winder. **2** *Dzœ film uáinda.*
Disparador. **1** The shutter release. **2** *Dzœ schátarilíis.*
Contador. **1** The counter. **2** *Dzœ caúnta.*
Visor. **1** The view finder. **2** *Dzœ viú fáinda.*
Escala de distancias. **1** The distance scale. **2** *Dzœ distans skéil.*
El trípode. **1** The tripod. **2** *Dzœ tráipod.*
La funda. **1** The case. **2** *Dzœ kéis.*
El telémetro. **1** The range finder. **2** *Dzœ réindch fáinda.*

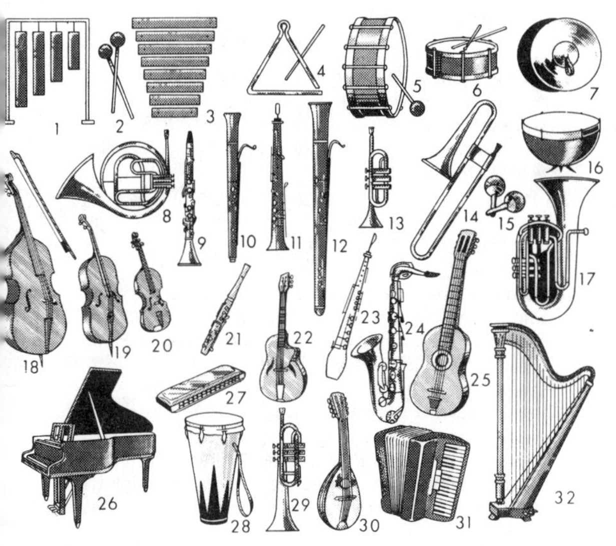

Instrumentos musicales

Musical instruments

1. Vibráfono, *vibraphone.*
2. Mazos, *drumsticks.*
3. Xilófano, *sylophone.*
4. Triángulo, *triangle.*
5. Bombo, *bass drum.*
6. Tambor, *(side) drum.*
7. Platillos, *cymbals.*
8. Trompa, *french horn.*
9. Clarinete, *clarinet.*
10. Fagot, *bassoon.*
11. Oboe, *oboe (hautboy).*
12. Contrafagot, *contrabassoon.*
13. Trompeta, *trumpet.*
14. Trombón de varas, *trombone.*
15. Maracas, *maracas.*
16. Timbal, *kettledrum.*
17. Tuba, *bass tuba.*
18. Contrabajo y su arco, *double bass and its bow.*
19. Violoncelo, *(violin) cello.*
20. Violín, *violin, (fam.) fiddle.*
21. Flauta, *flute.*
22. Guitarra de jazz, *guitar, jazz guitar.*
23. Cuerno inglés, *cor anglais.*
24. Saxofón, *saxophone.*
25. Guitarra, *guitar.*
26. Piano de cola, *grand piano.*
27. Armónica, *harmonica, mouth organ.*
28. Conga, *conga drum.*
29. Trompeta de jazz, *jazz trumpet.*
30. Mandolina, *mandolin.*
31. Acordeón, *accordion.*
32. Arpa, *(pedal) harp.*

El disparador automático. 1 The automatic shutter release. **2** *Dzœ óotamätic scháta riliis.*

El parasol. 1 The lensshade. **2** *Dzœ lens schéid.*

El exposímetro. 1 The exposure meter. **2** *Dzœ ikspóuzya míta.*

La fotografía. 1 The photograph. The photo. **2** *Dzœ fóutagraf. Dzœ fóutou.*

La ampliación. 1 The enlargement. **2** *Dzœ inláachment.*

Películas: infrarroja, pancromática, pancromática supersensible al rojo. 1 Films: infra-red, panchromatic, panchromatic supersensitive to red. **2** *Films: infra-red, päncromätic, pänchomátic siupá-sensitiv turéd.*

Filtros: azul claro; anaranjado; amarillo claro, medio y obscuro; rojo claro y obscuro; verde claro, medio y obscuro; ultravioleta. 1 Filters: light blue, orange, light yellow, medium and dark, ultraviolet. **2** *Fíltaz: láit blu, órindch, láit iélo, mídiam and dáak, áltraváialit.*

El teleobjetivo. 1 The telephoto lens. **2** *Dzœ telefoto lens.*

El fotómetro. 1 The exposure meter. **2** *Dzœ ekspohouir mita.*

La filmadora. 1 The film camera. **2** *Dzœ film kámera.*

La transparencias. 1 The slides. **2** *Dzœ sláids.*

Haga el favor de darme tres rollos (carretes) de película. 1 Please give me three rolls. **2** *Plíiz guívmi zri rols.*

De treinta y cinco milímetros, y pancromática. 1 Thirty-five milimeters, panchromatic. **2** *Zœti fáiv mílimítaz, päncroumätic.*

Película en colores. 1 Colour film. **2** *Cála film.*

¿Tiene de la marca...? 1 Have you...? **2** *¿Jäviu...?*

Pues déme otra marca que sea buena. 1 Well, give me some other good brand. **2** *Uél, guívmi sam ádza gud bränd.*

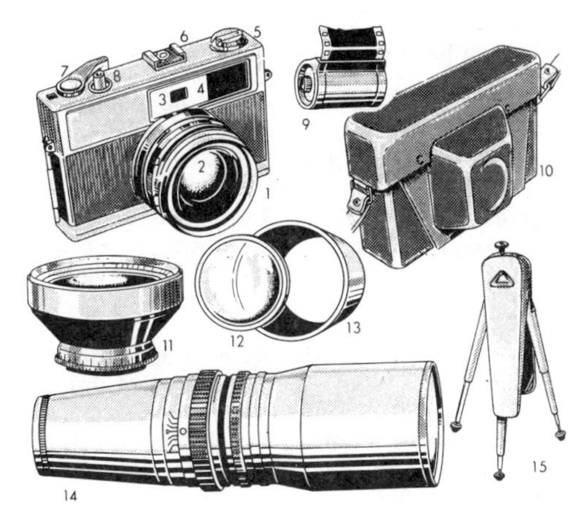

Fotografía

Photography

1. Máquina fotográfica, *camera.*
2. Objetivo, *lens.*
3. Visor, *viewfinder.*
4. Fotómetro, *exposure meter.*
5. Rebobinado, *re-winding knob.*
6. Soporte para flash, *socket for the flash, accessory shoe.*
7. Palanca para el transporte de la película, *winding lever.*
8. Botón disparador, *shutter release.*
9. Película, *film roll.*
10. Estuche, *case.*
11. Objetivo gran angular, *wide angle lens.*
12. Filtro, *filter.*
13. Parasol, *lensshade.*
14. Teleobjetivo, *telephoto lens.*
15. Trípode, *tripod.*

Haga el favor de revelar este rollo y sacar una copia de cada fotografía. 1 Please develop this rol and make a print of each photo. **2** *Plíiz devélap dzis ro and mẽika print avíich fóutou.*

Es una película en color. 1 It's a colour film. **2** *Itsa cála film.*

¿Cuándo estará? **1** When will they be ready? **2** *¿Uén uíl dzei bi rédi?*

¿No podría hacérmelo más rápido? **1** Couldn't you make it sooner? **2** *¿Cúdant yu méikit súuna?*

Me interesaría para mañana, porque salimos de viaje. **1** I should like to have them by tomorrow, as we are going away. **2** *Áischud láik tujäv dzem bái tumóro äz uía góuing auéi.*

¿Podrían enviarlo al Hotel...? Dejaré instrucciones al conserje. **1** Could you send them to... Hotel? I will leave word with the porter. **2** *¿Cúdant yu send dzem tu... jótél? Ai uil liiv uœd uídz dzœ póota.*

¿Me puede decir el precio de este aparato fotográfico? **1** Can you tell me the price of this camera? **2** *¿Cänyu télmi dzœ páisav dzis cämara?*

¿Admite rollos de treinta y seis fotografías? **1** Does it take rolls of twenty-six photos? **2** *¿Dázit téik róusalv uénti siks fóutouz?*

¿No lleva telémetro? **1** Has it a range finder? **2** *¿Jäzita réindch fáinda?*

¿No tiene instrucciones para el uso del diafragma, velocidad y enfoque? **1** Are there no instructions for setting the aperture, speed and focus? **2** *¿Aadza nóu instrácschanz fodséting dzœ äpatiur, spíidand fóucas?*

¿Tienen ustedes filtros? **1** Have you any filters? **2** *¿Jävyu éni fíltaz?*

¿Para destacar las nubes y eliminar la neblina, el filtro rojo va bien? **1** Is a red filter all right for bringing out the clouds and cutting out mist? **2** *¿Iza red fílta ool ráit fa bríngíng áut dzœ cláudz and cáting áut mist?*

Déme también un disparador automático. **1** And give me an automatic release. **2** *And guívm anótamätic rilíis.*

Objetos para regalo* Gift items

Deseo comprar un cesto que sea original. 1 I want to buy a basket, but something original. **2** *Aiuónt tubáia báaskit, bat sámzing orídchinal.*

¿No tiene alguno con el nombre de esta ciudad? 1 Have you none with the name of this town on them? **2** *¿Jävyu nan uídz dzœ néimav dzis táun on drem?*

Entre tanto miraré si encuentro algo que me guste para llevármelo como recuerdo. 1 Meanwhile. I'll look for something I like as a souvenir. **2** *Míinuál, áil luk fasámzing ái láik äza suvania.*

¿Qué precio tiene este juego de fumador? 1 How much is this smoker's set? **2** *¿Jáu match iz dzis smóokaz set?*

¿Y este cenicero, pitillera, cartera, billetero, bolso, pañuelo...? 1 And this ashtray, cigarette holder, pocket book, purse, handkerchief? **2** *¿And dzis äsch tréi, sigaret jóulda, pókit buk, pœs, jänkatchíif?*

¿Esta cartera es de cuero repujado? 1 Is the pocket book of embossed leather? **2** *¿Ís za pókit buk a imbóst lédza?*

Me quedo con ella, pero deseo que pongan mis iniciales. 1 I'll take it, but I want my initials put on it. **2** *Áil téikit, batái uónt mái iníschulz put ónit.*

No es esto lo que deseo, sino alguna reproducción en miniatura. 1 That's not what I want. I want a model in miniature. **2** *Dzäts not uótai uónt. Ai uónta módul in miniatchœ.*

Me conviene comprar cosas de poco peso, para no exceder del que autorizan en el avión. 1 I must buy light things, so as not to exceed the weight allowed in the plane. **2** *I mast bái láit zingz, so äs not tu iksíid dzœ uéit aláud indzœ pléin.*

---

* Véase también p. 132, **Joyería-Relojería** y p. 150, **La floristería**.

La floristería — The florist's

La azucena. 1 The lily. 2 *Dzœ líli.*
Los cactos. 1 The cactus. 2 *Dzœ cäctas.*
Las camelias. 1 The camellias. 2 *Dzœ camíliaz.*
Las campanillas. 1 The bluebells. 2 *Dzœ blú belz.*
Los claveles. 1 The carnations. 2 *Dzœ carnéischans.*
Las clavellinas. 1 The pinks. 2 *Dzœ pinks.*
Los crisantemos. 1 The chrisanthemums. 2 *Dzœ crisänzemanz.*
Las dalias. 1 The dahlias. 2 *Dzœ déiliaz.*
Las gardenias. 1 The gardenias. 2 *Dzœ gáadíniaz.*
Los geranios. 1 The geraniums. 2 *Dzœ dcharéiniamz.*
Las hortensias. 1 The hortensias. 2 *Dzœ jooténsiaz.*
Los jacintos. 1 The hyacinths. 2 *Dzœ jáiasinzs.*
El jazmín. 1 The jasmin. 2 *Dzœ dchäsmin.*
Las lilas. 1 The lilac. 2 *Dzœ láilac.*
Los lirios. 1 The lilies. 2 *Dzœ líliz.*
Las magnolias. 1 The magnolias. 2 *Dzœ mägnóuliaz.*
Las margaritas. 1 The daisies. 2 *Dzœ déizis.*
La mimosa. 1 The mimosa. 2 *Dzœ mimóuza.*
Los narcisos. 1 The daffodil. 2 *Dzœ däfadil.*
Los nardos. 1 The spikenards. 2 *Dzœ spáikenads.*
Las orquídeas. 1 The orchids. 2 *Dzœ óokidz.*
Los pensamientos. 1 The pansies. 2 *Dzœ pänziz.*
Las peonías. 1 The peonies. 2 *Dzœ píoniz.*
Las rosas. 1 The roses. 2 *Dzœ róuziz.*
Los tulipanes. 1 The tulips. 2 *Dzœ tiúlips.*
Las violetas. 1 The violets. 2 *Dzœ váiolets.*
Las macetas. 1 The flower-pots. 2 *Dzœ fláua pots.*

Desearía encargar un ramo. 1 I should like to order a bouquet. 2 *Áischud láik tuódara buké.*

Las flores | The flowers

1. Pasionaria, *passion flower.*
2. Tulipán, *tulip.*
3. Camelia, *camellia.*
4. Rosa, *rose.*
5. Nelumbo, *lotus.*
6. Ninfea o nenúfar blanco, *water-lily.*
7. Gladiolo *gladiolus, (sword lily).*
8. Fucsia, *fuchsia.*
9. Datura, *deadly nights hade, (datura).*
10. Geranio, *geranium.*
11. Nardo, *spikenard.*
12. Aro, *cuckoo-pint.*
13. Cacto, *cactus.*
14. Azalea, *azalea.*
15. Campanilla, *harebell.*
16. Gardenia de Stanley, *Stanley gardenia.*

Desearía un centro de gardenias. 1 I want a centrepiece of gardenias. **2** *Ai uónta séntapisav gáadíniaz.*

Un ramo de claveles blancos, rojos, de varios colores. 1 A bunch of white, red, variegated pinks. **2** *A bántchav uáit, red, variergeitid pincs.*

Un ramo para novia. 1 A bouquet for a bride. **2** *A buké fóra bráid.*

Son para regalar a una señora por su santo. 1 They are to give to a lady on her name day. **2** *Dzéa tuguív túa léidi on jœ néim déi.*

Hágalo de rosas. 1 Make it roses. **2** *Méikit róuziz.*

Hágalo con una selección de las flores más indicadas. 1 Make it with the most suitable flowers. **2** *Méikitvíz dzœ móust siútabul fláuaz.*

Tenga mi tarjeta y hágalo llevar a la dirección del sobre. 1 Here is my card. Send it to the address on the envelope. **2** *Jíariz mái cáad. Séndit túdzia drés óndzi énveloup.*

Mándelo mañana por la mañana, antes de las doce. 1 Send it before midday tomorrow. **2** *Sendit bifoa míd-déi tumórou.*

Pasaré mañana yo mismo a buscarlo. 1 I'll call for it tomorrow. **2** *Áil cool fórit tomórou.*

¿A qué hora puedo venir? 1 When can I come? **2** *¿Uén cänai cam?*

¿Qué flores son las más indicadas? 1 What flowers are most suitable? **2** *¿Uót fláuaz a most siútabul?*

Lo prefiero de gardenias, en forma de ramillete y adornado con tul. 1 I would prefer a bouquet of gardenias, decorated with tulle. **2** *Ai úud profœra buké av gaadíniaz, décareited uídz tyúl.*

Hágame un ramillete de violetas, de pensamientos. 1 Make me up a bunch of violets, of pansies. **2** *Méik ap abántchav váialets, av pänziz.*

¿Cómo se llaman estas flores? 1 What are these flowers called? **2** *¿Uóta dziz fláuaz cold?*

Desearía esa maceta de azucenas. 1 I should like a pot of white lilies. **2** *Ai schud láika pótav uáit líliz.*

La frutería — The fruit shop

Los aguacates. 1 The avocado. **2** *Dzi ävocáado.*

Los albaricoques. 1 The apricots. **2** *Dzi éipricóts.*

Los anacardos. 1 The cashewnuts. **2** *Dzœ cäschiunats.*

El jardín

The garden

1. Seto vivo, *(thuya) hedge.*
2. Invernadero, *hothouse.*
3. Parasol, *tiltable sunshade.*
4. Muebles de jardín, *garden furniture.*
5. Trampolín, *diving board.*
6. Piscina, *swimming pool.*
7. Arriates, *flower beds.*
8. Escalera, *steps.*
9. Banco, *bench.*
10. Tijeras para podar, *pruning-shears.*
11. Escardillo, *hoe.*
12. Vereda, *path.*
13. Cortadora de césped, *lawn-mower.*
14. Rastrillo, *rake.*
15. Azadón, *mattock.*
16. Pala, *spade.*
17. Estanque, *pond.*
18. Surtidor, *fountain.*
19. Arriate rocoso, *rockgarden.*

Las cerezas. 1 The cherries. **2** *Dzœ tchériz.*
La cidra. 1 The cider. **2** *Dzœ sáida.*
Las ciruelas. 1 The plums. **2** *Dzœ plamz.*
Los cocos. 1 The coconut. **2** *Dzœ cóucou nat.*
Los dátiles. 1 The dates. **2** *Dzœ déits.*
Las frambuesas. 1 The raspbernes. **2** *Dzœ ráasbariz.*

Las fresas. 1 The strawberries. **2** *Dzœ stróobariz.*

Las granadas. 1 The pomegranates. **2** *Dzœ pómegränits.*

Las grosellas. 1 The black currants. **2** *Dzœ bläc cárants.*

Las guayabas. 1 The guava. **2** *Dzœ guáva.*

Los higos. 1 The figs. **2** *Dzœ figz.*

Los higos chumbos. 1 The prickly pears. **2** *Dzœ prikli péaz.*

Los limones. 1 The lemons. **2** *Dzœ lémanz.*

Las mandarinas. 1 The tangerines. **2** *Dzœ tändcharíinz.*

Las manzanas. 1 The apples. **2** *Dzœ äpulz.*

Los melocotones. 1 The peaches. **2** *Dzœ píitchiz.*

El melón. 1 The melon. **2** *Dzœ mélan.*

El membrillo. 1 The quince. **2** *Dzœ kuíns.*

Las naranjas. 1 The oranges. **2** *Dzœ órindchiz.*

Los nísperos. 1 The medlars, persimmons. **2** *Dzœ médlaz, pasímanz.*

Las papayas. 1 The pawpaws. **2** *Dzœ pópoz.*

Las peras. 1 The pears. **2** *Dzœ péaz.*

Las piñas de América o ananás. 1 The pine apples. **2** *Dzœ páin äpulz.*

Los plátanos o bananas. 1 The bananas. **2** *Dzœ banánaz.*

La sandía. 1 The water melons. **2** *Dzœ uóta mélanz.*

La uva. 1 The grape. **2** *Dzœ gréip.*

La uva moscatel. 1 The muscatel grape. **2** *Dzœ máscatél gréip.*

Los zapotes. 1 The sapota plum. **2** *Dzœ sapóota plam.*

La zarzamora. 1 The brambleberry. **2** *Dzœ brämbul béri.*

Las almendras. 1 The almonds. **2** *Dzœ áamandz.*

Las nueces. 1 The walnuts. **2** *Dzœ uólnats.*

Las avellanas. 1 The filberts, hazelnuts. **2** *Dzœ fílbats, jeizelnats.*

Las castañas. 1 The chestnuts. **2** *Dzœ tchest nat.*

La tienda de comestibles — Grocery

1. Escaparate, *show window.*
2. Cortadora de fiambres, *hamslicer.*
3. Congelador, *deep-freezer show case.*
4. Mostrador, *counter.*
5. Embutidos, *sausages.*
6. Especias, *spices.*
7. Vinos espumosos, *sparkling wine.*
8. Cacao y chocolate, *cocoa and chocolate.*
9 y 10. Aceites, *oils.*
11. Licores, *liqueurs.*
12. Conservas de pescado, *tinned fish.*
13. Conservas de carne, *tinned meat.*
14. Vinos de mesa, *table wines.*
15. Cafés, *coffee.*
16. Quesos, *cheese.*
17. Frutos secos, *dried fruits.*
18. Pastas para sopa, *paste foods.*
19. Conservas de verdura, *tinned vegetables.*
20. Registradora, *cash register.*
21. Dependienta, *shop assistant.*
22. Balanza, *dial balance.*
23. Bolsas, *paper bags.*
24. Papel para envolver, *wrapping paper.*

Los cacahuetes o maníes. 1 The Peanuts/ground nuts. **2** *Dzœ pínats/gráondnats.*

¿Tiene dátiles? 1 Have you any dates? **2** *¿Jävyu éni dáits?*

¿A cómo los vende? 1 How much are they? **2** *¿Jáu match aa dzéi?*

Póngame dos kilos. 1 Give me two kilos. **2** *Guívmi tuu kíilouz.*

Déme también un kilo de uva. 1 And give me a kilo of grapes as well. **2** *And guívmia kiilóuav gréips az uél.*

Póngame tres kilos de manzanas y dos de naranjas. 1 Give me three kilos of apples and two of oranges. **2** *Guívmi zri kiilouzav äpulz and túuav o-rindchiz.*

¿Tiene melones de buena clase? 1 Have you any good melons? **2** *¿Jävyu éni gud mélanz?*

Desearía limones, pero que tengan mucho zumo. 1 I want some lemons, but very juicy ones. **2** *Ai uónt sam lémanz, bat véri júsi uánz.*

Déme plátanos, pero que no sean demasiado maduros. 1 Give me some bananas, but not too ripe. **2** *Guívmi sam banánaz, bat not tuu ráip.*

¿Estos nísperos son muy ácidos? 1 Are these medlars very sour? **2** *¿A dziiz médlaz véri sáua?*

La sandía apetece como refrescante. 1 Water melons are always a welcome refreshment. **2** *Uáta mélans áa álueis a uélcam rifréschment.*

¿Cómo se llama esta fruta? 1 What is this fruit called? **2** *¿Uot iz dzis frut cóold?*

Son mandarinas. Una especie de naranjas pequeñas de cáscara fácil de separar. 1 They are mandarins. A kind of small orange easy to peel. **2** *Dzéia mändarins. Akáindav smool órindch íizi tupíil.*

¿No tienen melocotones? 1 Have you no peaches? **2** *¿Jävyu nóu píitchiz?*

Déme dos piñas americanas. 1 Give me two pineapples. **2** *Guívmi tú páinäpulz.*

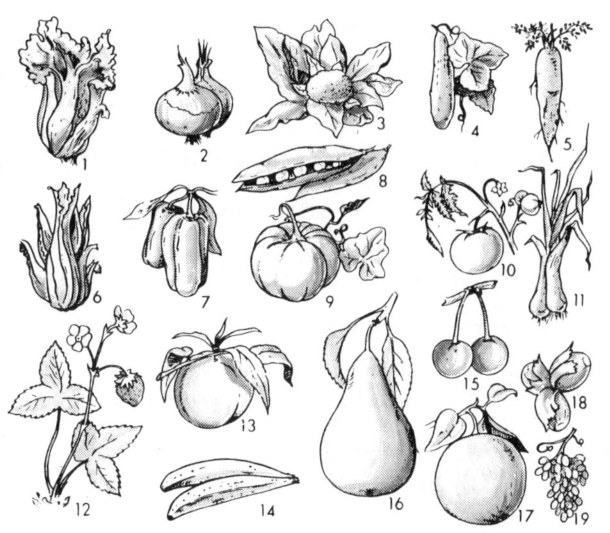

Frutos. Vegetales

1. Acelgas, *leaf-beet*
2. Cebollas, *onions.*
3. Coliflor, *cauliflower.*
4. Pepino, *cucumber.*
5. Zanahoria, *carrot.*
6. Lechuga, *lettuce.*
7. Pimiento, *capricum, pepper.*
8. Guisantes, *peas.*
9. Calabaza, *pumpkin.*

Fruits. Vegetables

10. Tomate, *tomatoes.*
11. Puerros, *leeks.*
12. Fresa, *strawberries.*
13. Melocotón, *peaches.*
14. Plátanos, *bananas.*
15. Cerezas, *cherries.*
16. Pera, *pears.*
17. Naranja, *oranges.*
18. Avellanas, *hazel-nuts*
19. Uvas, *grapes.*

¿Puede enviármelo todo a casa? 1 Can you send them home for me? **2** *¿Cänyu send dzem jóum fomi?*

Mi nombre es... calle... número... 1 My name is... No..., ...Street. **2** *Maia dres iz... Namba... striit...*

Se lo pago ahora. 1 I will pay now. **2** *Áiuíl péi náu.*

Se lo abonaré en casa. 1 I will pay at home. **2** *Áiuíl péat jóum.*

El tabaco — Tobacco

El paquete de cigarrillos. **1** The packet of cigarettes. **2** *Dzœ pákitav sigaréts.*

Con filtro, sin filtro. **1** With filter, without filter. **2** *Uizfilta, uizautfilta.*

La caja de puros. **1** The cigar box. **2** *Dzœ sigáa bóks.*

El gas para el encendedor. **1** The lighter gas. **2** *Dzœ láita gas.*

El paquete de picadura. **1** The packet of cut tobacco. **2** *Dzœ päkitav cat tabäcou.*

El librito de papel de fumar. **1** The packet of cigarette papers. **2** *Dzœ päkitav sigarét péipaz.*

El cenicero. **1** The ash tray. **2** *Dzi äsch tréi.*

El encendedor, el mechero. **1** The lighter. **2** *Dzœ láita.*

Las cerillas. **1** The matches. **2** *Dzœ mätchiz.*

La boquilla. **1** The cigarette holder. **2** *Dzœ sigarét jóulda.*

La petaca. **1** The pouch. **2** *Dzœ páutch.*

La pipa. **1** The pipe. **2** *Dzœ páip.*

La pitillera. **1** The cigarette case. **2** *Dzœ sigarét kéis.*

Déme un paquete de cigarrillos de tabaco rubio, negro. **1** Give me a packet of cigarettes, Virginia, black (light, dark), please. **2** *Guívmia päkitav sigaréts Virdchínya, bläc (láit, daak) pliiz.*

Haga el favor de venderme una caja de cigarros. **1** Please sell me a box of cigars. **2** *Plíiz sélmia bóksav sigáaz.*

Que sea grande, pequeño. **1** A large, a small one. **2** *A láadch uán, asmóol uán.*

¿Me puede enseñar un surtido de pipas? **1** Can you show me some pipes? **2** *¿Cänyu schóumi sam páips?*

Quisiera una escobilla para limpiar la pipa. **1** I want a pipe cleaner. **2** *Ai uónta páip clína.*

¿Tiene boquillas? **1** Have you any cigarette holders? **2** *¿Jävyu éni sigarét jouldaz?*

Desearía una petaca, una pitillera. **1** I want a pouch, a cigarette case. **2** *Ai uónta páutch, œ sigarét kéis.*

¿Tiene piedras para mecheros? **1** Do you sell lighter flints? **2** *¿Du yu sel láita flints?*

¿Puede cargarme el encendedor? **1** Can you refill my lighter? **2** *¿Can yu rífil mái láita?*

Enséñeme los encendedores, los ceniceros de recuerdo. **1** Show me some lighters, souvenir ash trays. **2** *Schóumi sam láitaz, sam súvania asch téiz.*

El banco; la casa de cambio — The bank; the Exchange house

La puerta. **1** The door. **2** *Dzœ dóa.*

El portero. **1** The porter. **2** *Dzœ póota.*

El ordenanza. **1** The messenger. **2** *Dzœ mésándch.*

El botones. **1** The office boy. **2** *Dzœ áfis boi.*

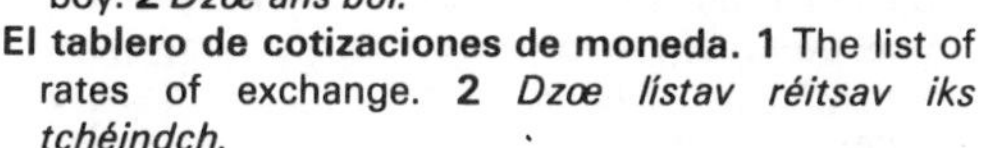

El tablero de cotizaciones de moneda. **1** The list of rates of exchange. **2** *Dzœ lístav réitsav iks tchéindch.*

Las ventanillas. **1** The windows. **2** *Dzœ uíndóuz.*

La ventanilla de cambio de moneda. **1** The money changing window. **2** *Dzœ máni tschéindching uíndóu.*

La ventanilla de transferencia del exterior. **1** The foreign transfer window. **2** *Dzœ fórin tránsfœ uíndou.*

El cajero. 1 The cashier. **2** *Dzœ cäschia.*

Los billetes. 1 The bank notes. **2** *Dzœ bank nóuts.*

La moneda fraccionaria. 1 Small change. **2** *Smól tcheindch.*

Cheque de turismo. 1 Tourist cheques. **2** *Túrist tcheks.*

Cheque de viaje. 1 Travellers cheques. **2** *Trävlaz tcheks.*

Pagar. 1 To pay. **2** *Tu pei.*

Cobrar. 1 To cash. **2** *Tu cäsch.*

La carta de crédito. 1 The letter of credit. **2** *Dzœ leta of kredit.*

La cuenta corriente. 1 The current account. **2** *Dzœ karrent akaunt.*

El pago. 1 The payment. **2** *Dzœ peimant.*

El depósito. 1 The deposit. **2** *Dzœ diposit.*

Oiga ordenanza, ¿para cambiar moneda? 1 Messenger, where's the exchange window? **2** *Mésincha, ¿uéaz dzi iks tchéindch uíndou?*

Haga el favor de cambiarme este cheque de viaje. 1 Will you please change this traveller's cheque? **2** *¿Uílyu pliiz tchéindch dzis trävlaz tchek?*

¿Habré de esperar mucho? 1 Shall I have to wait long? **2** *¿Schalái jävtu uéit long?*

Deseo cambiar parte de este cheque de viaje. ¿Puede darme la diferencia en moneda de mi país? 1 I want to change part of this traveller's cheque. Can you give me the difference in my own currency? **2** *Ai uónt tutchéindch páatav dzis trálaz tchek. ¿Cänyu guívmi dzœ dífarans in mái óun cáransi?*

¿Puede cambiarme estos billetes en moneda del país? 1 Can you change these notes into local currency? **2** *¿Cänyu tchéindch dziiz nóuts íntu lóucal cáransi?*

¿A cuánto está el cambio? 1 What is the rate? **2** *¿Uótiz dzœ réit?*

¿Qué cambio me ha cotizado? **1** What rate have you given me? **2** *¿Uót réit jävju guivanmi?*

Me cotiza usted un cambio muy bajo. **1** You have given me a very low rate. **2** *Yujäv quívanmía véri lóu réit.*

Haga el favor de entregarme billetes grandes, pequeños. **1** Please give me large, small notes. **2** *Pliiz guívmi láadch, smóol, nóuts.*

¿Remiten ustedes fondos a... por correo, por telégrafo? **1** Do you send money by post, by telegraph to...? **2** *¿Duyu send máni bai póust, télegraf tu...?*

¿Podrá indicarme si se ha recibido una transferencia de... a nombre de...? **1** Could you tell me whether you have received a transfer from... for...? **2** *¿Cúdyu télmi uéza yújäv risívda tränsfœ from... foo...?*

Por 30.000... y del Banco de... **1** For thirty thousand from the Bank of... **2** *Fo zörti záuzand... from dzœ bank ov...*

Aquí tiene mi pasaporte, mi carné de identidad. **1** Here is my passport and my identity card. **2** *Jíariz mái páspoot andmái áidéntiti caad.*

La salud*
Health

La cabeza. **1** The head. **2** *Dzœ jed.*
El estómago. **1** The stomach. **2** *Dzi stómak.*
El corazón. **1** The heart. **2** *Dzœ jart.*
El hígado. **1** The liver. **2** *Dzœ liva.*

* Véase también p. 198, **Las medidas.** La temperatura.

El cuerpo humano — Human body

1. Cabeza, *head.*
2. Cuello, *neck.*
3. Pecho, *chest.*
4. Epigastrio, *upper abdomen.*
5. Vientre, *abdomen.*
6. Codo, *elbow.*
7. Pierna, *leg.*
8. Hombro, *shoulder.*
9. Brazo, *arm.*
10. Antebrazo, *forearm.*
11. Mano, *hand.*
12. Dedos (los dedos de los pies se llaman: *toes*), *fingers.*
13. Muñeca, *wrist.*
14. Muslo, *thigh.*
15. Rodilla, *knee.*
16. Pantorrilla, *calf.*
17. Pie, *foot.*
18. Tobillo, *ankle.*
19. Cráneo, *skull, cranium.*
20. Vértebras cervicales, *cervical vertebrae.*
21. Columna vertebral, *vertebral column, spine.*
22. Clavícula, *clavicle, collar bone.*
23. Húmero, *humerus.*
24. Radio, *radius.*
25. Cúbito, *ulna.*
26. Costillas, *ribs.*
27. Esternón, *sternum, breastbone.*
28. Escápula, *shoulder blade (scapula).*
29. Carpo, *carpal bones.*
30. Metacarpo, *metacarpal bones.*
31. Falanges, *phalanx.*
32. Ilíaco, *hip bone, ilium.*
33. Sacro, *sacrum.*
34. Cóccix, *coccyx.*
35. Isquion, *ischium.*
36. Fémur, *femur, thigh bone.*
37. Tibia, *tibia, shin bone.*
38. Peroné, *splint bone, fibula.*
39. Cuboides, *tarsal bones.*
40. Calcáneo, *calcaneum, heel bone.*
41. Metatarsia, *metatarsal bones.*
42. Falanges, *phalanges, toe bones.*
43. Rótula, *patella, knee cap.*
44. Cuerpo tiroideo, *thyroid body.*
45. Vena yugular interna, *jugular vein.*
46. Carótida (arteria), *carotid artery.*
47. Subclavia (arteria), *subclavian artery.*
48. Vena cava superior, *superior vena cava.*
49. Cayado de la aorta, *aorta, aortic arch.*
50. Pulmón, *lung.*
51. Diafragma, *diaphragm.*
52. Arteria bronquial izquierda, *left pulmonary artery.*
53. Corazón, *heart.*
54. Estómago (seccionado), *stomach.*
55. Bazo, *spleen.*
56. Hígado, *liver.*
57. Vesícula biliar, *gall bladder.*
58. Riñón derecho, *the right kidney.*
59. Páncreas, *pancreas.*
60. Riñón izquierdo, *the left kidney.*
61. Duodeno (parte), *duodenum.*
62. Ombligo, *navel.*
63. Colon descendente, *descending colon.*
64. Colon ascendente, *ascending colon.*
65. Apéndice vermiforme, *vermiform appendix.*
66. Vejiga urinaria, *bladder.*

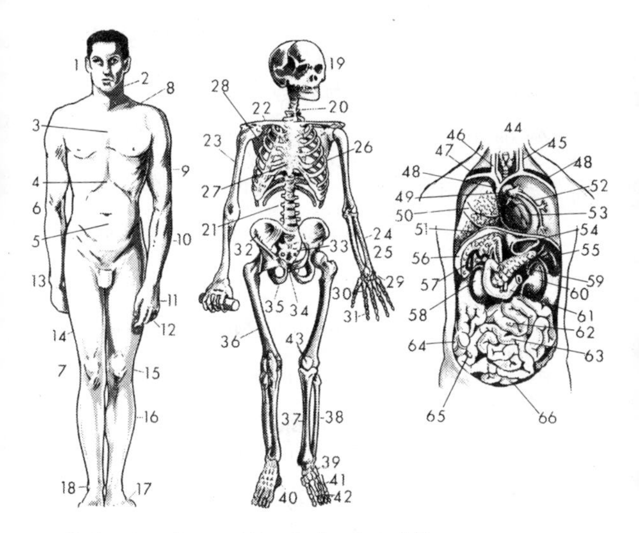

Dolor de cabeza. 1 Headache. **2** *Jedeik.*
Dolor de estómago. 1 Stomach ache. **2** *Stómak éik.*
Ataque al corazón. 1 Heart attack. **2** *Jartattack.*

El médico — The doctor

Medicina general
General Medical treatment

En el médico. 1 At the doctor's. **2** *At Dzœ dóctaz.*
El hospital. 1 The hospital. **2** *Dzœ jospital.*
La enfermera. 1 The nurse. **2** *Dzœ nárs.*
Dolor de garganta. 1 A sore throat. **2** *A sóa zrœut.*
Dolor de estómago. 1 A stomach ache. **2** *A stámac éic.*

Dolor de hígado. 1 A bad liver. **2** *A bäd líva.*
Dolor de oído. 1 Ear-ache. **2** *Er-eek.*

Me he levantado con dolor de cabeza. 1 I got up with a headache. **2** *Ai gotáp uídza jédéic.*

Quiero ver a un doctor. 1 I want to see a doctor. **2** *Ai uónt tu sía dócta.*

Tengo fiebre. 1 I have a temperature. **2** *Ai jäv a témperativa.*

Tengo una indigestión. 1 I've got indigestion. **2** *Aiv got índidchéstchan.*

Me duele el brazo izquierdo. 1 My left arm hurts. **2** *Mái left áam jœts.*

Me duele el pie derecho. 1 My right foot hurts. **2** *Mái ráit fua jœts.*

Siento en los riñones un dolor muy fuerte. 1 I have en acute pain in my kidneys. **2** *Ai jävana cyút péin inmái kídniz.*

Por las noches no puedo dormir. 1 I can't sleep at night. **2** *Ai cáant slíipat náits.*

Siento un dolor aquí. 1 I have a pain here. **2** *Ai jäva péin jía.*

Tengo diarrea. 1 I have diarrhoea. **2** *Ái jav dáiaría.*

Siento ardor en el estómago. 1 I feel a burning pain in my stomach. **2** *Ái fíila bœning péin in mai stámac.*

Toso mucho. 1 I cough a lot. **2** *Ai cófa lot.*

Estoy muy resfriado. 1 I have a bad cold. **2** *Ai jäva bäd cóuld.*

No tengo apetito. 1 I have no appetite. **2** *Ai jäv nóu äpitáit.*

Necesito un laxante, un calmante... 1 I need a laxative, a sedative... **2** *Hai nid a laxatif, a sedatif...*

¿Cuántas veces debo tomar la medicina? 1 How often must I take the medicine? **2** *¿Jau óftan mástai téik dzœ médsan?*

¿Antes o después de las comidas? 1 Before or after meals? **2** *¿Bifóaro áafta míilz?*

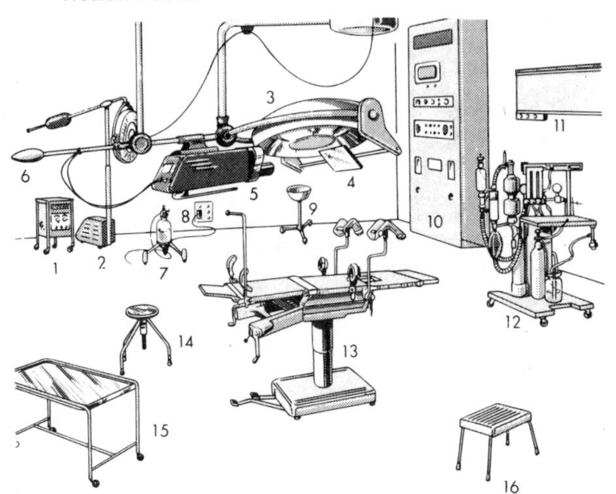

El quirófano

Operating room

1. Caja de mandos del bisturí eléctrico, *command box of the electric lancet.*
2. Lámpara auxiliar, *standard lamp, scialytic light.*
3. Gran lámpara central, *operating lamp.*
4. Espejo en el que se refleja la imagen, que es captada por la cámara tomavistas de televisión, *mirror where the image to be televised is reflected.*
5. Cámara de televisión para circuito cerrado, *closed circuit T.V. camera.*
6. Contrapeso, *counterweight.*
7. Succionador, *suctioner.*
8. Cuadro de conexiones, *connexion panel.*
9. Palangana y su soporte con ruedas, *bowl and its wheeled stand.*
10. Cuadro de control de televisión, *television monitoring apparatus.*
11. Negatoscopio, *negatoscope.*
12. Aparato de anestesia, *anaesthetizer.*
13. Mesa de operaciones, *operating table.*
14. Taburete graduable, *adjustable stool.*
15. Mesita de instrumental, *instrument table.*
16. Taburete, *stool.*

¿Me puede tomar la presión de la sangre? 1 Can you take my blood pressure? **2** *Quen yu tek mai blad presur?*

El dentista
The dentist

La boca. 1 The mouth. **2** *Dzœ mouz.*
Las encías. 1 The gums. **2** *Dzœ gums.*
La dentadura. 1 The teeth. **2** *Dzœ tíez.*
La dentadura postiza. 1 The false teeth. **2** *Dzœ fals tíez.*
Los dientes. 1 The teeth. **2** *Dzœ tiz.*
Los colmillos. 1 Canine-teeth. **2** *Canín tiz.*
Las muelas. 1 The molars. **2** *Dzœ molars.*
La raíz. 1 The root. **2** *Dzœ rut.*
El flemón. 1 The gam-boil. **2** *Dzœ fum-óoil.*

Me duele este diente. 1 This tooth hurts. **2** *Dzís tuz háts.*
Me duelen las muelas. 1 I've a tooth-ache. **2** *Aiv a túzeik.*
Creo que esta muela está picada. 1 This molar is caried. **2** *Dzis mólar is cärid.*
¿Cree usted que habría de sacar la muela? 1 Do you think I'b better have it uot? **2** *¿Du yu dzink Aid béta jäv it aut?*
Prefiero esperar. 1 I'd rather to wait. **2** *Aid räza tu ueit.*
¿Puedo esperar hasta llegar a...? 1 May I wait until...? **2** *¿Meiai ueit antil...?*
¿Me la puede empastar? 1 Could you fill it? **2** *¿Kudiu filit?*
Se me ha roto la dentadura postiza. ¿Me la pueden arreglar? 1 The denture is broken. Could you fix it? **2** *¿Dzœ dentiur is broukan. Kudin fics?*
¿Cuándo podré pasarla a recoger? 1 When may I come to pickit up? **2** *¿Juen meiai cam tu pic it ap?*

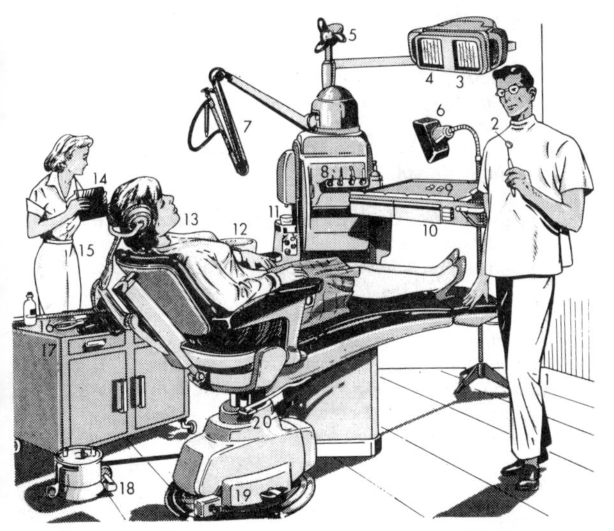

El dentista

The dentist

1. Médico, *the dentist.*
2. Faringoscopio, *mouth mirror.*
3. Rayos X, *X-ray apparatus.*
4. Luz direccional, *operating lamp.*
5. Ventilador, *fan.*
6. Lámpara para irradiaciones, *radiation lamp.*
7. Torno, *dentist's drill.*
8. Jeringas, de aire caliente y frío, *hot-air and cold-air syrinbes.*
9. Tacos de algodón hidrófilo, *cotton-wool rolls.*
10. Mesita para accesorios, *small table for accesories.*
11. Vaso de agua, *glass of water.*
12. Escupidera, *spittoon.*
13. Paciente, *patient.*
14. Radiografía, *radiograph.*
15. Enfermera, *dentist's assistant.*
16. Alicates para extracciones, *extraction forceps.*
17. Jeringa para anestesia, *hypodermic syringe.*
18. Puesta en marcha del torno, *foot control.*
19. Pedal para elevar el sillón, *pedal for raising and lowering the dental chair.*
20. Palanca para su graduación, *foot lever for tilting the chair.*

El óptico
The optician

El óptico. **1** The optician. **2** *Dzi optischan.*
Las lentillas. **1** The contact lenses. **2** *Dzœ kontakt lenses.*
Las gafas, los lentes. **1** The glasses. **2** *Dzœ glasses.*
Las gafas de sol. **1** The Sun glasses. **2** *Dzœ san glasses.*
Las gafas bifocales. **1** The bifocal glasses. **2** *Dzœ bifoucal glasses.*
Los anteojos. **1** The spectacles. **2** *Dzi spekteilcols.*
Los gemelos, los prismáticos. **1** The binoculars. **2** *Dzœ bináculas.*
El estuche, la funda. **1** The case. **2** *Dzœ keis.*
La brújula. **1** The compass. **2** *Dzœ kampass.*
El ojo derecho, izquierdo. **1** The right, the left eye. **2** *Dzœ rait, dzœ left eye.*
Cristal claro, oscuro. **1** Light, dark glass. **2** *Lait, dark gläs.*
Metálicas. **1** Metallic. **2** *Metálik.*

¿Me puede mirar la vista? **1** Could you check my vision? **2** *¿Kudiu check mai vision?*
Tengo la vista cansada. **1** My eyes are tired. **2** *Mái áis áa táiad.*
No tengo la receta del oculista. **1** I don't have the ophthalmist's prescription. **2** *Ai dount jet dzœ opzálmists prescripschön.*
Aquí tiene la receta. **1** Here is your prescription. **2** *Jia iz yóa preskripschön.*
Quisiera comprar unas gafas. **1** I'd like to buy a pair of glasses. **2** *Aiad laik tu bai a pea of glasses.*
Quisiera arreglar las gafas. **1** Could you repair my glasses. **2** *Kudiu ripéa mai glasses.*
¿Me puede poner un cristal nuevo? **1** Could you put in a new lens? **2** *¿Kudiu put in a niu lens?*

Desearía un cristal más oscuro. 1 I'd like darker glass. **2** *Aiad laik darka gläs.*
¿Me puede arreglar esta varilla? 1 Could you repair this sidepiece? **2** *¿Kudiu ripéa dzis side-pis?*
¿Cuándo puedo pasar a recogerlas? 1 When will they be ready? **2** *¿Juen uildzéi bi ridi?*

La farmacia — The chemist's

En la farmacia. 1 At the chemist's. **2** *Et dzœ kemists.*
Farmacia de guardia. 1 Night service chemist's. **2** *Nait seois kemists.*
Farmacéutico. 1 The chemist. **2** *Dzi kemist.*
Receta. 1 The prescription. **2** *Dzœ prescripsdrön.*
El comprimido. 1 The tablet. **2** *Dzœ táblet.*
El jarabe. 1 The syrup. **2** *Dzœ sirop.*
El linimento. 1 The liniment. **2** *Dzœ liniment.*
La pomada. 1 The pomade. **2** *Dzœ pomeid.*
El laxante. 1 The laxative. **2** *Dzœ lacsativ.*
El depurativo. 1 The blood tonic. **2** *Dzœ blad tánic.*
El supositorio. 1 The suppository. **2** *Dzœ supositori.*
La inyección. 1 The injection. **2** *Dzœ inyecschon.*
El calmante. 1 The sedative. **2** *Dzœ sedativ.*
El antiséptico. 1 The antiseptic. **2** *Dzi antiseptic.*
El desinfectante. 1 The disinfectant. **2** *Dzœ disinfectant.*
El esparadrapo. 1 The sticking plaster. **2** *Dzœ stíking plästa.*
El sedante. 1 The sedative. **2** *Dzœ sedative.*
La venda. 1 The bandage. **2** *Dzœ bändadch.*
El algodón. 1 The cotton wool. **2** *Dzœ cotton úul.*
La gasa. 1 The gauze. **2** *Dzœ gáz.*
El termómetro. 1 The thermometer. **2** *Dzœ dzermomita.*

El insecticida. 1 The insecticidal. **2** *Dzœ insectisidal.*

El cepillo de dientes. 1 The tooth brush. **2** *Dzœ tuz brásch.*

Los pañuelos de papel. 1 The kleenex. **2** *Dzœ clinecs.*

El laboratorio. 1 The lab. **2** *Dzœ lab.*

El análisis. 1 The analysis. **2** *Dzi análisis.*

Uso externo, interno. 1 Internal, external use. **2** *Internal, external ius.*

Tengo una receta. 1 I've a prescription. **2** *Aif a prescripschón.*

Quisiera... 1 I'd like... **2** *Aiad laik...*

...unas pastillas de vitaminas. 1 Some vitamin tablets. **2** *Sam vitamin táblets.*

¿Puede darme algo para...? 1 Could you give me some thing for...? **2** *¿Kudin guifmi sagni dzing fa...?*

...el resfriado, la fiebre, el dolor de cabeza, la colitis, el dolor de muelas, el dolor de garganta, la tos, las picaduras, las quemaduras, el estreñimiento...? 1 ...a bad cold, fever, headache, diarrhea, tooth ache, sore throat, cough, insect bites, burns, constipation...? **2** *...a bad could, fiva, jedeik, daiaría, tuzeik, sóa zrót, cáf, insekt báits, báans, canstipéischan...?*

¿Me pueden dar una inyección? 1 Could you give me an injection? **2** *¿Kudiu givmi aninyecschön?*

¿Van bien las pastillas para...? 1 Are the tablets good for...? **2** *Ar za tablets gud for...?*

¿Le puede dar la inyección del tétanos? 1 Could you give me an inyection against tetanus? **2** *¿Kudiu giv mi an inyecschiön against tétanus?*

Dosis de ataque. 1 Onset dose. **2** *Anset douz.*

Dosis de mantenimiento. 1 Maintenance dose. **2** *Meintinäns douz.*

Cada seis, ocho, doce horas. 1 Each six, eight, twelve hours. **2** *Iitch sics, éit, tuelv áuerz.*

Los deportes — Sports

Ajedrez. 1 Chess. 2 *Tches.*
Atletismo. 1 Athletics. 2 *Azletics.*
Automovilismo. 1 Motoring. 2 *Móutaring.*
Baloncesto. 1 Basketball. 2 *Báaskitbool.*
Balonmano. 1 Handball. 2 *Jändbool.*
Balonvolea. 1 Volleyball. 2 *Vólibool.*
Alpinismo. 1 Mountaineering. 2 *Máuntinínring.*
Billar. 1 Billiards. 2 *Bílyadz.*
Boxeo. 1 Boxing. 2 *Bóksing.*
Ciclismo. 1 Cycling. 2 *Sáikling.*
Esquí. 1 Skiing. 2 *Ski-ing.*
Esquí náutico. 1 The water sliing. 2 *Dzœ uátaskaig.*
Judo. 1 The judo. 2 *Dzœ tchúdo.*
Motocrós. 1 Motorcross. 2 *Moutocróz.*
Fútbol. 1 Football. 2 *Fútbool.*
Gimnasia. 1 Gymnastics. 2 *Dehimnástics.*
Golf. 1 Golf. 2 *Golf.*
Hípica. 1 Riding. 2 *Ráiding.*
Hockey sobre patines. 1 Hockey on roller skates. 2 *Jóki on róula skéits.*
Hockey sobre hierba. 1 Field hockey. 2 *Fíeld jóki.*
Hockey sobre hielo. 1 Ice hockey. 2 *Áis jóki.*
Lucha libre. 1 All in wrestling, free. 2 *Al in résling fri.*
Motorismo. 1 Motoring. 2 *Móutaring.*
Natación. 1 Swimming. 2 *Suíming.*
Patinaje. 1 Skating. 2 *Skéiting.*
Pelota base. 1 Baseball. 2 *Béisbool.*
Pesca. 1 Fishing. 2 *Fisching.*
Remo. 1 Rowing. 2 *Róu-ing.*
Rugby. 1 Rugby. 2 *Rágbi.*

Los deportes

Sports

1. Piscina, *swimming pool.*
2. Duchas, *shower baths.*
3. Solarium, *solarium meadow for sun bathing.*
4. Casetas, *dressing cubibles.*
5. Vestuarios, *dressing room.*
6. Tobogán, *slide.*
7. Escalerilla, *ladder.*
8. Límite para no nadadores, *non-swimmer limit.*
9. Palanca de saltos, *diving board.*
10. Trampolín, *springboard.*
11. Natación (estilo crol), *swimming, the crawl.*
12. Pelota vasca (cesta punta), *the Basque game of pelota jai alai.*
13. Pelota, *ball.*
14. Cesta, *wicker racket.*
15. Atletismo (lanzamiento de martillo) *athletics (throwing the hammer).*
16. Martillo, *hammer.*
17. Atletismo (salto con pértiga), *athletics.*
18. Pértiga, *pole-vaulting.*
19. Travesaño, bar.
20. Soporte, *jumping post.*
21. Ciclismo, *cycle racing.*
22. Náutica (balandro de carreras) *sailing (racing yacht).*
23. Judo, *judo.*
24. Boxeo, *boxing.*
25. Automóvil de carreras, *racing car, racer.*
26. Deporte de nieve (bob de carreras), *winter sports, bobsleigh.*

A. Fútbol, *football association.*
1. Campo, *the field.*
2. Círculo central, *the ten jards'circle.*
3. Area penalty, *penalty area.*
4. Area de meta, *the goal area.*
5. Portería, *the goal.*
6. Banderines de córner, *corner flags.*
7. Fosos, *pits.*
8. Entrada de jugadores, *players'entrance.*
9. Tribuna, *the grandstand.*
10. Visera, *roof.*
11. Vestuario, *dressing room.*
12. Sala de prensa, *press room.*
13. Duchas, *shower baths.*
14. Piscina, *swimming pool.*
15. Enfermería, *infermary.*
16. Control entrada, *control entry.*
17. Taquillas, *ticket offices.*
18. Jugador, *player.*
19. Camiseta, *shirt.*
20. Escudo del club, *badge.*
21. Pantalón, *shorts.*
22. Balón, *football.*
23. Bota, football boot.

B. Rugby, *rugby (football), rugger.*
24. Balón, *the oval rugby ball.*
25. Puerta, *the goal.*

C. Baloncesto, *basket-ball.*
26. Campo de juego, *the field.*
27. Area de tiro libre, *free-throw area.*
28. Cesta, *the basket.*
29. Tablero, *the blackboard.*

D. Tenis, *law tennis.*
30. Pista de juego, *the tennis court.*
31. Red central, *the net.*
32. Silla del árbitro, *umpire's chair.*
33. Raqueta, *racket, racquet.*
34. Pelota, *tennis ball.*

E. Hockey sobre hielo, ice jockey.
35. Jugador, *ice-jockey player.*
36. Stick, *stick with ice skates.*
37. Bota con patines, *boot.*
38. Disco, *puck, disk, disc.*

Motocicleta - Scooter - Bicicleta

Motorcycle - Scooter - Bicycle

A. Motocicleta, *motorcycle.*
1. Depósito de combustible, *fuel tank.*
2. Tapón del depósito, *tank cap.*
3. Sillín, *saddle.*
4. Correa de sujeción, *saddle grip.*
5. Manillar, *handlebar.*
6. Pulsador de claxon y cambio de luces, *horn button and light change.*
7. Cuentakilómetros, *speedometer.*
8. Interruptor, *light switch.*
9. Faro, *head lamp.*
10. Horquilla, *telescopic fork.*
11. Placa matrícula, *number plate.*
12. Rueda delantera, *front wheel.*
13. Tambor del freno, *hub brake.*
14. Radios, *spokes.*
15. Guardabarros, *mudguard.*
16. Tubo de escape, *exhaust pipe.*
17. Cuadro, *tubular frame.*
18. Motor, *engine.*
19. Bujía, *sparking plug.*
20. Carburador, *carburettor.*
21. Pedal de puesta en marcha, *kickstarter.*
22. Palanca del cambio de marchas, *foot-operated glar lever.*
23. Estribo para el conductor, *driver's foot-rest.*
24. Caballete, *stand.*
25. Estribo para el pasajero, *pillion-rider's foot-rest.*
26. Cárter de la cadena de transmisión, *chain guard.*
27. Caja de herramientas, *toolbox,* AMÉR. *tool Kit.*
28. Amortiguador, *telescopic springing.*
29. Piloto, *rear light.*
30. Placa de matrícula, *rear number plate.*
31. Silenciador del tubo de escape, *silencer, muffler.*
32. Llanta, *rim.*

B. Motocicleta de carreras, *racing motorcycle.*

C. Moto scooter, *scooter.*

D. Bicicleta, *bicycle.*

33. Manillar, *handlebar.*
34. Timbre, *bell.*
35. Faro, *lamp.*
36. Guardabarros, *mudguard.*
37. Freno, *front brake.*
38. Dinamo, *dynamo.*
39. Palanca del cambio de marchas, *gear change.*
40. Cuadro, *frame.*
41. Guardacadena, *chain guard.*
42. Plato, *chain wheel.*
43. Pedal, *pedal.*
44. Cadena, *chain.*
45. Bomba, *pump, inflator.*
46. Sillín, *saddle.*
47. Bolsa de herramientas, *tool bag.*
48. Portaequipajes, *luggage-carrier.*
49. Freno, *rear brake.*
50. Piloto, *rear light.*
51. Piñón pequeño, *free-wheel hub.*
52. Tensor de la cadena, *chain-adjuster.*
53. Neumático, *tyre.*
54. Horquilla, *fork blades.*
55. Palomilla, *wing nut.*
56. Llanta, *rim.*

E. Ciclomotor, *moped.*

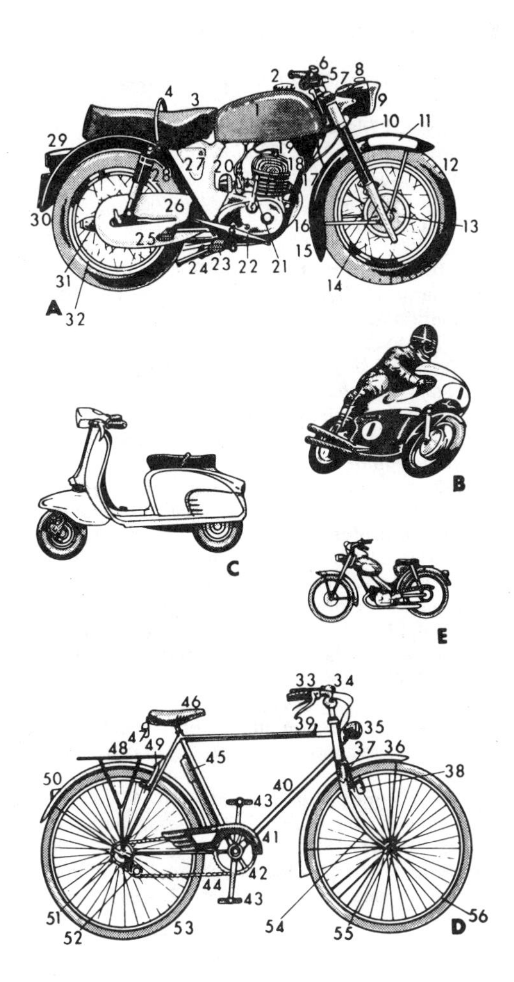

A
B
C
D
E
1
2
3
4
5
6
7
8
9
10
11
12
13
14
15
16
17
18
19
20
21
22
23
24
25
26
27
28
29
30
31
32
33
34
35
36
37
38
39
40
41
42
43
44
45
46
47
48
49
50
51
52
53
54
55
56

Surf a vela. 1 Wind-surfing. **2** *Uyind surfink.*
Tenis. 1 Tennis. **2** *Ténis.*
Tenis de mesa. 1 Ping Pong. **2** *Ping Pong.*
Árbitro. 1 Referee. **2** *Réfari.*
Masajista. 1 Masseur. **2** *Mäsea.*
Entrenador. 1 Trainer. **2** *Tréina.*
Estadio. 1 Stadium. **2** *Stéidium.*
Velódromo. 1 Cycle track. **2** *Sáikul träk.*
Pistas. 1 Tracks. **2** *Träks.*

¿Hay hoy algún partido de fútbol, baloncesto, balonmano, rugby, hockey, de pelota base, etc.? 1 Is there a football, basketball, handball, rugby, hockey, baseball, etc., match, today? **2** *¿Iz dzera fútbool, báskit bóul, jändbóol, rágbi, jóki, béisbool, etsétara, mätch tudéi?*

¿A qué hora empieza el encuentro? 1 At what time does the match begin? **2** *¿At uót táim daz dzœ match beguín?*

¿Dónde está el campo de juego? 1 Where is the field, the ground? **2** *¿Uériz dzœ fiild, dzœ gráund?*

Hay fútbol profesional y de aficionados. 1 There is professional and amateur football. **2** *Dzér proféschanal and ämatyua fútbool.*

¿Cuál es el deporte que arrastra más afición después del fútbol, el ciclismo, el boxeo...? 1 What's the most popular sport after football, cycling, boxing...? **2** *¿Uóts dzœ móust pópyula sport áafta fútbool, saikling, bocsing...?*

¿Se celebra hoy boxeo, lucha libre? 1 Is there much boxing, wrestling? **2** *¿Izdzéa match bóksing, réstling?*

¿No hay competiciones de natación? 1 Are there no swimming competitions? **2** *¿Aadzéa nou suiming compitíschanz?*

Yo prefiero asistir a los encuentros de rugby. 1 I prefer to see a rugby match. **2** *Áiprifœra rágbi match.*

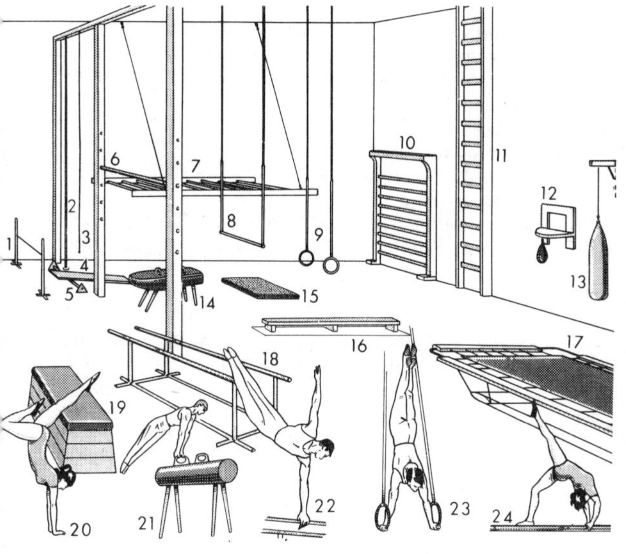

El gimnasio

Gymnasium

1. Saltómetro, *high jump stard.*
2. Barra de trepar, *climbing pole.*
3. Cuerda lisa, *climbing rope.*
4. Trampolín, *springboard.*
5. Soporte del trampolín, *bar and blocks for springboard.*
6. Barra fija, *horizontal bar.*
7. Escalera horizontal, *horizontal bars.*
8. Trapecio, *trapeze.*
9. Anillas, *hand rings.*
10. Escalera sueca, *wall bars.*
11. Escalera vertical, *wall ladder.*
12. Punching bag, *punch bag.*
13. Saco de arena, *punch bag.*
14. Potro, *buck.*
15. Colchón de goma, *mat, mattress.*
16. Potro sueco de equilibrios, *swedish balancing form.*
17. Cama elástica, *trampoline.*
18. Paralelas, *parallel bars.*
19. Plinto, *box horse.*
20. Ejercicios en el suelo, *exercises on the floor.*
21. Ejercicios en la silla, *exercises on the buck.*
22. Ejercicios en las paralelas, *exercises on the parallel bars.*
23. Ejercicios en las anillas, *exercises with the rings.*
24. Barra de equilibrios, *exercises on the balance-bar.*

Los encuentros internacionales de atletismo también me gustan. 1 I also like international athletic tournaments. **2** *Ai óulsou láik intanä'schanul azlétik tuanaménts.*

Carreras de fondo, obstáculos, relevos, saltos con trampolín. 1 Flat races, obstacle races, relay races, springboard jumping. **2** *Fleit resis, absticul resis, rilé resis, sprink-burd jaumpink.*

Mi hermano corre los 200 metros vallas y practica el lanzamiento de peso. 1 My brother goes in for 200 meter hurdle races and the shot-putt. **2** *Mái bráza gouz ínfoa tu hándrad míta jœdul réisiz and dzœ schát pát.*

Sé que hay mañana carreras de motos, de automóviles. ¿Podría decirme dónde se celebran? 1 I know there are some motor cycle races tomorrow, motor races. Can you tell me where they are held? **2** *Ai nœu dzéara sam mœuta sáikul réisiz tumóro, mœuta réisiz. ¿Cänyu télmi uéa dzéia jeld?*

La playa, el camping*

The beach, camp-site

La playa, la piscina
The beach, the swimming pool

El hotel, el casino. 1 The hotel, the casino. **2** *Dzœ joutél, dzœ cazíno.*

La caseta de baño. 1 The bathing hut. **2** *Dzœ bédzing jat.*

* Ver p. 189, **Estado del tiempo** y 198, **Las medidas**. La temperatura.

Beach, camp-site

La tienda. 1 The tent. 2 *Dzœ tent.*
El parasol. 1 The sunshade. 2 *Dzi sánscheɪd.*
La silla de playa. 1 The deck chair. 2 *Dzœ dék tchéa.*
La sombrilla. 1 The sunshade. 2 *Dzœ sanschéid.*
La arena. 1 The sand. 2 *Dzœ sänd.*
El mar. 1 The sea. 2 *Dzœ sii.*
Las olas, el oleaje. 1 The waves, the swell. 2 *Dzœ uéivz; dzœ suél.*
El pescador. 1 The angler. 2 *Dzœ ängla.*
La barca. 1 The boat. 2 *Dzœ bóut.*
El patín. 1 The float. 2 *Dzœ flóut.*
El traje de baño. 1 The bathing costume. 2 *Dzœ béidzing costium.*
Los bañistas. 1 The bathers. 2 *Dzœ béidzaz.*
La piscina. 1 The swimming pool. 2 *Dzœ suiming pul.*
La palanca, el trampolín. 1 The diving board, the spring board. 2 *Dzœ dáiving bóad, dzœ spring bóad.*
El albornoz. 1 The bathing wrap. 2 *Dzœ bäzìng räp.*

Desearía alquilar una caseta de baño. 1 I shoud like to hire a bathing hut. 2 *Áichud láik tu jáiara béidzing jat.*
¿Para alquilar un patín, una barca...? 1 Where can I hire a float, a boat? 2 *¿Uéa canái jáiara flóut, a bóut?*
¿Dónde podremos ducharnos? 1 Where can we have a shower? 2 *¿Uéa cänui jäva scháua?*
Las duchas están situadas en la salida de la playa. 1 The showers are at the exit to the beach. 2 *Dzœ scháuaz arät dzi éksit tu dzœ biitch.*
¿Hay frontón? 1 Is there a pelota court here? 2 *¿Iz dzéara pelóta cóot jía?*
El mar está picado. 1 The sea is choppy. 2 *Dzœ sí iz tchópi.*
Hay mar de fondo. 1 There is an undercurrent. 2 *Dzeríza nánda cárant.*

Es peligroso bañarse hoy. 1 It's dangerous to bathe today. **2** *Its déindcharas tu béidz tudéi.*

El agua está sucia, contaminada. 1 The water is dirty, polluted. **2** *Dzœ uótariz dœt, polutid.*

¿Está muy lejos la estación de ferrocarril? 1 Is the station very far? **2** *¿Iz dzœs téischan véri faa?*

¿A qué hora pasa el último tren para...? 1 When does the last train leave for...? **2** *¿Uén daz dzœ laast tréin liiv foa...?*

El camping* — Camp-site

Información. 1 Information. **2** *Informeschön.*

Campista. 1 Camper. **2** *Kämpa.*

Terreno de camping. 1 Camp-site. **2** *Cämp sáit.*

La tienda de lona. 1 The tent. **2** *Dzœ tént.*

Remolque. 1 The caravan. **2** *Dzœ káravan.*

La mesa. 1 The table. **2** *Dzœ teibol.*

Las sillas. 1 The chairs. **2** *Dzœ chears.*

La linterna, la lámpara. 1 The lamp. **2** *Dzœ lamp.*

Los lavabos. 1 The toilets. **2** *Dzœ tóilets.*

Se prohibe hacer camping. 1 No camping. **2** *Nou camping.*

La manta. 1 The blanket. **2** *Dzœ blanket.*

El saco de dormir. 1 The sleeping bag. **2** *Dzœ sliping bäg.*

El colchón neumático. 1 The air-bed. **2** *Dzœ éa bed.*

La estera. 1 The mat. **2** *Dzœ mät.*

El martillo. 1 The hammer. **2** *Dzœ jamma.*

¿Hay algún camping cerca de aquí? 1 Is there a camp-site near? **2** *¿Ísdea a cämp-sáit?*

¿Dónde está el camping? 1 Where is the camp-site? **2** *¿Uea is dzœ cämp-sáit?*

¿Dónde está el vigilante? 1 Where is the watchman? **2** *¿Uea is dzœ uátchman?*

* Ver p. 189, **Estado del tiempo** y 198, **Las medidas.** La temperatura.

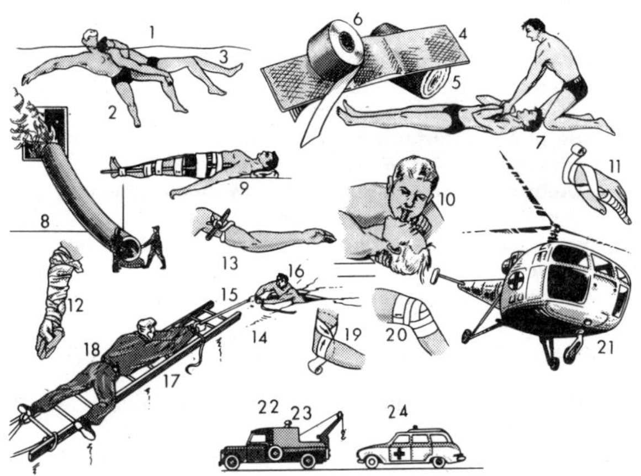

Socorrismo

Rescue

1. Salvamento del ahogado, *the rescue of a drowning person.*
2. Socorrista, *life-saver.*
3. Ahogado, *drowning person.*
4. Apósito adhesivo para heridas, *sterile gauze dressing.*
5. Algodón hidrófilo, *cotton wool,* AMÉR. ***absorbent cotton.***
6. Esparadrapo, *adhesive plaster.*
7. Respiración artificial, *artificial respiration.*
8. En caso de incendio, *in a fire emergency.*
9. Entablillado de una pierna rota, *emergencý splint for a fractured leg.*
10. Respiración artificial, método boca a boca, *artificial respiration, mouth to mouth method.*
11. Vendaje de un dedo, *finger* boca a boca, *artificial respiration, mouth to mouth method.*
11. Vendaje de un dedo, *finger bandage.*
12. Vendaje de un brazo, *arm bandage.*
13. Torniquete para detener una hemorragia, *emergency tourniquet for stanching blood.*
14. A un accidentado por rotura de hielo, *rescue of a person who has fallen through the ice.*
15. Cuerda, *the rope.*
16. Accidentado, *the person who has fallen.*
17. Escalera, *the ladder.*
18. Socorrista, *the rescuer.*
19 y 20. Vendajes de articulaciones (codo y rodilla), *articulation bandage (elbow and knee).*
21. Helicóptero de socorrismo, *rescue hellicopter.*
22. Socorrismo en carretera, *rescue «on the road».*
23. Proyector, *flashing light.*
24. Ambulancia, *ambulance.*

¿Está vigilado el camping durante la noche? 1 Is there a night-watchman on the camp-site? **2** *¿Isdea a naituátchman an dzœ cämp-sáit?*

¿Se puede plantar aquí la tienda? 1 Can we pitch the tent here? **2** *¿Kán ui pich dzœ tent jía?*

¿Cuánto cuesta el alquiler? 1 How much is the rental? **2** *¿Jaumach is dzœ réntal?*

Nos quedaremos durante una semana. 1 We'll stay a week. **2** *Uial stéi a uik.*

Aquí está mi pasaporte. 1 Here is my passport. **2** *Jía is mai passport.*

¿Podemos alquilar la tienda de campaña? 1 May we hire a tent? **2** *¿Mei ui jaía a yent?*

¿Dónde están los lavabos? 1 Where are the toilets? **2** *¿Uea ar dzœ toilets?*

¿Se puede enchufar aquí la máquina de afeitar? 1 Is there a socket for the razor? **2** *¿Isdea a sóket for dzœ reisor?*

¿Qué corriente tiene este camping? 1 What voltage does this camp-site have? **2** *¿Uat völtädch dáz dzis cämp sáit jäv?*

¿Hay duchas? 1 Are there showers? **2** *¿Ardea schanas?*

¿Podemos hacer fuego? 1 Can we make a fire? **2** *¿Kanni meik a faia?*

¿Dónde podemos comprar las bebidas? 1 Where may we buy drinks? **2** *¿Uea mei ui bai drinks?*

¿Hay algún supermercado cerca de aquí? 1 Is there a supermarket near? **1** *¿Isdea a supermarket nia?*

¿Dónde podemos comprar gas butano? 1 Where can we buy butane gas? **2** *¿Uea kanni bai biutan gas?*

¿Me puede prestar..., por favor? 1 Could you lend me the...? **2** *¿Kudin lend mi dzœ...?*

¿Dónde se puede lavar? 1 Where may we wash? **2** *¿Uea meini násch?*

¿Es potable el agua? 1 Is this water drinkable? **2** *¿Is dzis uota drínkabol?*

El camping

The camp-site

1. Remolque, *caravan;* AMÉR *trailer.*
2. Tienda de campaña, *tent.*
3. Estaquilla, *peg, pin.*
4. Tensor, *toggle.*
5. Cuerda de tensión, *guy rope.*
6. Mástil de la tienda, *pole.*
7. Almohada, *cushion.*
8. Mantas, *blankets.*
9. Taburete, *folding stool.*
10. Mesa plegable, *folding table.*
11. Vaso, *glass.*
12. Termo, *thermos flask.*
13. Fiambrera, *lunch basket.*
14. Abrelatas, *tin-opener.*
15. Navaja con sacacorchos, *pocket-knife with corkscrew.*
16. Cubiertos, *knife, fork and spoon.*
17. Botiquín, *travelling first aid kit.*
18. Mantel, *table cloth.*
19. Servilletas, *table napkins.*
20. Botella de plástico, *plastic bottle.*
21. Tumbona plegable, *folding deck-chair.*
22. Puchero, *pan, pot.*
23. Bombona de gas butano, *butane cylinder.*
24. Hornillo portátil, *camp stove.*
25. Cesta de vajilla y cubiertos, *picnic case.*
26. Sillón plegable, *folding chair.*

El tiempo
Time

Una era. 1 An era. **2** *An íra.*
Una época. 1 An epoch. **2** *An époc.*
Un siglo. 1 A century. **2** *A séntyuri.*
Secular. 1 Secular. **2** *Sécyula.*
Un lustro. 1 A five-year period. **2** *A fáiv-yía píriad.*
Un año. 1 A year. **2** *A yía.*
Un año bisiesto. 1 Leap year. **2** *Liip yía.*
El año pasado. 1 Last year. **2** *Laast yía.*
Tiempos prehistóricos. 1 Prehistoric times. **2** *Preistorik taims.*
Edad antigua. 1 Ancient times. **2** *Éinschent táims.*
La era cristiana. 1 The Christian era. **2** *Dzœ Kristyan ira.*
La edad media. 1 The middle ages. **2** *Dzœ midal eisches.*
La edad moderna. 1 Modern times. **2** *Modern taims.*
La edad contemporánea. 1 Contemporary age. **2** *Contemporari eisch.*
El feudalismo. 1 Feudalism. **2** *Fédalism.*
El siglo dieciocho. 1 XVIII century. **2** *Eitiuz séntụri.*
El año 1585. 1 1585. **2** *Filtin eilifaif.*
Después, antes de Cristo. 1 A. D., C. **2** *Afta Krist, bifoa krist.*
El calendario. 1 The calendar. **2** *Dzœ kalenda.*
El año próximo. 1 Next year. **2** *Nekst yía.*
Un trimestre. 1 A quarter. **2** *A cuáta.*
Los meses. 1 The months. **2** *Dzœ manzs.*
Un trimestre. 1 A term. **2** *A tœm.*
Mensual. 1 Monthly. **2** *Mánzli.*

En Gran Bretaña las fechas se nombran del mismo modo que nosotros.

1 de enero de 1975, *the first of January nineteen seventy-five;* abreviadamente, 1 Jan '75, e igualmente los demás meses (Feb, Mar, Apr, May, Jun, July, Aug, Sept, Oct, Nov, Dec) o mediante números únicamente: 1/1/75 o 1.1.75.

A veces se pone en números romanos el mes: 27 II 40, 27 de febrero de 1940.

En EE.UU. se antepone el mes al día. Y así dicen:

Mayo 4, 1975, o de otro modo: 5/4/75, lo que para nosotros e incluso para los ingleses sería 4/5/75.

Una quincena. 1 A fortnight. **2** *A fóotnáit.*
Quincenal. 1 Fortnightly. **2** *Fóotnáitli.*
Una semana. 1 A week. **2** *A uiik.*
Semanal. 1 Weekly. **2** *Uíkli.*
Bisemanal. 1 Fortnightly. **2** *Fortnaitli.*
Trisemanal. 1 Three-weekly. **2** *Zri-uíkli.*
Los meses del año son: enero, febrero, marzo, abril, mayo, junio, julio, agosto, septiembre, octubre, noviembre y diciembre. 1 The months of the year are: January, February, March, April, May, June, July, August, September, October, November, December. **2** *Dzœ manzs ov dzœ yía aa: dchänuari, fébruari, mátch, épril, méi, dchún, dchúlái, óogast, septémba, octóuba, novémba, disémba.*
Los días de la semana son: lunes, martes, miércoles, jueves, viernes, sábado y domingo. 1 The days of the week are: Monday, Tuesday, Wednes-

day, Thursday, Friday, Saturday, and Sunday. **2** *Ozœ déizau dzœ uiik aa; mandi, aúzdi, uénzdi, zœœdi, fraidi, sátadi and sándi.*
Viernes Santo. 1 Good Friday. **2** *Gud fráidi.*
Sábado de Gloria. 1 Easter saturday. **2** *Riista sátadi.*
Domingo de Ramos. 1 Palm Sunday. **2** *Páam sándi.*
Día de Navidad. 1 Christmas Day. **2** *Krísmas déi.*
Un día. 1 A day. **2** *A déI.*
Diario. 1 Daily. **2** *Déili.*
Un día de trabajo. 1 A week day. **2** *A uíik déI.*
Un día de fiesta. 1 A holiday. **2** *A jólidéi.*
Hoy. 1 Today. **2** *Tudéi.*
Ayer. 1 Yesterday. **2** *Yéstadi.*
Anteayer. 1 The day before yesterday. **2** *Dzœ déi bifóa yéstadi.*
La víspera. 1 The eve the day before. **2** *Dzœ iiv dzœ déi bifóa.*
Mañana. 1 Tomorrow. **2** *Tumóro.*
Pasado mañana. 1 The day after tomorrow. **2** *Dzœ déi áafta tumóro.*
Esta mañana. 1 This morning. **2** *Dzis móoning.*
Esta tarde. 1 This evening. **2** *Dzis ivining.*
Matinal. 1 Early morning. **2** *ŒE'li móoning.*
El mediodía. 1 Noon. **2** *Nun.*
La mañana. 1 Morning. **2** *Móoning.*
La tarde. 1 Afternoon. **2** *Aftanúun.*
La noche. 1 Night. **2** *Náit.*
Medianoche. 1 Midnight. **2** *Mídnáit.*
Esta noche. 1 This evening. **2** *Dzis íivning.*
Nocturno. 1 Night. **2** *Náit.*
Una hora. 1 An hour. **2** *Anáua.*
Media hora. 1 Half an hour. **2** *Jáafa náua.*
Un cuarto de hora. 1 A quarter of an hour. **2** *A cuóta róva náua.*
Un minuto. 1 A minute. **2** *A mínit.*
Un segundo. 1 A second. **2** *A sécand.*
La aurora. 1 Dawn. **2** *Doon.*
El crepúsculo. 1 Twilight. **2** *Tuái-láit.*

La puesta del sol. **1** Sunset. **2** *Sánset.*
La salida del sol. **1** Sunrise. **2** *Sánráiz.*
El tiempo. **1** Weather. **2** *Uédza.*
La Creación. **1** The creation. **2** *Dzœ criéischan.*
La Eternidad. **1** Eternity. **2** *Itœniti.*
Lo Infinito. **1** The Infinite. **2** *Dzi ínfinit.*

La hora — Telling time

¿Qué hora es? **1** What time is it? **2** *¿Uót táim izit?*
Son las dos en punto. **1** It is two o'clok, just. **2** *Itiz túoclóc, dzhast.*
Las dos y cinco minutos. **1** Five minutes past two. **2** *Fáiv mínits páast tu.*
Las dos y diez. **1** Ten past two. **2** *Ten páast tu.*
Las dos y quince, las dos y cuarto. **1** A quarter past two, two fifteen. **2** *A cuóta paast tu, tú fiftíin.*
Las dos y veinte. **1** Twenty past two. **2** *Tuénti páast tu.*
Las dos y veinticinco. **1** Twenty-five past two. **2** *Tuénti fáiv páast tu.*
Las dos y treinta, las dos y media. **1** Two thirty. Half past two. **2** *Tu zœti. Jáaf páast tu.*
Las tres menos veinticinco. **1** Twenty-five to three. **2** *Tuénti fáiv tu zri.*
Las tres menos veinte. **1** Twenty to three. **2** *Tuénti tu zri.*
Las tres menos quince, las tres menos cuarto. **1** A quarter to three. **2** *A cuóta tu zri.*
Las tres menos diez. **1** Ten to three. **2** *Ten tu zri.*
Las tres menos cinco. **1** Five to three. **2** *Fáiv tu zri.*

Damos a continuación algunos ejemplos con dos formas para enunciar la hora. La primera es la más clásica y usual; la segunda se emplea mayormente al leer la hora de los relojes digitales. La expresión *past* (después de) no se emplea en EE.UU., donde usan la voz *after*. Lo mismo cabe decir de *to* (para) que en los EE.UU. se sustituye por *of* (de)

7.00 *seven o'clock/seven p. m.*

8.15 *a quarter past eight/eight fifteen*

9.45 *a quarter to ten/nine forty-five*

4.30 *half past four/four thirty*

5.10 *ten (minutes) past five/five ten*

6.25 *twenty-five past six/six twenty-five*

3.35 *twenty-five to seven/six thirty-five*

Van a dar las tres. 1 It's about to strike three. **2** *Itsa báut tu stráik zri.*
Son las tres. 1 It's three o'clock. **2** *Its zri ouclóc.*
La una. 1 One o'clock. **2** *Uána cloc.*
Las dos. 1 Two o'clock. **2** *Túa cloc.*
Las tres. 1 Three o'clock. **2** *Zría cloc.*
Las cuatro. 1 Four o'clock. **2** *Foára cloc.*
Las cinco. 1 Five o'clock. **2** *Fáiva cloc.*
Las seis. 1 Six o'clock. **2** *Sícsa cloc.*
Las siete. 1 Seven o'clock. **2** *Sévena cloc.*
Las ocho. 1 Eight o'clock. **2** *Éita cloc.*
Las nueve. 1 Nine o'clock. **2** *Náita cloc.*
Las diez. 1 Ten o'clock. **2** *Tenacloc.*
Las once. 1 Eleven o'clock. **2** *Ilévana cloc.*
Las doce. 1 Twelve o'clock. **2** *Tuélva cloc.*
Mediodía. 1 Midday. **2** *Míd-déi.*
Medianoche. 1 Midnight. **2** *Mídnáit.*

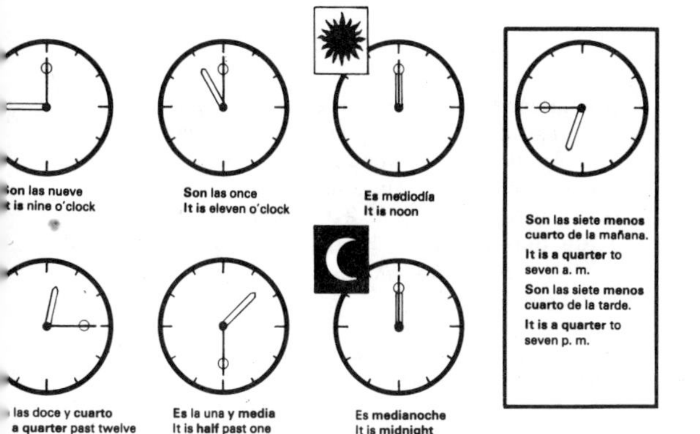

El cuarto. 1 A quarter. **2** *A cuóta.*
La media. 1 Half. **2** *Jaaf.*
Menos cuarto. 1 A quarter to... **2** *A cuóta tu.*
Las agujas. 1 The hands. **2** *Dzœ jändz.*

Este reloj va bien, va mal. 1 This watch works, doesn't work properly. **2** *Dzis uótch uáks, dázent uák prápali.*
Reloj de pared, de bolsillo, de pulsera. 1 Clock, watch, wrist-watch. **2** *Cloc, uótch, rist-uótch.*
Este reloj va retrasado, va adelantado. 1 This clock is slow, fast. **2** *Dzis cloc iz slœv, fáast.*
Está parado. 1 It has stopped. **2** *It jäz stopt.*

Estado del tiempo*
Weather conditions

Las estaciones del año son: primavera, verano, otoño e invierno. 1 The seasons are: Spring, Summer, Autumn and Winter. **2** *Dzœ sízanz aa: spring, sáma, óatam and uínta.*

* Véase también p. 198, **Las medidas.** La temperatura.

Buena estación. **1** A good season. **2** *A gud sízan.*
Mala estación. **1** A bad season. **2** *A bäd sízan.*
Tiempo, lluvioso, húmedo, seco. **1** Rainy, damp, dry weather. **2** *Réini, dämp, drái uédza.*
Calor, frío. **1** Heat, cold. **2** *Jiit, cóuld.*
¿Qué tiempo hace? **1** What's the weather like? **2** *¿Uóts dzœ uédza láik?*
Hace sol. **1** It's sunny. **2** *Its sáni.*
No hace sol. **1** It's dull. **2** *Its dal.*
Hace frío. **1** It's cold. **2** *Its cóuld.*
Hace calor. **1** It's hot. **2** *Its jot.*
Está lloviendo. **1** It's raining. **2** *Its reining.*
Está nevando. **1** It's snowing. **2** *Its snóuing.*
Está helando. **1** It's freezing. **2** *Its friizing.*
Hace un tiempo magnífico. **1** It's a fine day. **2** *Itsa fain déi.*
Frío intenso. **1** Intense cold. **2** *Inténs cóuld.*
Calor sofocante. **1** Suffocating heat. **2** *Sáfakéiting jiit.*

La edad — Age

¿Cuántos años tiene usted? **1** How old are you? **2** *¿Jáu óuld áayu?*
En abril cumpliré treinta, treinta y cinco, treinta y seis, treinta y siete, cuarenta. **1** I shall be thirty, thirty-five, thirty-six, forty in April. **2** *Áischal bi zœti, zœtifáiv, zœti-sics, fóati in éipril.*
¿Y su padre? **1** And your father? **2** *¿And ióa fádza?*
Cincuenta, sesenta, sesenta y ocho, setenta. **1** Fifty, sixty, sixtyeight, seventy. **2** *Fífti, sícsti, sícsti-éit, séventi.*
Está en muy buena edad. **1** That's a very good age. **2** *Dzátsa véri gud éidch.*

La meteorología

Meteorology

1. Lluvia, *rain.*
2. Paraguas, *umbrella.*
3. Impermeable, *rain-coat.*
4. Botas de goma, *wellington boot.*
5. Sol, *sun, sunshine.*
6. Nieve, *snow.*
7. Niebla, *fog.*
8. Tormenta, *storm.*
9. Viento, *wind.*

No representa la edad que tiene. 1 He does not look his age. **2** *Ji däz not luk jiz éidch.*

La vida tranquila rejuvenece. 1 A quiet life makes one young. **2** *A cuáet láif méiks uán yang.*

Es cierto; en cambio las enfermedades envejecen. 1 That's true. On the other hand, illness ages one. **2** *Dzats tru. On dzi ádza jänd, ílnes éidchiz uán.*

Los años pasan que es un contento. 1 How time flies! **2** *¡Jáu táim fláiz!*

Pronto cumpliré veinte, veinticinco, veintiséis, veintisiete años. 1 I shall soon be twenty, twenty-five, twenty-six, twenty-seven. **2** *Aischal súun bi tuénti, tuénti-fáiv, tuéntisícs, tuénti-sévan.*

Es usted muy joven. 1 You are very young. **2** *Yúa véri yang.*

Creía que tenía usted más años. 1 I thought you were older. **2** *Ai zóot yu uéa óulda.*

Los números

The numbers

Números cardinales, ordinales y fraccionarios. 1 Cardinal and ordinal numbers and fractions. **2** *Cáadinul änd óodinul nambaz änd fräcschunz.*

Números cardinales. 1 Cardinal numbers. **2** *Cáadinul námbaz.*

Uno. 1 One. **2** *Uán.*
Dos. 1 Two. **2** *Tu.*
Tres. 1 Three. **2** *Zri.*
Cuatro. 1 Four. **2** *Fóa.*
Cinco. 1 Five. **2** *Fáiv.*
Seis. 1 Six. **2** *Sics.*
Siete. 1 Seven. **2** *Sévan.*
Ocho. 1 Eight. **2** *Éit.*
Nueve. 1 Nine. **2** *Náin.*
Diez. 1 Ten. **2** *Ten.*
Once. 1 Eleven. **2** *Ilévan.*
Doce. 1 Twelve. **2** *Tuélv.*
Trece. 1 Thirteen. **2** *Zœtíin.*
Catorce. 1 Fourteen. **2** *Footíin.*
Quince. 1 Fifteen. **2** *Fiftíin.*

Dieciséis. **1** Sixteen. **2** *Sicstíin.*
Diecisiete. **1** Seventeen. **2** *Sévantíin.*
Dieciocho. **1** Eighteen. **2** *Eitíin.*
Diecinueve. **1** Nineteen. **2** *Náintíin.*
Veinte. **1** Twenty. **2** *Tuénti.*
Veintiuno. **1** Twenty-one. **2** *Tuénti-uán.*
Veintidós. **1** Twenty two. **2** *Tuénti-tú.*
Veintitrés. **1** Twenty-three. **2** *Tuénti-zri.*
Treinta. **1** Thirty. **2** *Zœti.*
Cuarenta. **1** Forty. **2** *Fóti.*
Cincuenta. **1** Fifty. **2** *Fífti.*
Sesenta. **1** Sixty. **2** *Sícsti.*
Setenta. **1** Seventy. **2** *Sévanti.*
Ochenta. **1** Eighty. **2** *Éiti.*
Noventa. **1** Ninety. **2** *Náinti.*
Ciento. **1** A hundred. **2** *A jándred.*
Ciento uno. **1** A hundred and one. **2** *A jándred and uán.*
Ciento dos. **1** A hundred and two. **2** *A jándred and tu.*
Quinientos. **1** Five hundred. **2** *Fáiv jándred.*
Seiscientos. **1** Six hundred. **2** *Sics jándred.*
Mil. **1** A thousand. **2** *A záuzand.*
Dos mil. **1** Two thousand. **2** *Tu záuzand.*
Cien mil. **1** A hundred thousand. **2** *A jándred záuzand.*
Un millón. **1** A million. **2** *A míllian.*
Dos millones. **1** Two million. **2** *Tu míllian.*
Números ordinales. **1** Ordinal numbers. **2** *Óodinul námbaz.*
Primero. **1** First. **2** *Fœst.*
Segundo. **1** Second. **2** *Sécand.*
Tercero. **1** Third. **2** *Zœd.*
Cuarto. **1** Fourth. **2** *Fooz.*
Quinto. **1** Fifth. **2** *Fifz.*
Sexto. **1** Sixth. **2** *Sicz.*
Séptimo. **1** Seventh. **2** *Sévenz.*
Octavo. **1** Eighth. **2** *Éitz.*
Noveno. **1** Ninth. **2** *Náinz.*

Décimo. 1 Tenth. **2** *Tenz.*
Undécimo. 1 Eleventh. **2** *Ilévanz.*
Duodécimo. 1 Twelfth. **2** *Tuélvz.*
Decimotercero. 1 Thirteenth. **2** *Zœtíinz.*
Decimocuarto. 1 Fourteenth. **2** *Footíinz.*
Decimoquinto. 1 Fifteenth. **2** *Fiftíinz.*
Decimosexto. 1 Sixteenth. **2** *Sicstíinz.*
Decimoséptimo. 1 Seventeenth. **2** *Sevantíinz.*
Decimoctavo. 1 Eighteenth. **2** *Eitíinz.*
Decimonono. 1 Nineteenth. **2** *Náintíinz.*
Vigésimo. 1 Twentieth. **2** *Tuéntiez.*
Vigésimo primero. 1 Twenty-first. **2** *Tuenti-fœst.*
Trigésimo segundo. 1 Thirty-second. **2** *Zœtí-sécand.*
Cuadragésimo. 1 Fortieth. **2** *Fóotiez.*
Números fraccionarios. 1 Fractions. **2** *Fräcschanz.*
Una fracción. 1 A fraction. **2** *A fräcschan.*
La mitad. 1 The half. **2** *Dzœ jaaf.*
Un tercio. 1 A third. **2** *A zœd.*
Un cuarto. 1 A quarter. **2** *A cuóta.*
Un quinto. 1 A fifth. **2** *A fifz.*
Un sexto. 1 A sixth. **2** *A sicz.*
Dos séptimos. 1 Two sevenths. **2** *Tu sévenzs.*
Tres octavos. 1 Three eighths. **2** *Zri éitzs.*
Tres novenos. 1 Three ninths. **2** *Zri náinzs.*
Tres décimos. 1 Three tenths. **2** *Zri tenzs.*

Expresiones numéricas

- **Cantidades**

1.000.000.000 (10^9) ....
1.000.000.000.000 (10^{12}) ....
1.000.000.000.000.000 (10^{15}) ....
1.000.000.000.000.000.000 (10^{18}) ....

Fracciones

Fracciones vulgares		*Decimales*
un octavo	$^1/_8$	*0,125*
un cuarto	$^1/_4$	*0,25*
un tercio	$^1/_3$	*0,33*
un medio	$^1/_2$	*0,5*
tres cuartos	$^3/_4$	*0,75*

En el lenguaje hablado las fracciones vulgares se expresan así: / *and a half / quarter / third* y no *and one half / quarter / third,* si no se consideran totalmente exactas. Con fracciones más precisas como 1/8, 1/16 se dice *and one,* por ejemplo, *and one eight / sixteenth.*

Las fracciones complejas como 3/462, 20/83 se expresan así: *three over four-six-two* (tres sobre cuatro-seis-dos), *twenty over eighty three* (veinte sobre ochenta y tres) e incluso en el caso de expresiones matemáticas, como *twenty-two over seven* (veintidós sobre siete) para 22/7.

Los números decimales que no llegan a la unidad se expresan verbalmente con las palabras *zero, nougt* u *oh* para indicar el cero. Zero se utiliza más en USA y es también la forma más técnica, *oh* es la que menos se usa. Decir *nought point five* para expresar el valor 0,5 es más preciso que decir sólo *point five.*

En EE.UU.	*En Gran Bretaña y Europa en general*
Un billón	Mil millones
Un trillón	Un billón
Un cuatrillón	Mil billones
Un quintillón	Un trillón

Numbers

Números decimales

En la mayor parte de los países europeos y americanos la parte entera se separa de la decimal con una coma: 6,5. En Gran Bretaña y EE.UU. se separan con un punto 6.5. Para separar los millares en números mayores de 9999 se acostumbra dejar un espacio o poner comas, por ejemplo: 10,000; 875 380; 7,500,000, mientras que en Europa y América se deja el espacio o se pone un punto así: 7.500.000; 875 380.

Números colectivos

6 media docena: *a half dozen / half a dozen*
12 una docena: *a / one dzen*
24 es *two dozen* y no *two dozens*
20 (grupo de veinte): *a / one score*
144 una guresa: *a / one gross*
70 años edad media de vida del hombre: *three score years and ten*

Números romanos

1	I	15	XV	60	LX
2	II	16	XVI	65	LXV
3	III	17	XVII	70	LXX
4	IV	18	XVIII	80	LXXX
5	V	19	XIX	90	XC
6	VI	20	XX	92	XCII
7	VII	21	XXI	95	XCV
8	VIII	25	XXV	98	XCVIII
9	IX	29	XXIX	99	IC
10	X	30	XXX	100	C
11	XI	34	XXXIV	200	CC
12	XII	39	XXXIX	300	CCC
13	XIII	40	XL	400	CD
14	XIV	50	L	500	D

600	DC	1.600	MDC
700	DCC	1.666	MDCLXVI
800	DCCC	1.888	MDCCCLXXXVIII
900	DM	1.899	MDCCCXCIX
1.000	M	1.900	MCM
1.100	MC	1.976	MCMLXXVI
1.400	MCD	2.000	MM

Los números romanos se escriben siempre con letras mayúsculas. Sólo en la numeración preliminar de algunos libros se pueden usar las letras minúsculas
Una letra puesta a continuación de otra de valor superior se suma a ésta: VI=5+1=6
Una letra antepuesta a otra de valor superior resta su valor a ésta: IV=5−1=4
Una raya sobrepuesta a una letra multiplica su valor por 1.000: así $\bar{X}$=10.000 y $\bar{M}$=1.000.000

Números telefónicos*

Se nombra cada dígito separadamente. El *cero* se pronuncia /eu/. En USA se usa *zero* o *nought.* Los números se agrupan rítmicamente de dos en dos, aunque también hay costumbre de expresarlos en grupos de tres, especialmente para cifras de seis números. Si alguno de los dígitos se repite se le nombra una vez precedido de la palabra *double, three,* etc. Una excepción es el teléfono de emergencia en Inglaterra, 999, que siempre se indica como *nine, nine, nine,* "nueve, nueve, nueve", 6638, *double six, three eight,* "doble seis, tres ocho",
3668, *three, six, six, eigth,* "tres, seis, seis ocho" o bien *three, double six, eight,* "tres, doble seis, ocho", 667, *six, six, seven,* "seis, seis, siete", o bien *double six, seven,* "doble seis, siete".

* Véase también p. 106, **El teléfono**.

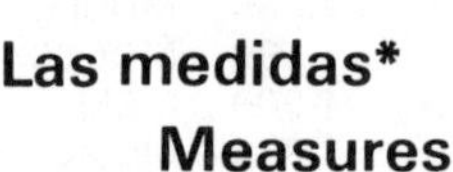

Las medidas*
Measures

Medidas. 1 Measures, measurements. **2** *Méschas, méschaments.*
Medidas de longitud. 1 Distance mesures. **2** *Distans méschors.*
Un milímetro. 1 A milimetre. **2** *A milimita.*
Un centímetro. 1 A centimetre. **2** *A sentimita.*

La Temperatura

La escala del termómetro inglés no coincide con la escala centígrada, en uso en la mayor parte de los países. La escala inglesa es la llamada de Fahrenheit; el grado 0 de la escala centrígrada (0° C) equivale a 32° Fahrenheit (32° F), que es como decir que el agua se congela a 32° F.

La referencia al calor o al frío ambiental se hace mediante expresiones un tanto diferentes. Así, cuando nosotros decimos "la noche pasada ha descendido la temperatura a 5 grados bajo cero (–5° C), el inglés dice: "last night we had nine degrees of froost' (23° F), que traducido literalmente diría: "la pasada noche hemos tenido 9 grados de helada o de hielo".

Además hay que señalar lo extraños que pueden resultar datos como *hoy estamos a 95° a la sombra (95° F),* que equivale a nuestro *estamos a 35° C a la sombra.*

Véase la equivalencia entre uno y otro sistema en la pág. 202.

---

* Véase también p. 161, **La salud** y p. 189, **Estado del tiempo.**

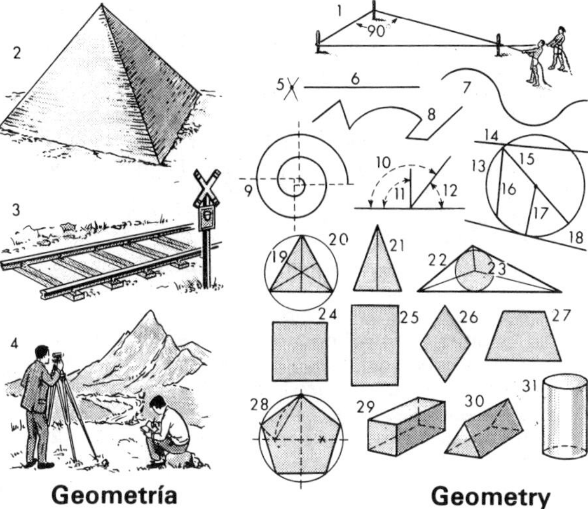

Geometría

Geometry

1. El "triángulo egipcio", *"Egyptian triangle".*
2. Pirámide cuadrangular, *quadrilateral pyramid.*
3. Ejemplo de paralelas, *an example of parallel lines.*
4. Topografía, *topography.*
5. Punto, *point.*
6. Línea recta, *straight line.*
7. Línea curva, *curved line.*
8. Línea mixta, *composite line.*
9. Línea espiral, *spiral line.*
10. Ángulo obtuso, *obtuse angle.*
11. Ángulo recto, *right angle.*
12. Ángulo agudo, *ocute angle.*
13. Circunferencia, *circunference.*
14. Secante, *secant.*
15. Diámetro, *diameter.*
16. Cuerda, *chord.*
17. Radio, *radius.*
18. Tangente, *tangent.*
19. Triángulo equilátero inscrito, *inscribed equilateral triangle.*
20. Círculo circunscrito, *circunscribed circle.*
21. Triángulo isósceles, *isosceles triangle.*
22. Triángulo obtusángulo circunscrito, *obtuse-angled triangle.*
23. Círculo inscrito, *inscribed circle.*
24. Cuadrado, *square.*
25. Rectángulo, *rectangle.*
26. Rombo, *rhombus.*
27. Trapecio, *trapezium.*
28. Pentágono regular, *regular pentagon.*
29. Prisma rectangular, *quadratic prism.*
30. Prima triangular, *triangular prism.*
31. Cilindro, *cylinder.*

Measures

Un decímetro. **1** A decimetre. **2** *A desimita.*

Un metro. **1** A metre. **2** *A mita.*

Un decámetro. **1** A decametre. **2** *A dekamita.*

Un hectómetro. **1** A hectometre. **2** *An ekfomita.*

Un kilómetro. **1** A kilometre. **2** *A kilomita.*

¿Cuántos kilómetros hay 'entre Edimburgo y Londres? **1** How many kilometers are thre between Edinburgh and London? **2** *¿Jau meni kilomitas ar dzea bituin Edinborou end Lóndon?*

La anchura de este puente es de 200 metros. **1** This bridge has a width of 200 metres. **2** *Dzis brich jea eidz of tu janbred mitos.*

La longitud del próximo puente es de 100 metros. **1** Next bridge has a length of 100 metres. **2** *Next brich jesa lengz of uanjandred mitos.*

Las dimensiones de este lienzo son de 14×90 centímetros. **1** This picture is 140×90 centimeters. **2** *Dzis pikdrar is uanjandred enforti lai nainti sentimitas.*

Esta habitación hace 4×6 metros. **1** This room measures 4×6 metres. **2** *Dzis rum méschas foa daisix mitas.*

La carretera... es más ancha, larga, estrecha, corta, que aquella. **1** The road... is wider, longer, narrower, shorter than. **2** *Dzœ roud... is uaida, langa, narroua, sdrorta dzan...*

¿Qué largo, ancho tiene? **1** What is its width, length...? **2** *¿Juat is its uidz, lengz...?*

Tiene 5 metros de largo por 7 de ancho. **1** It is 5 metres long and 7 metres mide. **2** *It is faij mitos long end seven mitas uaid.*

Medidas de superficie. **1** Square measures. **2** *Scuéa méschurs.*

Un centímetro cuadrado. **1** One square centimeter. **2** *Uuan skuea sentimita.*

Dos hectáreas. **1** Two square hectometers. **2** *Tu skuea ektomitas.*

Las medidas humanas*

- *Estatura*

Es de notar que se usa la expresión *tall* y no *high*. Se utilizan como unidades el piel y la pulgada, o metro y centímetros si es que se emplea el sistema métrico decimal.

Mi wife is five foot, feet six (inches) (tall), "Mi esposa tiene una altura de cinco pies y seis pulgadas".

My wife is one metre sixty-eight (centimetres) (tall), "Mi esposa mide un metro, sesenta y ocho centímetros".

- *Otras medidas*

Las medidas de partes del cuerpo se expresan en pulgadas o centímetros. Así:

She is 36-24-36, "sus medidas son 36-24-36", que significan 36 pulgadas de busto, 24 pulgadas de cintura y 36 pulgadas de caderas.

She is 91-61-91, "sus medidas son 91-61-91", que significan 91 centímetros de busto, 61 centímetros de cintura y 91 centímetros de cadera.

- *Peso*

En Gran Bretaña el peso se expresa generalmente en *stones* (peso de unas catorce libras) y en libras. En Estados Unidos solamente en libras. El sistema métrico utiliza kilogramos.

Un peso de 12 stones y 11 libras o 179 libras se expresaría así:

I weigh twelve stone eleven (pounds) / a hundred and seventy-nine pounds.

Un peso de 81 Kg se e presaría así:

I weigh eighty-one Kilos.

* Véase también p. 121, **La casa de modas** y p. 126, **La sastrería**.

Millas a kilómetros

Millas	Millas o kilómetros	Kilómetros
0,6	1	1,6
1,2	2	3,2
1,9	3	4,8
2,5	4	6,4
3,1	5	8,0
3,7	6	9,7
4,4	7	11,3
5,0	8	12,9
5,6	9	14,5
6,2	10	16,1
12,4	20	32,2
18,6	30	48,3
24,9	40	64,4
31,1	50	80,5
37,3	60	96,6
43,5	70	112,7
49,7	80	128,8
55,9	90	144,8
62,1	100	160,9
124,3	200	321,9
186,4	300	482,8
248,6	400	643,8
310,7	500	804,7
621,4	1.000	1.609,4

Pulgadas a centímetros

Pulg.	Pulg. o cm	Cm
0,394	1	2,540
0,787	2	5,080
1,181	3	7,620
1,575	4	10,160
1,169	5	12,700
2,362	6	15,240
2,756	7	17,780
3,150	8	20,320
3,543	9	22,860
3,937	10	25,400
7,874	20	50,800
9,843	25	63,500
19,685	50	127,000
39,370	100	254,000

Temperatura

°F	°C	
−22	−30	
−4	−20	
+14	−10	
+23	−5	
+32	0	
+41	+5	
+50	+10	
+68	+20	
+86	+30	
+98,4	**+36,9**	temperatura del cuerpo humano
+104	+40	
+122	+50	
+140	+60	
+157	+70	
+176	+80	
+194	+90	
+212	+100	

Yardas a metros

Yardas	Yardas o metros	Metros
1,094	1	0,914
2,187	2	1,829
3,281	3	2,743
4,374	4	3,658
5,468	5	4,572
6,562	6	5,486
7,655	7	6,401
8,749	8	7,315
9,843	9	8,230
10,936	10	9,144
21,872	20	18,288
27,340	25	22,860
54,681	50	45,720
109,361	100	91,439
546,805	500	457,195

Libras a kg.

Libras	Libras o Kg.	Kg.
2,205	1	0,453
4,409	2	0,907
6,614	3	1,360
8,818	4	1,814
11,023	5	2,268
13,228	6	2,721
15,432	7	3,175
17,637	8	3,628
19,841	9	4,082
22,046	10	4,435
44,092	20	9,071
55,116	25	11,339
110,232	50	22,680
220,464	100	45,359

Libras por pulgada² a kg. por cm²

Libras/pulgada²	Kg/cm²
18	1,266
20	1,406
22	1,547
25	1,758
29	2,039
32	2,250
35	2,461
36	2,531
39	2,742
40	2,812

Pesas y medidas

1 cm = 0,394 pulgadas (inches)
1 m = 3,280 pies (feet)
1 m = 1,094 yardas (yards)
1 km = 0,621 millas (miles)
1 litro = 1,760 pintas (pints)
1 litro = 0,220 galones (gallons)

1 pulgada (inch) = 2,54 centímetros
1 pie (foot) = 0,305 metros
1 yarda (yard) = 0,914 metros
1 milla (mile) = 1,609 kilómetros
1 pinta (pint) = 0,568 litros
1 galón (gallon) = 4,546 litros

Equivalencias aproximadas

1 onza (ounce) = 30 gramos
$^1/_2$ libra (pound) = 100 gramos
$^1/_2$ libra = 200 o 250 gramos
1 libra = $^1/_2$ kilogramo
2 libras = 1 kilogramo
4 libras = 2 kilogramos
$^1/_2$ pinta (pint) = $^1/_4$ litro
1 pinta = $^1/_2$ litro
2 pintas = 1 litro
1 cuarto (quart) = 2 litros
1 galón (gallon) = 4 o 5 litros
1 metro es aprox. 3 pies 3 pulgadas

Un metro cuadrado. 1 One square metre. **2** *Uan skuea mita.*

Un kilómetro cuadrado. 1 One Square kilometre. **2** *Uan skuea kilomita.*

Una área. 1 One square decametre. **2** *Uan skuea dekamita.*

Measures

Esta habitación tiene 16 metros cuadrados. 1 This room measures 16 square metres. **2** *Dzis rum méschas sixtín skuea mitos.*

¿Cuál es la superficie de esta parcela? 1 How much does this piece of ground measure. **2** *¿Jau mach dáz dzis pisof graun méscha?*

Medidas de volumen. 1 Cubic measures. **2** *Quiúbic meschurs.*

El centímetro cúbico. 1 The cubic centimetre. **2** *Dzœ kubic sentimita.*

El decímetro cúbico. 1 The cubic decimetre. **2** *Dzœ kubic desimita.*

El metro cúbico. 1 The cubic metre. **2** *Dzœ kubic mita.*

Un decímetro cúbico de agua equivale a un litro. 1 A cubic decimetre of water is equal to a litre. **2** *A kubic desimita of uota is ikuol tu a lita.*

Medidas de capacidad. 1 Measures of capacity. **2** *Meschurs av capasiti.*

Un litro. 1 A litre. **2** *A lita.*

Un hectolitro. 1 An hectolitre. **2** *An ektolita.*

Un litro de agua equivale a un decímetro cúbico. 1 A litre of water is equal to a cubic decimetre. **2** *A lita of uota is ikuol to a kubic desimita.*

Pesos. 1 Weights. **2** *Veits.*

El gramo. 1 The gramme. **2** *Dzœ greim.*

Un kilogramo. 1 One kilograme. **2** *Uan kilogreim.*

Una tonelada. 1 A ton. **2** *A ton.*

¿Cuánto pesa esto? 1 How much does this weigh? **2** *¿Jaumach dasdis uei?*

Medidas inglesas. 1 English measures. **2** *English méschurs.*

Una pulgada. 1 One inch. **2** *Uan inch.*

Un pié. 1 One foot. **2** *Uan jut.*

Una vara. 1 One yard. 2 *Uan yard.*
Una legua. 1 One league. 2 *Uan ligd.*
Una milla. 1 One mile. 2 *Uan maial.*
Una milla marítima. 1 One nautical mile. 2 *Uan nótical maial.*
Un nudo. 1 One knot. 2 *Uan knot.*
Una libra. 1 One pound. 2 *Uan páun.*
Una yarda. 1 One yard. 2 *Uan yard.*
Un galón. 1 One gallon. 2 *Uan galon.*

Los colores
The colours

Blanco, blanca. 1 White. 2 *Uáit.*
Negro, negra. 1 Black. 2 *Bläc.*
Azul. 1 Blue. 2 *Blu.*
Azul celeste. 1 Sky blue. 2 *Scai blu.*
Azul marino. 1 Sea blue, navy blue. 2 *Si blu.*
Encarnado. 1 Red. 2 *Red.*
Verde. 1 Green. 2 *Griin.*
Naranja. 1 Orange. 2 *Órindch.*
Rojo, roja. 1 Red. 2 *Red.*
Amarillo, amarilla. 1 Yellow. 2 *lélo.*
Morado. 1 Purple. 2 *Pœpul.*
Gris. 1 Gray. 2 *Gréi.*
Marrón (o castaño). 1 Brown, chestnut. 2 *Bráun, tchéstnat.*
Rosa. 1 Pink. 2 *Pinc.*
Claro, clara. 1 Light. 2 *Láit.*
Obscuro, obscura. 1 Dark. 2 *Daac.*
Pálido, pálida. 1 Pale. 2 *Péil.*

El idioma*
The language

¡Bienvenidos! **1** Welcome! **2** *¡Uelcom!*

Conozco un poco el idioma. **1** I know a little of the language. **2** *Ai knou a litol av dzœ langüich.*

¿Habla usted el español, inglés, francés, alemán...? **1** Do you speak Spanisjh, English, French, German? **2** *¿Diuiu spile inglisch, spanisch, french, djermon?*

Conozco un poco el inglés. **1** I speak some English. *Ai spik som inglisch.*

No le comprendo. **1** I don't understand. **2** *Ai doun-tandertend.*

¿Qué ha dicho usted? **1** What did you say? **2** *¿Juot didiu sei?*

¿Me lo puede escribir? **1** Could you write it down? **2** *¿Kudiu uraitit dáun?*

Dígamelo un poco más despacio. **1** Say it a little slower. **2** *Sei-it a lital sloua.*

¿Qué quiere usted decir? **1** What do you mean? **2** *¿Juat doiu min?*

He oído mal. **1** I didn't hear it properly. **2** *Ai didant heardit properli.*

¿Qué significa...? **1** What does it mean? **2** *¿Juat da-sit min?*

¿Cómo se escribe? **1** How do you write it? **2** *¿Jau duiu uraitit?*

¿Cómo se pronuncia? **1** How do you pronounce it? **2** *¿Jau duiu pronaunsit?*

¿Es usted inglés? **1** Are you English? **2** *¿Ariu ingliesch?*

---

* Véase también p. 243, **Gramática inglesa.**

¿De dónde es usted? 1 Where do you come from? **2** *Uea du yu cam from?*
¿Dónde vive? 1 Where do you live? **2** *¿Uea duiu lif?*
Vivo en Barcelona. 1 I live in Barcelona. **2** *Ai fifin Barselona.*
¿Qué idiomas conoce usted? 1 How many languages do you speak? **2** *¿Jau meni lengüiches duiu spik?*
Soy extranjero. 1 I'm a foreigner. **2** *Aiam a forana.*

Avisos
Warnings

Atención. 1 Look out! **2** *¡Lukáut!*
Recién pintado. 1 Wet paint. **2** *Vét péint.*
Alto. 1 Stop! **2** *¡Stop!*
Prohibida la entrada. 1 No Entry. **2** *No Entri.*
Prohibido fumar. 1 No smoking allowed. **2** *Nóu smóuking aláud.*
Cerrar la puerta. 1 Shut the door. **2** *Shat dzœ dóa.*
Empujar la puerta. 1 Push the door. **2** *Pusch dzœ dóa.*
Se alquila. 1 To let. **2** *Tu let.*
Libre. 1 Free. **2** *Fri.*
Cerrado. 1 Closed. **2** *Clóuzd.*
Aviso. 1 Notice. **2** *Nóutis.*
Prohibido atravesar la vía. 1 Do not cross the tracks. **2** *Du nat crás dzœ träks.*
Prohibido bañarse. 1 No swimming. **2** *Nou suíming.*
Salida. 1 Way out. **2** *Uéi áut.*
Entrada. 1 Way in. **2** *Uéi in.*
Precio fijo. 1 Fixed price. **2** *Ficst práis.*
Parada. 1 Stop. **2** *Stop.*
Llamar. 1 Ring the bell. **2** *Ring dzœ bel.*

Frases corrientes
Common expressions

¿Habla Ud. inglés, francés, español, alemán, italiano? 1 Do you speak English, French, Spanish, German, Italian? **2** *Du yu spik inglisch, frensch, spanisch, gurman, ehtali-en?*

Si. 1 Yes. **2** *iyes.*

No. 1 No. **2** *No.*

Por favor. 1 Please. **2** *Plisz.*

Gracias. 1 Thank you. **2** *Zaink yu.*

Muchas gracias. 1 Thank you very much. **2** *Zaink yu veri masch.*

No hay de qué. 1 You're welcome. **2** *Yur welcum.*

Buenos días. 1 Good morning. **2** *Gud móoning.*

Buenas tardes. 1 Good afternoon. **2** *Gud aafta-núun.*

Buenas noches. 1 Good evening. **2** *Gudívning.*

Buenas noches. 1 Good night. **2** *Gudnaít.*

Adiós. 1 Good-bye. **2** *Gud bai.*

Hasta luego. 1 See you later. **2** *Si yu letur.*

Le presento al Señor, Señora, Señorita... 1 Allow me to introduce you to Mr., Mrs., Miss... **2** *Alou mi tu introduss yu tu mistur, missis, miss...*

¿Cómo está usted? 1 How are you? **2** *¿Jáuá yu?*

¿Qué tal? 1 How are you? **2** *¿Jáuá yu?*

Bien. Muy bien. 1 Well. Very well. **2** *Uuél. Véri uél.*

Conforme, de acuerdo. 1 That's all right, O.K. **2** *Zats ol rait, o, qué.*

Perfectamente. 1 Quite well. **2** *Cuáit uél.*

Y usted, ¿cómo está? 1 And how are you? **2** *¿And jáuá yú?*

¿Y su familia? 1 And your family? **2** *¿And ióa fämili?*

¿Y su señora? 1 And your wife? **2** *¿And ióa uáif?*

¿Y su padre? 1 And your father? **2** *¿And ióa fáaza?*

¿Y su hermano? 1 And your brother? **2** *¿And ióa brádza?*

Están buenos. **1** They are well. **2** *Dzéi uél.*

Siguen sin novedad. **1** The same as ever. **2** *Dzœ séimaz éva.*

Están perfectamente. **1** They are quite well. **2** *Dzéia cuáit uél.*

He tenido mucho gusto en conocerle. **1** Pleased to meet you. **2** *Pliszd tu miít yu.*

¿Qué dice usted? **1** What did you say? **2** *¿Uót didyu séi?*

¿Qué opina usted? **1** What do you think? **2** *¿Uót dúyu zinc?*

Tiene usted razón. **1** You are right. **2** *Yúa ráit.*

Es cierto. **1** I'm sure. **2** *Aím siúa.*

Estoy seguro. **1** That's true. **2** *Dzäts tru.*

Es probable. **1** It's probable. **2** *Its próbabul.*

Es evidente. **1** Evidently (It's evident). **2** *Évidentli. Its évident.*

Es usted muy amable, muy atento. **1** You are very kind. **2** *Yúa véri káind.*

La certeza. **1** The certainty. **2** *Dzœ sœtanti.*

La seguridad. **1** The certainty. **2** *Dzœ sœtanti.*

La probabilidad. **1** The probability. **2** *Dzœ probabíliti.*

Puede ser. **1** It may be. Maybe. **2** *It méi bi. Méibi.*

La bondad. **1** Kindness. **2** *Cáindnis.*

No se moleste usted. **1** Don't bother. **2** *Dóunt báza.*

¿Qué desea usted? **1** What do you want? **2** *¿Uót duyu uónt?*

¿Puede darme...? **1** Can you give me ...? **2** *Kan yu guiv mi...?*

¿Puede darnos...? **1** Can you give us ...? **2** *Kan yu guiv os...?*

¿Puede mostrarme...? **1** Can you show me ...? **2** *Kan yu schó mi...?*

¿Puede decirme...? **1** Can you tell me ...? **2** *Kan yu tel mi...?*

Puede ayudarme, por favor? **1** Can you help me, please? **2** *Kan yu jelp mi, plisz?*

Cuente usted conmigo. 1 You may rely on me. **2** *Yu méi rilái on mi.*

De nada. 1 You are welcome. **2** *Yua uelcam.*

Otra vez será. 1 Some other time. **2** *S'an áza táim.*

Estoy a su disposición. 1 I'm at your disposal. **2** *Áimat ióa dispóusul.*

¿En qué puedo servir a usted? 1 What can I do for you? **2** *¿Uót cánai dúfa yu?*

Quería... 1 I would like... **2** *Hai uyud laik...*

Queríamos... 1 We would like... **2** *Ui uyud laik...*

Por favor, deme... 1 Please give me... **2** *Plisz guiv mi...*

Por favor, tráigme... 1 Please bring me... **2** *Plisz burink mi...*

Dispense usted. 1 Excuse me. **2** *Ikscyúzmi.*

Discúlpeme. 1 Excuse me. **2** *Exqüsz mi.*

Usted perdone. 1 I beg your pardon. **2** *Ai bég ióa páadan.*

Excúseme. 1 Pardon! **2** *¡Páadan!*

Se lo ruego. 1 Please. **2** *Pliiz.*

Se lo suplico. 1 I beg you. **2** *Ai bégyu.*

¿Qué es? 1 What is it? **2** *¿Uót izit?*

¿Quién llama? 1 Who is calling? **2** *¿Ju iz cóoling?*

¿Qué es eso? 1 What's that? **2** *¿Uóts dzät?*

¿Donde? 1 Where? **2** *uyer?*

¿Donde está? 1 Where is it? **2** *uyer ís it?*

¿Cuándo? 1 When? **2** *uyen?*

¿Cómo? 1 How? **2** *Jaou?*

¿Cuánto? 1 How much? **2** *Jaou masch?*

¿Cuántos? 1 How many? **2** *Jaou meni?*

¿Qué? 1 What? **2** *uyat?*

¿Por qué? 1 Why? **2** *uyay?*

¿Cuál? 1 Which one? **2** *uyisch uyon?*

Siento molestar a usted. 1 Sorry to trouble you. **2** *Sóri tutrábul yu.*

Usted no me molesta. 1 It's no trouble at all. **2** *Its nóu trábul atóol.*

Llámame por teléfono. 1 Phone me. **2** *Fóunmi.*

Eso no puede ser. 1 That won't do. **2** *Dzat uóunt du.*

Es posible. 1 It's possible. **2** *Its pósibul.*

¿Cómo se llama aquello? 1 What's that called? **2** *Uyatsz zís coltt?*

¿Cómo se llama aquello? 1 What's that called? **2** *uyatsz zat coltt?*

¿Qué significa esto? 1 What's this mean? **2** *uyatsz zís mi-en?*

¿Qué significa aquello? 1 What's that mean? **2** *uyatsz zat mi-en?*

¿Qué tiene de particular? 1 What is there special about it? **2** *¿Uót izszea spéschul abáutit?*

¿De veras? 1 Indeed? **2** *¿Indíid?*

¿Está usted seguro? 1 Are you sure? **2** *¿Áyu schóa?*

Segurísimo. 1 Quite sure. **2** *Cuáit schóa.*

Deprisa. 1 Hurry up. **2** *Jeri op.*

Es urgente. 1 It's urgent. **2** *Itsz erchent.*

Es importante. 1 It's important. **2** *Itsz importent.*

¿Quién es usted? 1 Who are you? **2** *¿Juá yu?*

Yo soy... 1 I am... **2** *Ai äm.*

¿Cómo se llama usted? 1 What is your name? **2** *¿Uótiz ióa néim?*

Me llamo... 1 My name is... **2** *Mái néim iz...*

¿Dónde vive? 1 Where do you live? **2** *¿Uea duyu lív?*

¿Su domicilio? 1 Your address? **2** *¿Ióa adrés?*

¡Qué lástima! 1 What a pity! **2** *¡Uóta píti!*

¡Qué tontería! 1 What nonsense! **2** *¡Uót nónsans!*

¿Me comprende usted? 1 Do you understand me? **2** *¿Duyu ándaständ mi?*

Comprendo. 1 I understand. **2** *Ai ándaständ.*

He comprendido. 1 I have understood. **2** *Ai jäv ándastúd.*

No le comprendo. 1 I don't understand. **2** *Ai dóunt ándaständ.*

Es... 1 It's... **2** *Itsz...*

No es... 1 It isn't... **2** *It iszent...*

Escúcheme usted. 1 Listen! **2** *¡Lísan!*
Escuchar. 1 To listen. **2** *Tu lísan.*
Escucho. 1 I am listening. **2** *Ai äm lísaning.*
Oiga usted. 1 I say! **2** *¡Ai séi!*
Oigo. 1 I hear. **2** *Aijía.*
Oír. 1 To hear. **2** *Tu jía.*
Pero... 1 But... **2** *Bat...*
¿Por qué no contesta usted? 1 Why don't you answer? **2** *Uái dóunt yu áansa?*
No le oigo. 1 I can't hear you. **2** *Ai cáant jía yu.*
¿Tiene usted la bondad? 1 Please... Will you please...? **2** *Plíiz... ¿Uílyu plíiz...?*
Con mucho gusto. 1 With pleasure. **2** *Uídz plézya.*
¡Si usted supiera! 1 If you only knew! **2** *¡Ifyu óunli niú!*
Es una fatalidad. 1 That's life. **2** *Dzäts láif.*
Es una cosa horrible. 1 How awful! **2** *¡Ju óoful!*
Me asombra usted. 1 You astonish me. **2** *Yu astónisch mi.*
¿Es posible? 1 Is it possible? **2** *¿Ízit pósibul?*
Se equivoca usted. 1 You are mistaken. **2** *Yúa mistéikan.*
Le aseguro... 1 I assure you... **2** *Aia schóa yu.*
Es natural. 1 It's natural. **2** *Its nätyural.*
Desde luego. 1 Of course. **2** *Ov cóas.*
Espere usted. 1 Wait. **2** *Uéit.*
Diré a usted... 1 Iíll tell you... **2** *Ail télyu.*
¡Se me ocurre una idea! 1 I've got an idea. **2** *Aiv góta náidía.*
Muy buena idea. 1 A very good idea. **2** *A véri gud aidía.*
¡Eso es magnífico! 1 That's splendid! **2** *¡Dzats spléndid!*
¿Qué le parece? 1 What do you think? **2** *¿Uót duyu zinc?*
¡Admirable! 1 Admirable. **2** *Ädmirabul.*
¡Delicioso! 1 Delightful. **2** *Diláitful.*
Estupendo. 1 Magnificent. **2** *Mägnífisant.*

Dudo que sea verdad. 1 I doubt whether that's true. **2** *Ai đut uédza dzäts tru.*

Le felicito. 1 Congratulations! **2** *Congrätyuléischanz!*

Mi enhorabuena. 1 I congratulate you. **2** *Ai congrätyuléit yu.*

Feliz día de su Santo. 1 Happy name day! **2** *¡Jäpi néimz déi!*

Feliz cumpleaños. 1 Happy birthday! Many happy returns! **2** *¡Jäpi bœzdei! ¡Méni jápi ritœnz!*

Felices Pascuas de Navidad. 1 Happy Christmas! **2** *¡Jäpi crismas!*

Feliz Año Nuevo. 1 Happy New Year! **2** *¡Jäpi niú yía!*

Es increíble. 1 It's incredible. **2** *Its incrédibul.*

Es muy triste. 1 It's very sad. **2** *Its véri säd.*

Es indudable. 1 There's no doubt about it. **2** *Dzéaz nóu dáut abáutit.*

Ha procedido usted mal. 1 You acted very wrongly. **2** *Yu äctid véri róngli.*

Ha hecho usted bien. 1 You have done well. **2** *Yu jáv dan vél.*

¿Me permite usted? 1 May I? **2** *¿Méi ái?*

Se lo agradezco. 1 I am very grateful. **2** *Aiam véri gréitful.*

Le quedo muy agradecido. 1 I am very much obliged to you. **2** *Aiam véri match abláidch tuyu.*

Cuando usted guste. 1 When you like. **2** *Uén yu láik.*

Como usted quiera. 1 As you like. **2** *Azyu láik.*

No vale la pena. 1 It's not worth while. **2** *Its not uœz uáil.*

¡Es extraño! 1 It's strange. **2** *Its stréindch.*

¡Es raro! 1 How funny! **2** *¡Jáu fáni!*

¿Quién lo hubiera creído? 1 Who would have believed it? **2** *¿Ju úud jäv biliíd it?*

¡Qué vergüenza! 1 How outragcovs! **2** *¡Jáv autréidchas!*

¡Qué horror! 1 How awful. **2** *Áfal.*

¡Qué fastidio! 1 How annoying! **2** *!Jáu anói-ing!*

Estoy contento. 1 I amb glad. **2** *Ái äm gläd.*
Estoy bien. 1 I'm all right. **2** *Áim ool ráit.*
Soy feliz. 1 I am happy. **2** *Ái äm jäpi.*
Yo deseo. 1 I want... **2** *Ái uón.*
Yo temo (yo dudo). 1 I'm afraid... **2** *Áima fréid.*
Tengo miedo. 1 I'm afraid. **2** *Áima fréid.*
Quiero. 1 I want. **2** *Ai uónt.*
Me asombro. 1 I'm surprised. **2** *Aim sapráizd.*
Estoy sorprendido. 1 I'm surprised. **2** *Aim spráizd.*
Estoy enfadado. 1 I'm annoyed. **2** *Aima nóid.*
Lo siento. 1 I'm sorry. **2** *Aim sóri.*

Adverbios — Adverbs

Cómodamente. 1 Comfortably. **2** *Cámgtabli.*
Con intención. 1 Intentionally. **2** *Inténschanali.*
Con sinceridad. 1 Sincerely. **2** *Sinsíali.*
Sin saberlo. 1 Unknowingly. **2** *Anóuingli.*
A disgusto. 1 Reluctantly. **2** *Rilánctantli.*
Bello. 1 Beautiful. **2** *bi-u-ti-fol.*
Feo. 1 Ugly. **2** *ahg-li.*
Bien. 1 Well. **2** *Uel.*
Mal. 1 Badly. **2** *Bädli.*
Mejor. 1 Better. **2** *béter.*
Peor. 1 Worse. **2** *uyursz.*
Así. 1 So, thus. **2** *Sœu, dzas.*
También. 1 Also, too. **2** *Oolsou, tuu.*
Con gusto. 1 With pleasure. **2** *Uídz plézya.*
Más bien. 1 Rather. **2** *Ráadza.*
Del todo. 1 Quite. **2** *Cuáit.*
Juntamente. 1 Jointly. **2** *Dchóintli.*
Donde. 1 Where. **2** *Uéa.*
Fácil. 1 Easy. **2** *iszi.*
Difícil. 1 Difficult. **2** *di-fi-kultt.*

Language. Adverbs

Aquí. **1** Here. **2** *Jía.*
Allí. **1** There. **2** *Dzéa.*
Ahora. **1** Now. **2** *naou.*
Después. **1** Later. **2** *léter.*
Cerca. **1** Near. **2** *Nía.*
Lejos. **1** Far. **2** *Faa.*
Abierto. **1** Open. **2** *o-pen.*
Cerrado. **1** Closed. **2** *kloszdd.*
En todas partes. **1** Everywhere. **2** *Évri-uéa.*
Delante. **1** In front of. **2** *In frant av.*
Detrás. **1** Behind. **2** *Bijáid.*
Hacia atrás. **1** Backwards. **2** *Bä'cuadz.*
Dentro. **1** Inside. **2** *Insáid.*
A través. **1** Through. **2** *zú-ru.*
Fuera. **1** Outside. **2** *Autsáid.*
A. **1** To. **2** *tu.*
En. **1** At; in; (by). **2** *aht; in; (bai).*
De. **1** Of; from. **2** *ov; from.*
Para. **1** For; to; in order to. **2** *For; tu; in or-der tu.*
Con. **1** With. **2** *uuiz.*
Sin. **1** Without. **2** *uyiz-ahut.*
O. **1** Or. **2** *Or.*
O bien. **1** Either...or. **2** *Hai-zer...or.*
En frente. **1** In front of; opposite. **2** *In fránt av; ápazit.*
Sobre. **1** Please give me... **2** *plisz guiv mi...*
Encima. **1** On; over; aboue. **2** *On; over; abou.*
Debajo. **1** Under. **2** *Ánda.*
Aquí y allá. **1** Here and there. **2** *Jíaran dzéa.*
Alrededor. **1** Around. **2** *Aráund.*
Arriba. **1** Above. **2** *Abáv.*
Abajo. **1** Below. **2** *Bilœu.*
Por encima. **1** Over. **2** *Œ'uva.*
Por debajo. **1** Under. **2** *Ánda.*
Por la derecha. **1** To the right. **2** *Tu dzœ ráit.*
Por la izquierda. **1** To the left. **2** *Tu dzœ left.*
Hacia adelante. **1** Onwards, Straight on. **2** *Ónuádz, stréit on.*

Rápido. **1** Fast. **2** *Fast.*
Lento. **1** Slow. **2** *Sló.*
Cuando. **1** When. **2** *Uén.*
Entonces. **1** Then. **2** *Dzen.*
Antes. **1** Before. **2** *Bifoá.*
Caliente. **1** Hot. **2** *Jaht.*
Frío. **1** Cold. **2** *Koldd.*
Joven. **1** Young. **2** *younk.*
Viejo. **1** Old. **2** *oldd.*
Hoy. **1** Today. **2** *Tudéi.*
Mañana. **1** *Tomorrow.* **2** *Tumóro.*
Ayer. **1** Yesterday. **2** *Yéstadi.*
Pronto. **1** Soon. **2** *Suun.*
Tarde. **1** Late. **2** *Léit.*
De prisa. **1** Quickly. **2** *Cuícli.*
A menudo. **1** Often. **2** *Ófan.*
Siempre. **1** Always. **2** *Óoluéis.*
Nunca. **1** Never. **2** *Néva.*
De repente. **1** Suddenly. **2** *Sádanli.*
Largo tiempo. **1** A long time. **2** *A long táim.*
Ahora. **1** Now. **2** *Náu.*
Luego. **1** Afterwards. **2** *Afteruyards.*
En seguida. **1** At once. **2** *At uáns.*
Pesado. **1** Heavy. **2** *Jévi.*
Ligero. **1** Light. **2** *Lait.*
Grande. **1** Big. **2** *Bigk.*
Pequeño. **1** Small. **2** *Smol.*
Bastante. **1** Enough. **2** *Ináf.*
Poco. **1** Little. **2** *Lítul.*
Mucho. **1** Much, a lot. **2** *Match, A lot.*
Apenas. **1** Hardly. **2** *Jaódli.*
Barato. **1** Cheap. **2** *Chiíp.*
Caro. **1** Expensive. **2** *Expensiv.*
Lleno. **1** Full. **2** *Fol.*
Vacío. **1** Empty. **2** *Empati.*
Nuevo. **1** New. **2** *Ñuou.*
Viejo. **1** Old. **2** *Oldd.*
Antiguo. **1** Ancient; antique. **2** *Éin-schint; antiík.*

Language. Adverbs

Moderno. 1 Modern. **2** *Madern.*
Más. 1 More. **2** *Móa.*
Demasiado. 1 Too, too much. **2** *Tu, Tú match.*
Menos: 1 Less. **2** *Les.*
Todo. 1 Everything; all. **2** *Eh-viri-zink; oll.*
Nada. 1 Nothing. **2** *Nazing.*
Casi. 1 Nearly. **2** *Níali.*
Cada vez más. 1 More and more. **2** *Móaranmóa.*
Poco a poco. 1 Little by little. **2** *Lítul bái lítul.*
Nada absolutamente. 1 Nothing at all. **2** *Názing a-tóol.*
También. 1 Also; too. **2** *Al-so; tu.*
En breve. 1 Shortly. **2** *Shur-tali.*
Completamente. 1 Quite. **2** *Cuáit.*
Cuando más. 1 The more... **2** *Dzœ moa...*
Cuando menos. 1 The less... **2** *Dzœ les...*
Primeramente. 1 First of all. **2** *Fœstav ool.*
En fin. 1 At last. **2** *At laast.*
Últimamente. 1 Quite recently. **2** *Cuáit rísantli.*
Finalmente. 1 Finally. **2** *Fáinali.*
En primer lugar. 1 In the firts place. **2** *In dzœ fœst pléis.*
Ante todo. 1 Above all. **2** *Abáv róol.*
A la vez. 1 At the same time as. **2** *Ät dzœ séim táim äs.*
Tal vez. 1 Perhaps. **2** *Pœjäps.*
Sin orden. 1 Out of order. **2** *Autav óoda.*
Sí, 1 If. **2** *If.*
Conforme. 1 In accordance with. **2** *Ina cóodans uídz.*
También. 1 Also, too. **2** *Olsœu, túu.*
Sí, por cierto. 1 Yes, certainly. **2** *Yes, sœtanli.*
Sin duda. 1 Doubtless. **2** *Dáutles.*
Eso es. 1 That's right. **2** *Dzäts ráit.*
Es verdad. 1 Yes, that's so. **2** *Yes, dzäts sou.*
Ya lo creo. 1 should think so, rather! **2** *Ai shúud zink so, räza!*
Nada de eso. 1 Nothing of the kind. **2** *Názing av dzœ káind.*

Nada absolutamente. 1 Nothing at all. **2** *Názing ät al.*
Nada más. 1 Nothing more. **2** *Názing móa.*
Ni siquiera... 1 Not even. **2** *Nát íven.*
Tampoco. 1 Neither. **2** *Náidza.*
Probablemente. 1 Probably. **2** *Próbabli.*
Quizás. 1 Maybe. **2** *Méibi.*
Acaso... 1 Perhaps. **2** *Pœjäps.*
Por casualidad. 1 By chance. **2** *Bái tchans.*

Proverbios y locuciones

Idioms and proverbs

Abrumar a preguntas. Snowed under with questions (used in in the pas. voice).
A campo traviesa. Cross country.
A fines del siglo. At the end of Century. Late in the Century.
Agarrarse a un clavo ardiendo. A drowing man clutches a straw.
A falta de pan buenas son tortas. Half a loaf is better than none.
A la ligera. Lightly.
A mal tiempo buena cara. Put a good face on it.
Andar de capa caída. From bad to worse.
A primera vista. At first sight.
A rienda suelta. Free and easy.
A río revuelto ganancia de pescadores. To fish in troubled waters.
Arrancar de cuajo. Pull in out by the roots.
A toda velocidad. At top speed.
A todo trance. Willy Nilly.
Cada dos por tres. Quickly and clearly.

Cuanto más se sube más grande es la caída. The higher you go, the harder the fall.
Chapado a la antigua. A chip of the old block.
Dar con la puerta en las narices. Shut the door in the face.
Del tiempo de Maricastaña. As old as the hills.
Dormir como un lirón. Sleep like a log.
Echar la casa por la ventana. Spend money like water.
En boca cerrada no entran moscas. Speech is silver, silence is golden.
En defensa propia. Self-defence.
Estar como pez en el agua. To be in his element.
Estar en sus cabales. To be in One's right senses.
Este niño es una alhaja. He/she is a treasure.
Hacer de tripas corazón. To take the bull by the horns.
Hombre al agua. Man overboard.
Ir como alma que lleva el diablo. You can't see him for dust.
Ir como una seda. To fit like a glove.
Ir viento en popa. To sail in front of the wind.
La suerte está echada. What is done is done.
Más vale maña que fuerza. Brain is better than brawn.
No andarse con chiquitas. To go in leaps and bounds.
No es oro todo lo que reluce. All that glitters in not gold.
Pagar los vidrios rotos. You'll pay for it.
Poner el cielo por testigo. As Heaven will be my witness.
Poner los puntos sobre las íes. Dot the I's and cross the T's.
Por su cuenta y riesgo. On his own account.
Querer es poder. Where there's a will, there's a way.
Suave como un guante. Smooth as velvet.
Vivir de ilusiones. To have the head in tre clouds.

Modelos de cartas y telegramas*

Cartas

Muy señor mío:

En la confianza de que sus diversas ocupaciones le permitirán distraer unas horas, le ruego me diga si tendré el placer de comer con usted mañana.

Espero su contestación por teléfono, y entre tanto se reitera de Vd. afmo. s. s.

Dear Sir:

In the hope that you will be able to take a few hours off from your busy schedule, allow me to invite you to have lunch with me tomorrow.

Please give me your answer by phone.

Yours sincerely,

Muy señor mío:

Deseo hablar con Vd. de un asunto de gran interés para los dos.

Le ruego encarecidamente se sirva avisarme día y hora en que podemos entrevistarnos, a comodidad suya.

Me hospedo en el Hotel ... habitación número ...

Queda de Vd. afmo. s. s.

Dear Sir:

I would like to see you about a matter that is of great interest to us both. I earnestly request you to notify me of the time and date which would best suit you for our meeting.

I am staying at ... Hotel, room number ...

Yours faithfully,

---

* Ver p. 62, **Para escribir una carta** y p. 103, **Correos y telégrafos.**

Muy señor mío:

A mi llegada a ésta formulo la presente para solicitarle una entrevista.

Le ruego me indique día y hora en que puede recibirme.

Entre tanto, le saludo personalmente, queda de Vd. afmo. s. s.

Dear Sir:

I have just arrived in this city and take this opportunity to request you for an interview.

Please notify me of the tine and date which you would fird most convenient for this meeting.

Thanking you for all your attention, I remain,

Yours faithfully,

Distinguido señor:

Tengo el encargo de saludar a Vd. en nombre de nuestro común amigo, señor...

No siéndome posible hacerlo personalmente, por ausentarme hoy de ésta, me permito cumplir dicho encargo por medio de la presente, rogándole se sirva disculparme.

Le saluda muy afectuosamente su s. s.

Dear Sir:

I have been asked to greet you on behalf of our mutual friend, Mr. ...

It having become necessary for me to depart from this city today, I shall be unable to call personally. I hope you will excuse me for having been prevented from seeing you and accept my sincere regards through this letter.

Yours sincerely,

Estimado amigo:

Cuando llegó ayer su carta al hotel había salido ya del mismo.

Por esta razón no pude asistir a la cita que me daba Vd.

Le pido mil perdones y le ruego crea en la buena amistad de su afmo. amigo y s. s.

Dear friend:

When your letter arrived yesterday, I had already left the hotel, and was unable to keep your appointment.

I trust you will forgive me, and count on my continued friendship.

Yours truly,

Muy señor mío:

Circunstancias imprevistas me obligaron a precipitar mi viaje de regreso a ésta.

Este ha sido el motivo de que no pasara por su domicilio para despedirme, como debía.

Le ruego se sirva aceptar mis excusas, y en la confianza de saludarle pronto de nuevo, se reitera afmo. s. s.

Dear Mr. ....,

I have been obliged by unforeseen circumstances to hasten my return here, for which reason I was unable to call on you, as I ought to have done, to say goodbye.

I trust you will accept my excuses and that I shall soon have the pleasure of seeing you again.

Yours sincerely,

Muy señor mío:

Le agradeceré que, en el caso de que se haya recibido correspondencia a mi nombre, se sirva reexpedirla al Hotel ..., donde me hospedo.

Con gracias anticipadas, le saluda muy atentamente,

Dear Sir:

Should you have received any letters for me, please have them forwarded tome at the ... Hotel, where i am staying at present.

Thanking you for your attention, I remain,

Yours faithfully,

Mi querido amigo:

Al ausentarme de esta magnífica localidad, cumplo el deber de expresarle mi agradecimiento por las atenciones y hospitalidad que he recibido de esa estimada familia durante todos los días que he permanecido en ...

Estoy deseoso de poder corresponder a tantas delicadezas, y confío que se presente pronto esa oportunidad en ocasión de un viaje a este país.

Mis respetos a su señora, un abrazo para usted de su buen amigo,

My dear friend,

On leaving this delightful spot, I must express my appreciation of the kindness and hospitality I received from your wonderful family during my stay at ...

I am eager to be able to repay so much kindness, and trust that I shall soon have the opportunity of doing.so when you visit my country.

Please give kind regards to your wife and accept for yourself my very best wishes.

Yours faithfully,

Telegramas

Envíe mi pedido Hotel ... en vez Hotel ...
Send my order ... Hotel instead of ... Hotel.

No he recibido objetos que debían enviarme el ...
Objects to be sent on ... not received.

Envíeme lo antes posible Hotel ... objetos comprados ... del *corriente, pasado.*
Send earliest possible .... Hotel objects bought ... *inst., last.*

Envíe contra reembolso Hotel ... mercancías pedidas mi carta ... *corriente, pasado.*
Send COD (c. o. d.) ... Hotel goods ordered my letter ... *inst., last.*

Urgente recibir mercancías compradas ... *corriente, pasado.*
Require urgently goods bought ... *inst., last.*

Reservas de Hotel*

Por carta

Señores:
Sírvanse reservarme para el (los) día (s) una habitación con *una cama, dos camas, cama de matrimonio* **y cuarto de baño. La habitación ha de tener**

* Véase también p. 53, **En el hotel.**

comunicación con otra que tenga *una cama, dos camas.*

Agradeceré me confirme estas reservas y precio a la siguiente dirección...

Dear Sirs:

Please reserve for me, for the (day/s) of (month/s), one room with *a single bed, two single beds, a double bed* and bath, and a communicating room with *a single bed, two single beds.*

Kindly send confirmation of this reservation and price information to the following address: ...

Thanking you for your attention, I remain,

Yours sincerely,

Señores:

Por motivos inesperados no podré utilizar hasta el ... *del corriente, del mes próximo,* **la habitación que me tenía reservada para el ...** *de este mes, del mes próximo.*

Le ruego, tome nota de esta rectificación que me veo precisado hacer, y pidiéndole disculpas por las molestias que ello le origine, se reitera de Vd. afmo. s. s.

Dear Sirs:

Due to unforeseen circumstances, I shall not be able to use the room currently reserved for me for the (day/s) of *this, next* month, until the (day/s) of *this, next* month.

Please take note of this and change my reservation accordingly.

Thanking you for all your attention, and trusting that you will forgive any bother this might cause you, I remain,

Yours faithfully,

Señores:

Sírvase reservarme para el ... *del corriente, del mes próximo,* **una habitación con** *una cama, dos camas, cama de matrimonio,* **con cuarto de baño.**

Llegaré *en automóvil, en avión vuelo ... de la Compañía ...*

Gracias anticipadas de su afmo. s. s.

Dear Sirs:

Please reserve for me, for the (day/s) of *this, next* month, one room with *a single bed, two single beds, a double bed* and bath.

I will be arriving by *car, plane* (airline company) *flight* (number).

Thanking you for your attention, I remain,

Yours sincerely,

Señores:

Deseo desplazarme a esa localidad con fecha ...

Sírvase indicarme el precio de la pensión completa para *dos, tres, cuatro, seis* **personas, y** *una, dos, tres* **habitaciones que se comuniquen, y una de ellas con cuarto de baño.**

Sírvase contestar a ...

Queda en espera de su contestación afmo. s. s.

Dears Sirs:

I am planning a trip to your city on the (date).

Please inform me of your prices for full board for *two, three, four* and *six* persons and *one, two* and *three* communicating rooms, one of which should have a bath.

Kindly reply to ...

Thanking you for your attention, I remain,

Yours sincerely,

Señores:

Siento mucho comunicarle, que por motivos imprevistos no puedo utilizar la habitación que usted me ha reservado para el ... *del corriente, del mes próximo,* **y por lo tanto puede usted disponer de ella.**

Le saluda atentamente,

Dear Sirs:

I regret to inform you that, owing to unforeseen circumstances, I shall be unable to use the room you so kindly reserved for me for the (day/s) of *this, next* month, and therefore request you to cancel my reservation.

Thanking you for your attention, I remain,

Yours faithfully,

Señores:

Le ruego me informe *telegráficamente, a vuelta de correo,* **si para el ...** *del corriente, del mes próximo,* **podré disponer de la habitación que usted me ha reservado para el ...** *del corriente, del mes próximo,* **esto es, con ... días de anticipación.**

Confiando en que su respuesta será afirmativa, le anticipo gracias, y le saludo atentamente.

Dear Sirs:

Please notify me by *cable, return mail* whether I can have, for the (day/s) of *this, next* month, the room which is currently reserved for me for the (day/s) of *this, next* month, i. e., ... days earlier than planned.

Trusting that this will indeed be possible, and thanking you for your cooperation, I remain,

Yours sincerely,

Por telegrama

Hotel ...

Reserve para ... *corriente, próximo* **habitación** *una cama, dos camas, cama de matrimonio.*

... Hotel

Reserve for (date/s) inst, next room single, *two* single, *double* bed/s.

Imposible utilizar antes del ... habitación solicitada para ... *corriente, próximo.*

Room booked for (date/s) *this, next* not free until.

Reserve para el ... *del corriente, próximo* **habitación con cuarto de baño,** *una cama, dos camas, cama de matrimonio.*

Reserve for (date/s) *inst,* next room with bathroom single, *two* single, double bed/s.

Indique próximo correo precio habitación *dos camas, cama matrimonio* **con cuarto baño y habitación contigua** *una cama, dos camas.*

State return mail price room single, *two* single, *double* bed/s with bath and communicating room sinble, two single bed/s.

Indique vuelta correo precio pensión completa *tres, cuatro, cinco, seis* **personas,** *dos, tres* **habitaciones, comunicación con cuarto de baño en** *una, dos* **habitaciones.**

State by return mail price full board *three, four, five, six* persons *two, three* rooms communicating bath in *one, two* room/s.

Abreviaturas inglesas

A. B. (U. S.). Bachelor of Arts.
a. c. alternating current.
a/c. account.
acc(t). account.
ack(n). acknowledge(d).
ad(vt). advertisement.
add(r). address.
A. G. M. Annual General Meeting.
a. m. *ante meridiem,* before noon.
appro. approval.
Apr. April.
arr. arrival; arrives.
assoc. associate; association.
Aug. August.
Av(e). Avenue.
b & b. bed and breakfast.
B. A. (G. B.). Bachelor of Arts; British Airways.
B. B. C. British Broadcasting Corporation.
B. M. British Museum.
B. M. A. British Medical Association.
Brig. Brigadier.
Brit. Britain, British.
B. S. (U. S.). Bachelor of Science.
B. Sc. (G. B.). Bachelor of Science.
Bt.; **Bart.** Baronet.
C. Centigrade; (Roman) 100.
c. cent(s); century; *circa* about; cubic.
Capt. Captain.
Card. Cardinal.
Cath. Catholic.
C. B. S. (U. S.). Columbia Broadcasting System.
c. c. cubic centimetre(s).
cc. *capita* chapters; centuries.

C. D. *Corps Diplomatiqûe,* Diplomatic Service.
Cdr. Commader.
Cdre. Commodore.
CENTO. Central Treaty Organisation.
cg. centigram.
c. h. central heating.
ch(ap). chapter.
Ch. B. Bachelor of Surgery.
C. I. A. (U. S.). Central Intelligende Agency.
C. I. D. (G. B.). Criminal Investigation Department.
c. i. f. cost, insurance, freight.
cm. centimetre(s).
Co. (comm.) Company.
C. O. Commanding Officer.
c/o. care of.
C. O. D. Cash on Delivery.
C. of E. Church of England.
Col. Colonel.
Coll. College
concl. concluded; conclusion.
Cons. (G. B.). Conservative (political party).
Co-op. Co-operative (Society).
Corp. Corporation.
Cpl. Corporal.
c. p. s. cycles per second.
Cres(c). Crescent.
cu. cubic.
cwt. hundredweight.
d. *denarius,* penny; died.
D-day. Day on which a course of action is planned to start.
D. A. (U. S.). District Attorney.
dbl. double.
D. C. (U. S.). District of Columbia.
Dec. December.
dec. deceased.
deg. degree(s).
Dem. Democrat.

Dept. Department.
Dip. Diploma.
Dir. Director.
D. J. Dinner jacket; disc jockey.
D. Litt. Doctor of Letters/Literature.
D. N. A. *deoxyribonucleic acid* basic constituent of the gene.
doz. dozen.
D. Phil. Doctor of Philosophy.
D. Sc. Doctor of Science.
E. E. C. European Economic Community (the Common Market).
EFTA. European Free Trade Association.
e. g. *exempli gratia,* for example, for instance.
encl. enclosed.
Eng. Engineer(ing); England; English.
E. R. *Elizabeth Regina,* Queen Elizabeth.
Esq. Esquire.
E. S. T. (U. S.). Eastern Standard Time.
e. t. a. estimated time of arrival.
etc.; & c. *et cetera* and the rest, and all the others.
eve. evening.
excl. excluding; exclusive.
ext. exterior; external.
F. Fahrenheit; Fellow.
f. foot; feet; female; feminine.
F. A. O. Food and Agriculture Organisation.
F. B. A. Fellow of the British Academy.
F. B. I. (U. S.). Federal Bureau of Investigation; Federation of British Industries.
Feb. February.
F. M. Frequency Modulation.
F. O. (G. B.). Foreign Office.
f. o. b. free on board.
fol(l). following.
for. foreign.
Fri. Friday.
F. R. S. Fellow of the Royal Society.

fh. foot; feet.
fur. furlong(s).
furn. furnished.
gal(l). gallon(s).
GATT. General Agreement on Tariffs and Trade.
G. B. Great Britain.
G. C. George Cross.
G. C. E. (G. B.). General Certificate of Education.
Gen. General.
G. H. Q. General Headquarters.
G. I. (U. S.). enlisted soldier.
G. L. C. Greater London Council.
G. M. General Manager.
G. N. P. Gross National Product.
gov(t). government.
G. P. General Practitioner (Medical Doctor).
G. P. O. General Post Office.
h. & c. hot and cold (water).
H. E. High explosive; His/Her Excellency; His Eminence.
H. F. High Frequency.
H. M. His/Her Majesty.
H. M. S. His/Her Majesty's Ship.
H. of C. House of Commons.
H. of L. House of Lords.
Hon. Honorary; Honourable.
hosp. hospital.
H. P. Hire Purchase; Horse Power.
H. Q. Headquarters.
h. hour(s).
H. R. H. His/Her Royal Highness.
I. C. B. M. Inter-Continental Ballistic Missile.
i. e. *id est,* which is to say, in other words.
I. M. F. International Monetary Fund.
in. inch(es).
Inc. Incorporated.
Inst. Institute.
Jan. January.

Jnr.; **Jr.** Junior.
Jul. July.
Jun. June; Junior.
K. O. knock-out.
Lab. (G. B.). Labour (political party).
Ld. Lord.
l. h. left hand.
Lib. (G. B.). Liberal (political party); Liberation.
LL. B. Bachelor of Laws.
L. T. (U. S.). Local Time.
L. P. long-playing (record).
£ s. d. *librae, solidi, denarii* pounds, shillings, pence.
L. S. T. (U. S.). Local Standard Time.
Lt. Lieutenant.
Ltd. Limited.
lux. luxury.
M. A. Master of Arts.
Maj. Major.
Mans. Mansions.
Mar. March.
math. (U. S.). mathematics.
maths. (G. B.). mathematics.
max. maximum.
M. B. Bachelor of Medicine.
M. C. (U. S.). Marine Corps; Master of Ceremonies; (U. S.). Member of Congress; Military Cross.
M. D. Doctor of Medicine.
Mgr. Monsignor.
min. minimum.
misc. miscellaneous.
mkt. market.
M. O. Mail Order; Medical Officer; Money Order.
Mon. Monday.
M. P. Member of Parliament (House of Commons); Military Police.
MS(S). manuscript(s).
M. Sc. Master of Science.
nat. national; native; natural.

NATO. North Atlantic Treaty Organisation.
N. B. *nota bene,* take special note of.
N. C. O. Non-Commissioned Officer.
N. H. S. (G. B.) National Health Service.
N. N. E. north northeast.
N. N. W. north northwest.
no(s). number(s).
Nov. November.
nr. near.
N. S. P. C. C. (G. B.). National Society for the Prevention of Cruelty to Children.
N. T. New Testament.
O. A. U. Organisation for African Unity.
ob. *obiit,* died.
Oct. October.
O. H. M. S. (G. B.). On Her/His Majesty's Service
O. P. E. C. Organisation of Petroleum Exporting Countries.
orch. orchestra(l); orchestrated.
oz. ounce(s).
p. page; penny, pence; per.
p. a. *per annum,* per year.
P. A. Personal Assistant; Press Association; Public Address (System).
P. A. Y. E. pay as you earn.
P. C. Police Constable; (G. B.) Privy Councillor; (U. S.) Peace Corps.
pd. paid.
PEN. International Association of Writers.
Ph. D. Doctor of Philosophy.
P. M. Prime Minister.
p. m. *post meridiem,* after noon; per month.
P. O. E. Port of Entry.
P. O. W. Prisoner of War.
P. P. S. *post postscriptum,* additional postscript.
pr. pair; price.
Prof. Professor.
Ps. Psalm.

P. S. T. (U. S.). Pacific Standard Time.
Pte. (G. B.). Private (soldier).
Pvt. (U. S.). Private (soldier).
P. X. please exchange; post exchange (U. S. equivalent of NAAFI).
Q. C. Queen's Counsel.
qt. quart.
Qu. Queen; Question.
R. A. Rear-Admiral; Royal Academy; Royal Academician.
R. A. F. Royal Air Force.
R. C. Red Cross; Roman Catholic.
R. C. M. Royal College of Music.
Rd. Road.
rec(d). received.
Rep. Repertory; Representative; Republic(an).
Rev(d). Reverend.
R. I. P. *requiescat/requiescant in pace,* may he/they rest in peace.
R. S. M. Regimental Sergeant Major; Royal Schools of Music.
SALT. Strategic Arms Limitation Talks.
Sat. Saturday.
sc. *scilicet,* namely.
Sch. School.
sci. science.
S. E. southeast.
SEATO. South East Asia Treaty Organisation.
Sept. September.
S. F. Science Fiction.
sgd. signed.
Sgt. Sergeant.
SHAPE. Supreme Headquarters of Allied Powers in Europe.
Soc. Society.
Sol. Solicitor.
Sq. Square.
S. R. N. State Registered Nurse.

S. S. Steamship.
S. S. E. South southeast.
S. S. W. south southwest.
St. Saint; Street.
Sta. Station.
S. T. D. subscriber trunk dialling (telephone).
Str. Strait; Street.
Sun. Sunday.
Supt. Superintendent.
Tech. Technical (College).
Thurs. Thursday.
T. N. T. (*T*ri-*n*itro-*t*oluene) explosive.
T. U. Trade Union.
T. U. C. (G. B.). Trades Union Congress.
Tues. Tuesday.
T. V. television.
UFO. unidentified flying object.
U. H. F. ultra high frequency.
U. K. United Kingdom.
U. N. United Nations.
UNESCO. United Nations Educational, Scientific and Cultural Organisation.
UNICEF. United Nations Children's Fund.
UNO. United Nations Organisation.
UNRWA. United Nations Relief and Works Agency.
U. S. United States.
U. S. A. United States of America; United States Army.
U. S. A. F. United States Air Force.
V. A. Vice-Admiral.
V. & A. Victoria and Albert (Museum in London).
V. A. T. Value Added Tax.
V. C. Vice Chairman; Vice Chancellor; Vice Consul; Victoria Cross; Vietcong.
V. D. Venereal Disease.
Ven. Venerable.
V. H. F. very high frequency.
V. I. P. very important person.

V. P(res). Vice-President.
vs. versus.
w. c. water closet.
W. C. C. World Council of Churches.
W. H. O. World Health Organization.
W. I. West Indian; West Indies; Women's Institute.
wk. week; work.
Wm. William.
W. N. W. west northwest.
W. O. Warrant Officer.
w. p. b. waste paper basket.
w. p. m. words per minute.
W. R. A. C. Women's Royal Army Corps.
W. R. A. F. Women's Royal Air Force.
W. R. N. S. Women's Royal Naval Service.
W. S. W. west southwest.
wt. weight.
Xmas. Christmas.
Y. Yen (Japanese currency).
Y. H. A. Youth Hostels Association.
Y. M. C. A. Young Men's Christian Association.

Nombres de personas

Adelaide. Adelaida.
Adeline. Adelina.
Adrian. Adrián, Adriano.
Agatha. Ágata, Águeda.
Aggie. Ágata.
Agnes. Inés.
Alan. (Sin traducción).
Albert. Alberto (Bert).
Alexander. Alejandro.
Alfred. Alfredo.
Alice. Alicia.
Anddy. Andrés.
Andrew. Andrés.
Angela. Ángela.
Ann. Ana.
Anne. Ana.
Annie. Ana.
Anthony, Tony. Antonio.
Archibald. Archibaldo.
Archie. Archibaldo.
Arthur. Arturo.
Bab. Bárbara.
Barbara. Bárbara.
Bart. Bartolomé.
Bartholomew. Bartolomé.
Basil. Basilio.
Beatrice. Beatriz.
Beattie. Beatriz.
Belinda. Belinda.
Belle. Benita.
Ben. Benjamín.
Benjamin. Benjamín.
Bernard. Bernardo.
Bernei. Bernardo.
Bert. Edilberto, Heriberto.
Bill. Guillermo.
Billy. Guillermo.
Bob. Roberto.
Bobby. Roberto.
Brian. (Sin traducción).
Carol. Carolina.
Caroline. Carolina.
Carry. Carlota.
Catherine. Catalina.
Cathy. Catalina.
Cecilia. Cecilia.
Ceryl. Cirilo.
Cesil. Cecilio.
Charles. Carlos.
Charlie. Carlos.
Charlotte. Carlota.
Chris. Cristina, Cristóbal.
Christine. Cristina.
Cristopher. Cristóbal.
Cicely. Cecilia.
Cissie. Cecilia.
Clara. Clara.
Clare. Clara.
Clarence. Clarencio.
Conrad. Conrado.
Cyn. Cintia.
Cynthia. Cintia.
Dan. Daniel.
Daniel. Daniel.
Danny. Daniel.
Daisy. Margarita.

Names

Dave. David.
David. David.
Debbie. Débora.
Deborah. Débora.
Denis. Dionisio.
Di. Diana.
Diana. Diana.
Dick. Ricardo.
Don. (Sin traducción).
Donald. (Sin traducción).
Doris. Doris.
Dorothy. Dorotea.
Edgar. Edgar.
Ed. Eduardo.
Eddy. Eduardo.
Edward. Eduardo.
Eileen. Helen.
Elisabeth. Isabel.
Emily. Emilia.
Eric. Erico.
Ernest. Ernesto.
Ernnie. Ernesto.
Ethel. Edelmira.
Ethelbert. Edilberto.
Esther. Ester.
Eve. Eva.
Ferdinand. Fernando.
Flora. Flora.
Fran. Francisca.
Frances. Francisca.
Francis. Francisco.
Frank. Francisco.
Fred. Federico.
Fredie. Fernando.
Frederick. Federico.
Gabriel. Gabriel.
Gabrielle. Gabriela.
Gaby. Gabriela.
Gay. Gabriel.
Geoff. Godofredo.
Geoffrey. Godofredo.
Gerald. Gerardo.
Geraldine. Geraldina.
Gerry. Gerardo, Geraldina.
Gilbert. Gilberto.
Gladys. Claudia.
Grace. Gracia.
Gracie. Gracia.
Greg. Gregorio.
Gregory. Gregorio.
Harold. (Sin traducción).
Harry. Enrique.
Hazel. (Sin traducción).
Helen. Elena.
Henrietta. Enriqueta.
Henry. Enrique.
Herbert. Heriberto.
Hilda. Hilda.
Horace. Horacio.
Hubert. Humberto.
Hugh. Hugo.
Ida. Aida.
Irene. Irene.
Jack. Juan.
Jackie. Jacoba.
Jacqueline. Jacoba.
James. Jaime.
Jane. Juana.
Jean. Juan.
Jennifer. Genoveva.
Jennie. Genoveva.
Jim. Jaime.
Jimmy. Jaime.
Joan. Juan.
Jo. Josefina.
Joe. Jose.

John. Juan.
Johnny. Juan.
Joseph. José.
Josephine. Josefina.
Judith. Judith.
Julia. Julia.
Julie. Julia.
Katharine. Catalina.
Kate. Catalina.
Kathleen. Catalina.
Ken. (Sin traducción).
Kenneth. (Sin traducción).
Laura. Laura.
Laurence. Lorenzo.
Lawrence. Lorenzo.
Larry. Lorenzo.
Len. Leonardo.
Lennard. Leonardo.
Leonard. Leonardo.
Les. (Sin traducción).
Leslie. (Sin traducción).
Lewis. Luis.
Liz. Isabel.
Lizzy. Isabel.
Louise. Luisa.
Lucy. Lucía.
Mabel. Amabel.
Madeleine. Madalena.
Madge. Margarita.
Maggie. Margarita.
Margaret. Margarita.
Mark. Marcos.
Martha. Marta.
Martin. Martín.
Mary. María.
Matilda. Matilde.
Matt. Mateo.
Matthew. Mateo.
Maud. Matilde.
Maureen. Maura.
Maurice. Mauricio.
May. María.
Michael. Miguel.
Miriam. Mariana.
Mike. Miguel.
Molly. María.
Monica. Mónica.
Nancy. (Sin traducción).
Nicholas. Nicolás.
Nicky. Nicolás.
Norah. Nora.
Normand. Normando.
Oliver. Oliverio.
Olivia. Olivia.
Oswald. Osvaldo.
Paggie. Margarita.
Pat. Patricio.
Patrick. Patricio.
Paul. Pablo.
Pete. Pedro.
Peter. Pedro.
Phil. Felipe.
Philip. Felipe.
Polly. María.
Rachel. Raquel.
Ralph. Rodolfo.
Raphael. Rafael.
Ray. Raymundo.
Raymond. Raimundo.
Ron. Renaldo.
Ronald. Renaldo.
Ronnie. Renaldo.
Richard. Ricardo.
Robert. Roberto.
Roger. Rogelio.
Roland. Rolando.

Rosalind. Rosalinda.
Rose. Rosa.
Rosemary. Rosa María.
Rosie. Rosa.
Ruth. Ruth.
Sarah. Sara.
Sheila. Celia.
Sophie. Sofía.
Stephanie. Estefanía.
Stephen. Esteban.
Susan. Susana.
Sussy. Susana.
Sylvia. Silvia.
Ted. Eduardo.
Teddy. Eduardo.
Thommy. Tomás.
Thomas. Tomás.
Tim. Timoteo.
Timothy. Timoteo.
Tom. Tomás.
Vicky. Victoria.
Victoria. Victoria.
Vincent. Vicente.
Violet. Violeta.
Vivien. Viviana.
Walter.
Will. Guillermo.
William. Guillermo.

Gramática inglesa
English grammar

REGLAS DE PRONUNCIACIÓN

Letra	Pronunciación	Observaciones	Ejemplos
a	ei	Cuando es tónica a final de sílaba o seguida de consonante y *e* muda	*fate (féit),* hado *agent (eidchent),* agente
		Antes de *mb, nci, ng* y *ste*	*chamber (chéimba),* cámara *ancient (einchent),* antiguo *change (chéinch),* cambio *waste (ueist),* devastar
	o	Antes de *l* o *ll* y antes	*already (olréide),* ya *law (loo),* ley *water (uótâ),* agua
	a	Antes de *r*	*jar (fáa),* lejos
e	i	Cuando es tónica a final de sílaba o seguida de consonante y *e* muda	*scene (siin),* escene *me (mi),* mí *the (dzi),* el
	e	En las demás palabras unas veces suena como *e* abierta y otras como *e* cerrada francesa	
i	ai	Cuando es tónica a final de sílaba o seguida de consonante y *e* muda	*wine (uáin),* vino *idol (áido),* ídolo
		Antes de *gh, ght, gn, ld, nd*	*high (jái),* alto *night (náit),* noche *sign (sáin),* signo
	i	Cuando no va seguida de *é* muda	*pin (pin),* alfiler *fin (fin),* aleta

Letra	Pronunciación	Observaciones	Ejemplos
i	ai	En algunos monosílabos y en las voces en que procede a una o más consonantes seguidas de *e* muda	*i (ái),* yo *high (jái),* alto
	œ francesa	Cuando va seguida de *r*	*sir (ser),* señor *first (féest),* primero
o	ou	Cuando es tónica a final de sílaba o seguida de consonante y *e* muda	*vote (vout),* voto *open (oupen),* abrir
		Antes de *ld, lt, st*	*bold (bould),* osado *bolt (boult),* cerrojo
	o	Cuando no va seguida de *e* muda	*boy (bói),* muchacho *toy (tói),* juguete
	œ francesa	En las palabras de más de una sílaba (y la representaremos por ô en el vocabulario)	*admiration (edmireischôn),* admiración
	u	En algunos casos como	*who (ju),* quien *whom (jun),* quien *whose (jús),* cuyo *to (tú),* a o para *do (du),* hacer *wolf (úlf),* lobo *woman (úman),* mujer
		En los siguientes verbos	*to prove (tu prúv),* probar *to move (tu múv),* mover *to lose (tu lús),* perder
u	iu	Cuando es tónica a final de sílaba o seguida de consonante y *e* muda	*tune (túin),* tono *usual (iúsual),* usual

Letra	Pronunciación	Observaciones	Ejemplos
u	u	En las siguientes palabras	*rul (rul)* regla *bull (bul),* toro *crude (krúd),* crudo *put (put),* poner *true (trú),* verdadero
	iú	Al final de sílaba fuerte y cuando precede a consonante seguida de *e* muda	*pupil (piúpil),* alumno *tube (tiúb),* tubo *duty (diúty),* deber
	i	En algunas palabras como	*busy (bisi),* ocupar *building (bilding),* edificio
ai	ei		*praise (préis),* alabanza
ay	ei		*day (déi),* día
au	ó		*daughter (dótâ),* hija *law (lóo),* ley
ea	ii		*meat (miit),* carne
	e	Seguida de *d*	*bread (bred),* pan
ee	ii		*meeting (miiting),* reunión
eo	i		*people (pipêl),* gente
ei **ey**	ei		*vein (vein),* vena *obey (oubéi),* obedecer
eau **ew**	iú		*beauty (biúti),* belleza *news (niús),* noticias
oi **oy**	oi		*noise (nóis),* ruido *boy (bói),* muchacho

Letra	Pronunciación	Observaciones	Ejemplos
oo	ú		
ou **ow**	áu		*house (jáus),* casa *town (táun),* ciudad
ui	iú		*suit (siút),* vestido
c	s	Ante *e, i, y*	*centre (sénta),* centro *city (síti),* ciudad *cypress (sáipres),* ciprés
ch	ch francesa		*charlatan (schaalaten),* charlatán *chaise (scheis),* silla
g	k	En palabras de origen griego	*monarch, epoch*
	gue, gui	Seguida de *e, i*	*get (guet),* obtener *give (guiv),* dar
	dch	En voces francesas y clásicas	*gentleman (dchéntelman),* caballero
gh	g	A principio de palabra A fin de sílaba seguida o no de *t* es muda	*ghos (gost),* espíritu *nigh (nai),* cerca *night (náit),* noche
	f	En los siguientes vocablos	*rough (ráf),* áspero *tough (tóf),* duro *trough (tróf),* artesa *laugh (láf),* reír *draught (dráft),* trago *cough (cóf),* tos *enough (ináf),* bastante
j	dch		*James (dcheíms),* Jaime *join (dchóin),* juntar
ph	f		*Joseph (dchósef),* José

Letra	Pronunciación	Observaciones	Ejemplos
th	t	Suena unas veces como *t*, otras	*the (dzi),* el
	dz	como *dz* y otras como *z* española	*with (uiz),* con
t	sch	Cuando va seguida de *i* y especialmente en terminación *tion*	*admiration (edmireschôn),* admiración
v	z	Tiene el sonido labiodental fuerte	*leaves (lívs),* hojas *vine (vain),* viña
s		Al principio de palabra	*xerez (sires),* jerez
	gs	Cuando va entre vocales	*exempt (egsémpt),* exento
	ks	En los demás casos	*box (boks),* caja
y	y	Tiene el sonido fricativo de la *y* española al principio de palabra o cuando precede a vocal	*year (yer),* año *yes (yes),* sí
	ai	Cuando es acentuada en medio o a fin de dicción	*type (táip),* tipo *why (juái),* por qué

- Ciertos sonidos que no existen en castellano los transcribimos de la siguiente manera:

ä para indicar la *a* abierta entre la *a* y la *e* españolas
œ para indicar el sonido indeterminado de *œ* en francés
z para expresar la *s* de *esbelto* o *esmero*
dh
dz para expresar al *d* final suave: *Madrid*

- Las consonantes suenan en general igual que en castellano, salvo en los casos arriba analizados.

ACENTUACIÓN

Acento gráfico

No existe en inglés. Lo conservan un reducido número de palabras procedentes de otros idiomas, como *café* (establecimiento en donde se toma *caffee*).

Acento prosódico

(*Stress* en inglés). Es muy fuerte y recae sobre la raíz:
– Los monosílabos tienen mayor fuerza que los españoles.
– Las palabras bisílabas muestran una especie de desequilibrio característico; es decir, la sílaba acentuada tiene una fuerza muy superior a la átona: **ta**.*ble*, **bro**.*ther*, **Lon**.*don*, *a*.**bove**.
– En inglés no existen palabras agudas. Pero sí deben pronunciarse como tales las palabras extranjeras que lo sean en el idioma de origen: *hotel, cigarette.*
– Con objeto de distinguir la raíz de la palabra, es de interés conocer bien el sistema de prefijos.
– En las palabras largas derivadas de una misma raíz se da el desplazamiento del acento prosódico: **pho**tograph, pho**to**grapher, photo**gra**phic.

ARTÍCULO

Artículo determinado

En inglés tiene una sola forma de artículo determinado:

the, el, la, lo, los, las:

The man, el hombre　　*The girls,* las niñas

– El artículo *The* no se contrae con ninguna preposición: *The door of the hall,* la puerta del vestíbulo.
– Se omite cuando se habla en sentido general:
a) delante de plurales: *boys like to play,* a los muchachos les gusta jugar.
b) delante de nombres de materia: *Glass is transparent,* el cristal es transparente.
c) delante de nombres abstractos: *Life is beautiful,* la vida es hermosa; pero, en cambio, *The life of Nelson,* la vida de Nelson.
d) con nombre propios y títulos seguidos de nombres: *King James,* el rey Jacobo.
e) No llevan artículo tampoco los nombres de las estaciones, idiomas, fiestas (tomados en sentido general) y deportes: *I speak Spanish,* hablo el español; *I like Spring,* me gusta la primavera; *can you play tennis?* ¿Sabes jugar al tenis?

Artículo indeterminado

El inglés tiene una sola forma de artículo indeterminado:

a, un, una:

a book, un libro *a table*, una mesa

– Adopta la forma *an* delante de palabras que empizan con sonido vocálico:

an apple, una manzana *an orange*, una naranja

– Existen, no obstante, palabras que empezando con vocal piden el artículo *a* por presentar esa vocal un sonido semivocálico: *a University*, una universidad; por el contrario, *hour* lleva el artículo *an* ya que este sustantivo es una de las pocas palabras inglesas con h muda.

– El plural o, si se quiere, la idea de varios, se expresa con los indefinidos *some* y *any*.

I see some boys, veo unos niños

– En general se corresponde el uso del artículo indeterminado en inglés y en castellano. Sin embargo, hay casos en que el castellano lo omite y el inglés no, como con nombres de religión, nacionalidad y profesión:

Charles is a doctor, Carlos es doctor
George is an Englishman, Jorge es inglés, *he is a catholic*, es católico

CONSTRUCCIÓN DE PALABRAS

Dada la especial estructura de las palabras inglesas y la frecuente derivación de las mismas es conveniente conocer tres elementos frecuentes en la formación de las palabras; el prefijo, la raíz y el sufijo, tanto si las palabras son de origen sajón como si son de origen latino o griego.

	PREFIJO	RAÍZ	SUFIJO	PALABRA
sajón	*un-*	*man-*	*ly*	*unmanly*
latino	*in-*	*cap-*	*able*	*incapable*
griego	*an-*	*arch-*	*y*	*anarchy*

Prefijos

Se emplean *antes* de las raíces o derivados modificando su significación, como:

con-vert	*per*-vert	re-vert
in-vert	*ad*-vert	*sub*-vert

— Prefijos sajones

	SIGNIFICA	COMO EN
a	*in, to, on;*	*afield, afloat*
be	*intensity*	*bespoke, besmear*
en	*to determine*	*enable*
em		*embitter*
for	*negation*	*forbid, forbear*
fore	*before*	*foretell, foretaste*
mis	*error*	*mistake, misconduct*
n	*not*	*never, non, nor, naught*
over	*above*	*overdone*
to	*this*	*to-day, to-night*
un	*not*	*undone, unfit*
under	*beneath*	*underdone*
up	*upwards*	*upturn*
with	*against* o *away*	*withsland, withhold*

— Prefijos latinos

a, ab, abs significando *from* o *away;* como en *avert, abhor*
ad (ac, af, al, an, etc.) significando *to;* como en *adhere, accede, affix*
ante significando *before;* como en *antedate*
bi, bis, significando *two;* como en *biped, bis-sextile*
circum, circu significando *about* o *around;* como en *circumspect, circulate*
con (co, cog, col, com, cor) significando with; como en *conjer, cognate, collect*
contra (counter) significando *against;* como en *contradict, counteract*
de significando *down;* como en *descend*
dis (di, dif) significando *asunder;* como en *dislodge, divide*
e (ex, ef) significando *out of;* como en *eject, exit, effect*
extra significando *beyond;* como en *extravagant*
ig (modificación de *in*) como en *ignoble*
im (modificación de *in*), como en *immoral, immense*
in (con un verbo) significando *in* o *into;* como en *invade*
in (con un adjetivo) significando *not;* como en *incorrect*
inter significando *between;* como en *intercede*
intro significando *within;* como en *introduce*
ob (oc, of, op) significando *against;* como en *obstruct, occur, oppose*
per significando *through;* como en *perspire*
post significando *after;* como en *postscript*
prae (pre) significando *before;* como en *preordain*
pro significando *forth;* como en *project*
praeter (preter) significando *beside* o *past;* como en *preternatural*
re significando *back* o *again;* como en *remit*
retro significando *backwards;* como en *retrograde*
se significando *aside;* como en *select*

sub (suc, suf, sur, su, etc.) significando *under;* como en *subject, succumb, suffer, surrender,* etc.
subter significando *underneath;* como en *subterfuge*
super significando *upon* o *above;* como en *superfluous*
trans (tra) significando *across;* como en *transmit*
ultra significando *beyond;* como en *ultramarine*

— *Prefijos griegos*

	SIGNIFICA	COMO EN
a o *an*	*not;*	*apathy, anarchy*
amphi	*both;*	*amphibious*
ana	*through;*	*analogy*
anti	*against;*	*antipodes, antipathy*
apo	*from;*	*apostle*
cata	*down;*	*cataract*
dia	*through;*	*diameter*
en	*in;*	*endemic*
em	*in;*	*emphasis*
epi	*upon;*	*epitaph*
ex	*out;*	*exodus*
hyper	*over;*	*hypercritical*
hypo	*under;*	*hypocritical*
meta	*change;*	*metamorphosis*
para	*beside;*	*paragraph*
peri	*around;*	*perimeter*
syl	*with;*	*syllabe*
sym	*with;*	*sympathy*
syn	*with;*	*syntax*

SUSTANTIVO. EL GÉNERO

● El género

— En inglés sólo tienen género, masculino o femenino, los nombres de personas y animales
— No se diferencia ni en el artículo ni en el adjetivo, que son invariables
— Los objetos, las cosas, no tienen género y les corresponden los pronombres neutros *it* y *they*
— Hay palabras que sirven indistintamente para masculino y femenino:

friend, amigo, amiga, *pupil,* alumno, alumna
teacher, profesor, profesora, *traveller,* viajero, viajera
baby, niño, niña, *child,* niño, niña
cousin, primo, prima

Determinación del género

– Se distingue el género empleando distinta palabra para el masculino que para el femenino:

father, padre | *mother,* madre | *boy,* niño | *girl,* niña
son, hijo | *daugther,* hija | *nephew,* sobrino | *niece,* sobrina
brother, hermano | *sister,* hermana | *king,* rey | *queen,* reina
man, hombre | *woman,* mujer

– También se pueden distinguir por medio de un sufijo *-ess,* añadido al masculino:

count, conde
poet, poeta
actor, actor
prince, príncipe
emperor, emperador
duke, duque
hero, héroe
tinger, tigre

countess, condesa
poetess, poetisa
actress, actriz
princess, princesa
empress, emperatriz
duchess, duquesa
heroine, heroína
tigress, tigresa

– Se puede distinguir, incluso, por medio de una palabra indicadora del sexo:

boy-scout, explorador
cock-sparrow, gorrión
man-servant, criado
girl-scout, exploradora
hen-sparrow, gorrión (hembra)
maid-servant, criada

SUSTANTIVO. EL NÚMERO

Plurales regulares

– el plural se forma añadiendo una **s** al singular: *dog, dogs; book, books; teacher, teachers*
– los nombres acabados en **o, s, ss, sh, ch** y **se,** forman el plural añadiendo la sílaba **es**: *tomato, tomatoes; brush, brushes; bus, buses,* etc.
– las palabras terminadas en **y** precedida de consonante, cambian **y** por **i** antes de añadir **-es**: *lady, ladies;* pero si va precedida de vocal sólo toma **s**: *day, days*
– hay doce nombres que cambian la **f** o **fe** final en **v** o **ve** antes de añadir **s**:

self (mismo) *selves*
calf (ternera) *calves*
shelf (estante) *shelves*
leaf (hoja) *leaves*
thief (ladrón) *thieves*
half (mitad) *halves*
wife (esposa) *wives*
life (vida) *lives*
knife (cuchillo) *knives*
wolf (lobo) *wolves*
loaf (pan) loaves
sheaf (gavilla) *sheaves*

● Plurales irregulares

— unos cuantos nombres añaden **en** al singular:

ox, buey	*oxen,* bueyes
child, niño	*children,* niños

— algunos nombres forman el plural cambiando la vocal interna y no toman sufijo:

man, hombre	*foot,* pie	*men,* hombres	*feet,* pies
woman, mujer	*tooth,* diente	*women,* mujeres	*teeth,* dientes
mouse, ratón	*goose,* ganso	*mice,* ratones	*geese,* gansos

— algunos nombres de animales no cambian en plural:

sheep, cordero *deer,* ciervo *cod,* bacalao *fish,* pez

— tampoco cambian algunas palabras con sentido colectivo:

people, gente *cattle,* ganado lanar *poultry,* aves de corral

— algunos nombres terminados en **s** se emplean indistintamente en singular y plural:

goods, géneros *news,* noticias *stairs,* escalera *thanks,* gracias

— Algunas palabras tienen un doble significado en plural aún cuando no cambie su forma:

colorer, colours, colores	*letter, letters,* letras
colours, la bandera	*letters,* cartas

● Casos especiales

— Los nombres abstractos no se emplean como tales en plural
— Algunos nombres de matería de estudio o ciencias suelen emplearse en plural, pero con el verbo en singular: *I studiy physics,* estudio física
— Los apellidos se emplean en plural cuando se refieren a varios miembros de la familia: *I have seen the Howards,* he visto a los Howard

ADJETIVOS CALIFICATIVOS

— son invariables:

a red car, un coche rojo *nice girls,* unas chicas simpáticas

— preceden al nombre al que califican:

clever boys, unos chicos listos *a red car,* un coche rojo

— el adjetivo atributivo sigue al verbo copulativo *to be:*

Peter is tall, Pedro es alto

— el sustantivo se usa a veces como adjetivo:

a rubber ball, una pelota de goma

— los participios pueden usarse como adjetivos:

a broken chair, una silla rota   *a bathing suit,* un traje de baño

COMPARATIVOS Y SUPERLATIVOS

● Comparativos

— *de igualdad*

as... as tan... como (afirm.)
not so... as no tan... como (neg.)

— *de superioridad*

Los monosílabos y los bisílabos terminados en sonido vocálico o con acento en la segunda sílaba forman el comparativo añadiendo **-er** al adjetivo: de **small, smaller,** de **dry, drier.**

Con los polisílabos se antepone **more** al adjetivo seguido de **than** (que)

— *de inferioridad*

se antepone **less** al adjetivo y se le pospone **than** (que)

● Superlativos

— los monosílabos y bisílabos añaden la terminación **est** al adjetivo:

You are the tallest?, ¿tú eres el más alto?

— los polisílabos anteponen **the most** al adjetivo:

This book is the most expensive, este libro es el más caro

— el superlativo de inferioridad se forma añadiendo **the less,** el menos

● Comparativos y superlativos irregulares

much (mucho) *more* — *the most*
many (muchos) *more* — *the most*
good (bueno) *better* — *the best*
bad (malo) *worse* — *the worst*
little (poco) *less* — *the least*

POSESIVOS

● Adjetivos

my, mi, mis
your, tu, tus; su, sus, de usted, de ustedes
his, su, sus (de él)
her, su, sus (de ella)
its, su, sus
our, nuestro, a, os, as
your, vuestro, a, os, as
their, su, sus (de ellos, de ellas)

– *its* es adjetivo posesivo para un solo poseedor que no tiene sexo aunque sí género gramatical: *its table,* su mesa, *its leaves,* sus hojas (de un árbol)
– El inglés usa el posesivo en vez del artículo delante de nombres de partes del cuerpo y de objetos particulares:

I have lost my book, he perdido el libro
I have hurt my finger, me he hecho daño en el dedo

● Pronombres

mine, mío, a, os, as
yours, tuyo, a, os, as, suyo (de usted)
his, suyo, a, os, as (de él)
hers, suyo, a, os, as (de ella)
its, suyo, a, os, as (neutro)
ours, nuestro, a, os, as
yours, vuestro, a, os, as (de usted)
theirs, suyo, a, os, as

– los pronombres se forman a partir de los adjetivos y se forman añadiendo una **s** al adjetivo, excepto en *my, mine,* y en los que ya tienen la **s** *(his, his)*
– el artículo que en castellano precede al posesivo, no se traduce al inglés:

this book is mine, este libro es el mío

● La posesión o genitivo sajón

– La posesión se expresa

por medio de **'s** añadida al sustantivo sin artículo.
La oración queda alterada de la siguiente forma:
poseedor + **'s** + cosa poseída (sin artículo)

My father's car is grey, el coche de mi padre es gris

– Si el nombre está en plural y termina en **s** se le añade únicamente el apóstrofo, de lo contrario **'s**:

this is my brothers' room, esta es la habitación de mis hermanos

– Este genitivo se usa únicamente con nombres que designan personas, animales o algunas instituciones o nombres personificados.

DEMOSTRATIVOS

● Como adjetivos

– el adjetivo demostrativo inglés sólo tiene dos formas, a diferencia del castellano que tiene tres (este, ese, aquel):

this, este, esta, *these,* estos, estas
that, ese, aquel, *those,* esos, esas, aquellos, aquellas

– los adjetivos demostrativos son los únicos que tienen plural:

this book	*these books*
that book	*those books*

– el adjetivo demostrativo concuerda con la cosa poseída en número:

this book *these pencils*

– cuando se quiere recalcar la idea expresada por *that* se emplea la expresión **that over there**

that house over there is mine, aquella casa es mía

● Como pronombres

– como pronombres tienen también las cuatro formas del adjetivo

this *that* *these* *those*

look at this, mira esto	*look at that,* mira eso
look at this one, mira éste, ésta	*look at that one,* mira ése, ésa
look at these, mira éstos, éstas	*look at those,* mira ésos, ésas

INDEFINIDOS

● Sólo adjetivos

no, ningún, ninguna

● Sólo pronombres

one	*one, another,* uno a otro
none, ninguno, ninguna	*each, other,* el uno... el otro

– *one* se utiliza como sujeto de oraciones impersonales: *one would think that,* uno pensaría que...
– *one* se usa también para sustantivar los adjetivos ya que éstos al no tener inflexiones de género y número no pueden sustantivarse simplemente con la adición del artículo como en español:

the good, el bien
the good one, el bueno, la buena
the good ones, los buenos

Adjetivos y pronombres

some, algún, algunos
someone, alguien
anyone, alguien
all, todos
each, cada uno
every, cada
either, algún, cualquiera (de los dos)
any, algún, algunos
others, otros
many, muchos
few, pocos
both, ambos
another, otro
neither, ningún
enough, suficiente

— generalmente el artículo indeterminado *a, an* hace el oficio de adjetivo indefinido
— *some* se utiliza en frases positivas; *any* en frases negativas e interrogativas
— respecto al adjetivo **no** debe tenerse en cuenta que en inglés las frases negativas pueden ejercer la negación ya en el verbo ya en el complemento:

I have not any friends, ya no tengo amigo alguno
I have no friends, yo (no) tengo ningún amigo

Formas compuestas

Las formas compuestas son derivadas de las formas anteriores

*some***one**, *any***one**, alguien
*every***one**, cada uno, todos
*no***one**, nadie
*some***body**, alguien
*any***body**, alguien
*every***body**, cada uno, todos
*no***body**, nadie
*some***thing**, algo, alguna cosa
*any***thing**, algo, alguna cosa
*every***thing**, todo, cada cosa
*no***thing**, nada

PRONOMBRES PERSONALES

Los pronombres personales adoptan formas distintas (como en castellano) según el oficio que desempeñan en la oración.

Como sujeto

I, yo
you, tú, usted
he, él
she, ella
it, ello (para cosas)
we, nosotros
you, vosotros, ustedes
they, ellos, ellas

— El sujeto se expresa siempre en inglés y precede al verbo:

I gave a watch, di un reloj

— Tan solo con el imperativo se suprime el pronombre, pues se sobreentiende que va dirigido a la persona o personas que escuchan:

Come here!, ¡ven aquí!

Como complemento

me, me, a mí	*us,* nos, a nosotros
you, te, a ti, a Vd.	*you,* os, a vosotros, a Vds.
him, le, a él	*them,* les, a ellos, a ellas
her, le, la, a ella	
it, lo	

– Cuando el verbo tiene dos complementos, generalmente la frase se construye de la siguiente manera: V+CD+to+CI o bien V+CI+CD

– El orden de los pronombres es fijo y es el siguiente: 1.°, sujeto; 2.°, complemento directo; 3.°, complemento indirecto:

I gave it to him, yo se lo di

PRONOMBRES RELATIVOS E INTERROGATIVOS

- Coinciden en sus formas, aunque no en sus funciones, los pronombres relativos e interrogativos: *that,* que; *which,* cual; *who,* quien; *whom,* a quien; *whose,* de quien; *what,* que

who, se refiere siempre a personas o a cosas personificadas
which, como relativo se refiere a cosas o animales
como interrogativo a personas o cosas
that, se refiere siempre a cosas
whose, como relativo se refiere a personas o cosas
como interrogativo se refiere a personas

Omisión del relativo

– cuando el relativo hace de complemento:

the book (that) I bought, el libro que compré

– si está regido por preposición, ésta puede ponerse al final y omitirse o no el relativo:

the place (that) we went to, el lugar al que marchamos

– Con **that**, la preposición se pone siempre al final:

I bought the book that you told me about,
compré el libro del que hablaste

EL VERBO

Observaciones generales

– el verbo inglés no tiene terminaciones especiales para las distintas personas exceptuando el sufijo **s** de la tecera persona del singular del presente de indicativo
– el verbo lleva siempre necesariamente un sujeto explícito
– el infinitivo está siempre precedido de **to**: *I want to come,* quiero venir. Este **to** no se traduce al español salvo cuando indica propósito o finalidad: *Pat came only to see me,* Pat vino sólo para verme

Verbos regulares

En inglés sólo existe una conjugación común a todos los verbos regulares, son aquellos que forman el *pasado* y el *participio pasado* añadiendo el sufijo **ed** al infinitivo: *live, lived, lived,* vivir.

Verbos irregulares

– son los que forman el pasado por cambio de la vocal de la raíz y el participio de pasado tiene formas distintas, tomando con frecuencia el sufijo **en** o **n** como terminación
– estos verbos irregulares pueden dividirse en cuatro clases:

Los que tienen tres formas distintas para el presente, pasado y participio de pasado
Los que tienen dos formas
Los que tienen una única forma
Los que son puramente irregulares

Participio de presente

En todos los verbos se forma el participio de presente añadiendo el sufijo **ing** al infinitivo.
– esta forma **ing** corresponde al infinitivo español utilizado como sustantivo: *speaking is easy but doing is difficult,* hablar es fácil, pero hacer es difícil
– se usa a veces formando parte de un tiempo verbal y equivale a nuestro gerundio: *he is speaking,* está hablando, habla
– esta forma en **ing** equivale a un adjetivo surgido del verbo: *dancing room,* sala de baile

Modos del verbo

– prácticamente el verbo inglés comprende tres modos: el indicativo, el imperativo y el infinitivo

– para sustituir al subjuntivo se emplea el indicativo con las conjunciones características.

TIEMPOS DEL VERBO

(Conjugados solamente en primera persona)

	Verbo regular	Verbo irregular
Presente		
Indefinido	*I love* (amo)	*I write*
Perfecto	*I have loved* (he amado)	*I have written*
Pasado		
Indefinido	*I loved* (amé, amaba)	*I wrote*
Perfecto	*I had loved* (había amado)	*I had written*
Futuro		
Indefinido	*I shall love* (amaré)	*I shall write*
Perfecto	*I shall have loved* (habré amado)	*I shall have written*
Condicional o Potencial		
Indefinido	*I should love* (amaría)	*I should write*
Perfecto	*I should have loved* (habría amado)	*I should have written*

Forma progresiva

I vrite	*I am writing*
I wrote	*I was writing*
I shall write	*I shall be writing*

La diferencia entre ambas formas es notable y puede inducir a error en los hablantes extranjeros. Normalmente el presente indefinido se refiere a acciones habituales. v. g.:

I write books	escribo libros
I speak english	hablo inglés
I live here	vivo aquí

Mientras que la forma progresiva se refiere a acciones que "se están desarrollando" en el momento de hablar, aún cuando pudieran quedar suspendidas por un largo tiempo.

I am writing a letter	estoy escribiendo una carta (escribo)
I am speaking german	estoy hablando alemán (hablo)

Presente y Pasado

El presente consiste en la repetición de la misma forma —coincidente con el infinitivo— a la que se le anteponen los pronombres. La tercera persona del singular añade una s.

PRESENTE DE *TO SING*

I sing	*we sing*
you sing	*you sing*
he sings	*they sing*

El único presente que se aparta de esta norma es el del verbo *to be,* el primero que conocen los estudiantes.

PRESENTE DE *TO BE*

I am	*we are*
you are	*you are*
he is	*they are*

El pasado no presenta ninguna variación en las personas.

PASADO DE *TO LIVE*

I lived	*we lived*
you lived	*you lived*
he lived	*they lived*

PASADO DE *TO SING*

I sang	*we sang*
you sang	*you sang*
he sang	*they sang*

También con la excepción del pasado de *to be.*

PASADO DE *TO BE*

I was	*we were*
you were	*you were*
he was	*they were*

Futuro Condicional

El futuro formado uniendo *shall* a las dos primeras personas y *will* a las cuatro restantes se llama futuro, pero por cuanto expresa exclusivamente una idea de futuridad invirtiendo las posiciones, o sea, utilizando *will* con *I* y *we* y *shall* con las demás, obtendremos los futuros modales, es decir, formas de futuro modificadas por otras funciones que la futuridad como pueden ser la intención, promesa y prohibición.

Futuro puro	Futuro modal
I shall go	*I will go* intención iré
you will go	*you shall go* promesa irás
he will go	*he shall go* promesa irá
we shall go	*we will go* intención iremos
you will go	*you shall go* promesa iréis
they will go	*they shall go* promesa irán

Para comprender la diferencia que introduce este futuro modal quizá sea útil anteponer —mentalmente— a la traducción española la fórmula "te aseguro que".

Como sea que la mayoría de futuros de primera persona corresponden a acciones que dependen de la voluntad de dicha primera persona, es más frecuente la forma *I will* que la forma *I shall* en contra de lo que puede inducir a creer la prioridad dada en la exposición al futuro puro.

En la conversación y en la escritura coloquial la diferencia queda anulada mediante el empleo de las contracciones *I'll, you'll, he'll...*

NÚMERO Y PERSONA.—Los verbos, como los pronombres, tienen *dos* números y *tres* personas. En la *segunda* persona del singular, se emplea el mismo pronombre nominativo que en la segunda persona plural, o sea, *you* (que indica *usted* y *ustedes*). El signo en la tercera persona singular del modo Indicativo, es el sufijo *-s;* v. gr.:

Singular	1. I love	2. you love	3. he, she, it, loves
Plural	1. we love	2. you love	3. they love

VERBOS AUXILIARES

● To have

— se usa para la formación de los tiempos compuestos de pasado

● Shall, will

— se usan para formar el futuro y sus pasados: **shall**, para las primeras personas de singular y plural; **will** para las demás
— en la forma interrogativa equivale a *¡quieres?*

● Should, would

— se usan para formar los condicionales: **should** para las primeras personas de singular y plural: **would** para las demás

TO HAVE = Tener, Haber

INDICATIVO

Presente	*Pret. perfecto*	*Futuro*	*Futuro perfecto*
I have	I have had	I shall have	I shall have had
you have	you have had	you will have	you will have had
he has	he has had	he will have	he will have had
we have	we have had	we shall have	we shall have had
you have	you have had	you will have	you will have had
they have	they have had	they will have	they will have had

Pasado	*Pret. plusc.*	*Condicional*	*Cond. perfecto*
I had	I had had	I should have	I should have had
you had	you had had	you would have	you would have had
he had	he had had	he would have	he would have had
we had	we had had	we should have	we should have had
you had	you had had	you would have	you would have had
they had	they had had	they would have	they would have had

	INTERROGATIVA	**NEGATIVA**
Presente:	have I?	I have not
Pasado:	had I?	I had not
Pret. perfecto:	have I had?	I have not had
Pret. plusc.:	had I had?	I had not had
Futuro:	shall I have?	I shall not have
Condicional:	should I have?	I should not have
Fut. perfecto:	shall I have had?	I shall not have had
Cond. perfecto:	should I have had?	I should not have had

Gerundio: having; **Part. presente**: having; **Part. pasado**: had

● Let

– se usa para la tercera persona del singular y plural y 1.ª del plural del imperativo

● To be

– se usa para la forma progresiva y la voz pasiva:

I am cating apples, estoy comiendo manzanas
Hamlet was written by Shakespeare,
Hamlet fue escrito por Shakespeare

● Do y did

– son auxiliares para las formas interrogativas y negativas

TO BE = Ser, Estar

INDICATIVO

Presente	*Pret. perfecto*	*Futuro*	*Futuro perfecto*
I am	I have been	I shall be	I shall have been
you are	you have been	you will be	you will have been
he is	he has been	he will be	he will have been
we are	we have been	we shall be	we shall have been
you are	you have been	you will be	you will have been
they are	they have been	they will be	they will have been

Pasado	*Pret. plusc.*	*Condicional*	*Cond. perfecto*
I was	I had been	I should be	I should have been
you were	you had been	you would be	you would have been
he was	he had been	he would be	he would have been
we were	we had been	we should be	we should have been
you were	you had been	you would be	you would have been
they were	they had been	they would be	they would have been

	INTERROGATIVA	**NEGATIVA**
Presente:	Am I?	I am not
Pasado:	was I?	I was not
Pret. perfecto:	have I been?	I have not been
Pret. plusc.:	had I been?	I had not been
Futuro:	shall I be?	I shall not be
Condicional:	should I be?	I should not be
Fut. perfecto:	shall I have been?	I shall not have been
Cond. perfecto:	should I have been?	I should not have been

Gerundio: being; **Part. presente**: being; **Part. pasado**: been

MODELO DE VERBO REGULAR

TO WORK = Trabajar

INDICATIVO

Presente	*Pasado*
I work	I worked
you work	you worked
he works	he worked
we work	we worked
you work	you worked
they work	they worked

Pret. perfecto	*Pret. plusc.*
I have worked	I had worked
you have worked	you had worked
he has worked	he had worked
we have worked	we had worked
you have worked	you had worked
they have worked	they had worked

Futuro	*Fut. perfecto*
I shall work	I shall have worked
you will work	you will have worked
he will work	he will have worked
we shall work	we shall have worked
you will work	you will have worked
they will work	they will have worked

Condicinal	*Cond. perfecto*	**Subjuntivo**
I should work	I should have worked	I work
you would work	you would have worked	you work
he would work	he would have worked	he work
we should work	we should have worked	we work
you would work	you would have worked	you work
they would work	they would have worked	they work

Subjuntivo pasado: if I worked, if you worked, etc. (todo igual)
Imperativo: Let me work, work, let him work, etc.
Part. pasado: worked; **Part. presente**: working; **Gerundio**: working

MODELO DE VERBO IRREGULAR

TO GIVE = Dar

INDICATIVO

Presente	*Pasado*
I give	I gave
you give	you gave
he gives	he gave
we give	we gave
you give	you gave
they give	they gave

Pret. perfecto	*Pret. plusc.*
I have given	I had given
you have given	you had given
he has given	he had given
we have given	we had given
you have given	you had given
they have given	they had given

Futuro	*Fut. perfecto*
I shall give	I shall have given
you will give	you will have given
he will give	he will have given
we shall give	we shall have given
you will give	you will have given
they will give	they will have given

Condicional	*Cond. perfecto*	**Subj. presente**
I should give	I should have given	I give
you would give	you would have given	you give
he would give	he would have given	he give
we should give	we should have given	we give
you would give	you would have given	you give
they would give	they would have given	they give

Subj. pasado: if I gave, if you gave, etc. (todo igual)
Imperativo: let me give, give, let him give, etc.
Part. pasado: given; **Part. presente**: giving; **Gerundio**: giving

MODELO DE VERBO. FORMA NEGATIVA

TO WORK = Trabajar

INDICATIVO

Presente	*Pret. perfecto*
I do not work	I have not worked
you do not work	you have not worked
he does not work	he has not worked
we do not work	we have not worked
you do not work	you have not worked
they do not work	they have not worked

Pasado	*Pret. plusc.*
I did not work	I had not worked
you did not work	you had not worked
he did not work	he had not worked
we did not work	we had not worked
you did not work	you had not worked
they did not work	they had not worked

Futuro	*Futuro perfecto*
I shall not work	I shall not have worked
you will not work	you will not have worked
he will not work	he will not have worked
we shall not work	we shall not have worked
you will not work	you will not have worked
they will not work	they will not have worked

Condicional	*Condicional perfecto*
I should not work	I should not have worked
you would not work	you would not have worked
he would not work	he would not have worked
we should not work	we should not have worked
you would not work	you would not have worked
they would not work	they would not have worked

Imperativo: do not work = no trabajes, no trabajéis.

MODELO DE VERBO. FORMA NEGATIVA

TO GIVE = Dar

INDICATIVO

Presente

I do not give
you do not give
he does not give
we do not give
you do not give
they do not give

Pret. perfecto

I have not given
you have not given
he has not given
we have not given
you have not given
they have not given

Pasado

I did not give
you did not give
he did not give
we did not give
you did not give
they did not give

Pret. plusc.

I had not given
you had not given
he had not given
we had not given
you had not given
they had not given

Futuro

I shall not give
you will not give
he will not give
we shall not give
you will not give
they will not give

Futuro perfecto

I shall not have given
you will not have given
he will not have given
we shall not have given
you will not have given
they will not have given

Condicional

I should not give
you would not give
he would not give
we should not give
you would not give
they would not give

Condicional perfecto

I should not have given
you would not have given
he would not have given
we should not have given
you would not have given
they would not have given

Imperativo: do not give = no des, no deis.

MODELO DE VERBO. FORMA INTERROGATIVA

TO WORK = Trabajar

INDICATIVO

Presente	*Pret. perfecto*
do I work?	have I worked?
do you work?	have you worked?
does he work?	has he worked?
do we work?	have we worked?
do you work?	have you worked?
do they work?	have they worked?

Pasado	*Pret. plusc.*
did I work?	had I worked?
did you work?	had you worked?
did he work?	had he worked?
did we work?	had we worked?
did you work?	had you worked?
did they work?	had they worked?

Futuro	*Futuro perfecto*
shall I work?	shall I have worked?
will you work?	will you have worked?
will he work?	will he have worked?
shall we work?	shall we have worked?
will you work?	will you have worked?
will they work?	will they have worked?

Condicional	*Cond. perfecto*
should I work?	should I have worked?
would you work?	would you have worked?
would he work?	would he have worked?
should we work?	should we have worked?
would you work?	would you have worked?
would they work?	would they have worked?

LA VOZ PASIVA

– se forma con el auxiliar *to be* y el participio pasado del verbo que se conjuga

– el complemento de la oración activa pasa a sujeto de la pasiva, y el sujeto de la activa se puede conservar como sujeto agente; como en castellano

– cuando un verbo tiene dos complementos se puede hacer dos estructuras de pasiva:

> *A book was sent to Tom by Mr. Smith*, un libro fue mandado a Tom por Mr. Smith
>
> Tom was sent a book by Mr. Smith

Esta última estructura no es posible en español.

MODELO DE VERBO. VOZ PASIVA

TO BE SEEN = Ser visto

La voz pasiva

Presente	*Pasado*
I am seen	I was seen
you are seen	you were seen
he is seen	he was seen
we are seen	we were seen
you are seen	you were seen
they are seen	they were seen

Pret. perfecto	*Futuro*
I have been seen	I shall be seen
you have been seen	you will be seen
he has been seen	he will be seen
we have been seen	we shall be seen
you have been seen	you will be seln
they have been seen	the will be seen

Pret. plusc.: I had been seen.

Condicional: I should be seen.

Futuro perf.: I shall have been seen.

Cond. perf.: I should have been seen.

VERBOS IRREGULARES

Infinitive	Past Tense	Past Participle
abide	abode, abided	abode, abided
arise	arose	arisen
awake	awoke	awaked, awoke
be	was	been
bear	bore	borne, born
beat	beat	beaten
become	became	become
befall	befell	befallen
beget	begot	begotten
begin	began	begun
behold	beheld	beheld
bend	bent	bent, bended
bereave	bereaved, bereft	bereaved, bereft
beseech	besought	besought
beset	beset	beset
bet	bet, betted	bet, betted
betake	betook	betaken
bethink	bethought	bethought
bid	bade, bid	bidden, bid
bide	bode, bided	bided
bind	bound	bound
bite	bit	bitten, bit
bleed	bled	bled
blend	blended, blent	blended, blent
bless	blessed, blest	blessed, blest
blow	blew	blown
break	broke	broken
breed	bred	bred
bring	brought	brought
broadcast	broadcast, broadcasted	broadcast, broadcasted
build	built	built
burn	burnt, burned	burnt, burned
burst	burst	burst
buy	bought	bought
cast	cast	cast
catch	caught	caught
chide	chid	chidden, chid
choose	chose	chosen
cleave	clove, cleft	cloven, cleft
cling	clung	clung
clothe	clothed	clothed
come	came	come
cost	cost	cost
creep	crept	crept

crow	crowed, crew	crowed
cut	cut	cut
dare	dared, durst	dared
deal	dealt	dealt
dig	dug	dug
dive	dived: (US) dove	dived
do	did	done
draw	drew	drawn
dream	dreamed, dreamt	dreamed, dreamt
drink	drank	drunk
drive	drove	driven
dwell	dwelt	dwelt
eat	ate	eaten
fall	fell	fallen
feed	fed	fed
feel	felt	felt
fight	fought	fought
find	found	found
flee	fled	fled
fling	flung	flung
fly	flew	flown
forbear	forbore	forborne
forbid	forbade, forbad	forbidden
forecast	forecast, forecasted	forecast, forecasted
foreknow	foreknew	foreknown
foresee	foresaw	foreseen
foretell	foretold	foretold
forget	forgot	forgotten
forgive	forgave	forgiven
forsake	forsook	forsaken
forswear	forswore	forsworn
freeze	froze	frozen
gainsay	gainsaid	gainsaid
get	got	got. (US) gotten
gild	gilded, gilt	gilded
gird	girded, girt	girded, girt
give	gave	given
go	went	gone
grave	graved	graven, graved
grind	ground	ground
grow	grew	grown
hamstring	hamstringed, hamstrung	hamstringed, hamstrung
hang	hung, hanged	hung, hanged
have	had	had
hear	heard	heard
heave	heaved, hove	heaved, hove
hew	hewed	hewed, hewn
hide	hid	hidden, hid
hit	hit	hit

hold	held	held
hurt	hurt	hurt
inlay	inlaid	inlaid
keep	kept	kept
kneel	knelt	knelt
knit	knitted, knit	knitted, knit
know	knew	known
lade	laded	laden
lay	laid	laid
lead	led	led
lean	leant, leaned	leant, leaned
leap	leapt, leaped	leapt, leaped
learn	learnt, learned	learnt, learned
leave	left	left
lend	lent	lent
let	let	let
lie	lay	lain
light	lighted, lit	lighted, lit
lose	lost	lost
make	made	made
mean	meant	meant
meet	met	met
melt	melted	melted, molten
miscast	miscast	miscast
misdeal	misdealt	misdealt
misgive	misgave	misgiven
mislay	mislaid	mislaid
mislead	misled	misled
misspell	misspelt	misspelt
misspend	misspent	misspent
mistake	mistook	mistaken
misunderstand	misunderstood	misunderstood
mow	mowed	mown, (US) mowed
outbid	outbade, outbid	outbidden, outbid
outdo	outdid	outdone
outgo	outwent	outgone
outgrow	outgrew	outgrown
outride	outrode	outridden
outrun	outran	outrun
outshine	outshone	outshone
overbear	overbore	overborne
overcast	overcast	overcast
overcome	overcame	overcome
overdo	overdid	overdone
overhang	overhung	overhung
overhear	overheard	overheard
overlay	overlaid	overlaid
overleap	overleapt, overleaped	overleapt, overleaped
overlie	overlay	overlain

override	overrode	overridden
overrun	overran	overrun
oversee	oversaw	overseen
overset	overset	overset
overshoot	overshot	overshot
oversleep	overslept	overslept
overtake	overtook	overtaken
overthrow	overthrew	overthrown
overwork	overworked	overworked, overwrought
partake	partook	partaken
pay	paid	paid
prove	proved	proved, proven
put	put	put
read	read/red/	read/red
rebind	rebound	rebound
rebuild	rebuilt	rebuilt
recast	recast	recast
redo	redid	redone
relay	relaid	relaid
remake	remade	remade
rend	rent	rent
repay	repaid	repaid
rerun	reran	rerun
reset	reset	reset
retell	retold	retold
rewrite	rewrote	rewritten
rid	rid, ridded	rid, ridded
ride	rode	ridden
ring	rang	rung
rise	rose	risen
rive	rived	riven, rived
run	ran	run
saw	sawed	sawn, (sawed)
say	said	said
see	saw	seen
seek	sought	sought
sell	sold	sold
send	sent	sent
set	set	set
sew	sewed	sewn, sewed
shake	shook	shaken
shave	shaved	shaved, shaven
shear	sheared	shorn, sheared
shed	shed	shed
shoe	shod	shod
shoot	shot	shot
show	showed	shown, showed
shred	shredded	shredded
shrink	shrank, shrunk	shrunk, shrunken

shrive	shrove, shrived	shriven, shrived
shut	shut	shut
sing	sang	sung
sink	sank	sunk, sunken
sit	sat	sat
slay	slew	slain
sleep	slept	slept
slide	slid	slid, slidden
sling	slung	slung
slink	slunk	slunk
slit	slit	slit
smell	smelt, smelled	smelt, smelled
smite	smote	smitten
sow	sowed	sown, sowed
spead	spoke	spoken
speed	sped, speeded	sped, speeded
spell	spelt, spelled	spelt, spelled
spend	spent	spent
spill	spilt, spilled	spilt, spilled
spin	spun, span	spun
spit	spat	spat
split	split	split
spoil	spoilt, spoiled	spoilt, spoiled
spread	spread	spread
spring	sprang	sprung
stand	stood	stood
stave	staved, stove	staved, stove
steal	stole	stolen
stick	stuck	stuck
sting	stung	stung
stink	stank, stunk	stunk
strew	strewed	strewn, strewed
stride	strode	stridden, strid
strike	struck	struck, stricken
string	strung	strung
strive	strove	striven
sunburn	sunburned, sunburnt	sunburned, sunburnt
swear	swore	sworn
sweep	swept	swept
swell	swelled	swollen, swelled
swim	swam	swum
swing	swung	swung
take	took	taken
teach	taught	taught
tear	tore	torn
tell	told	told
think	thought	thought
thrive	throve, thrived	thriven, thrived
throw	threw	thrown

thrust	thrust	thrust
tread	trod	trodden, trod
unbend	unbent	unbent
unbind	unbound	unbound
underbid	underbid	underbidden, underbid
undergo	underwent	undergone
understand	understood	understood
undertake	undertook	undertaken
undo	undid	undone
upset	upset	upset
wake	woke, waked	woken, waked
waylay	waylaid	waylaid
wear	wore	worn
weave	wove	woven, wove
wed	wedded	wedded, wed
weep	wept	wept
win	won	won
wind	winded, wound	winded, wound
withdraw	withdrew	withdrawn
withhold	withheld	withheld
withstand	withstood	withstood
work	wrought	wrought
wring	wrung	wrung
write	wrote	written

ADVERBIO

● Formación

Los advervios pueden ser:

– *primitivos* como:

in, dentro
out, fuera
inside, dentro
here, aquí
there, allí
near, cerca
above, sobre
below, debajo
where, donde
rather, bastante
for, para
late, tarde

early, temprano
ago, hace tiempo
soon, pronto
then, entonces
now, ahora
also, también
when, cuando
how, cómo
very, muy
often, a menudo
only, solamente
too, demasiado

almost, casi
little, poco
well, bien
ever, alguna vez
so, así
yes, sí
no, no
quite, bastante
still, todavía
yet, aún

– *derivados,* que son adverbios de modo formados, la mayor parte, de adjetivos o participios más el sufijo **-ly.**

Proudly, de *proud*	*diligently*, de *diligent*	*easly* de *easy*
richly, de *rich*	*opposedly*, de *opposed*	*prettily*, de *pretty*

Los adjetivos acabados en **ly** se emplean sin alteración como adverbios *(early, monthly, yearly)*; los acabados en **ll** añaden sólo **-y** *(fully,* de *full)*; los acabados en **-ue** pierden la **e** *(truly,* de *true)*; los acabados en **-le** cambian la **-e** en **-y** *(nobly,* de *noble).*

– *compuestos.* Formados de un sustantivo y un adjetivo: *Half-way, like-wise, mean-time, other-vise*; de la preposición **a** delante de un sustantivo, adjetivo o adverbio: *a-shore, a-foot, a-long.*

● Colocación

Los adverbios se colocan:

– Después del verbo, si éste va solo: *He came quickly*, vino deprisa

– Después del verbo y su complemento, pero si éste fuera corto puede anteponérsele: *He took his hat off and put his coat on*, Bill se quitó el sombrero y se puso el abrigo

– Antes del adjetivo: *Bill is very tall*, Bill es muy alto

– Si el verbo es compuesto, se pone entre el auxiliar y el verbo: *I have never been to England*, nunca he estado en Inglaterra

– Los adverbios *always, never, ever, sometimes, usually, seldom, often, scarcely*, se colocan antes del verbo: *He never writes*, nunca escribe

● Comparativos y superlativos

Forman el comparativo y el superlativo según el doble método seguido por los adjetivos:

– *soon, sooner, soonest,*

– *beautifully, nore beautifully, nost beautifully*

PREPOSICIÓN

● Principales preposiciones

-about, sobre	*over*, sobre	*with*, con
against, contra	*above*, sobre	*without*, sin
among, entre	*under*, debajo	*by*, por
near, cerca de	*after*, después	*for*, para

beside, junto a
until, hasta
till, hasta
at, a, en
to, a, hacia
on, encima de
up, arriba
across, a través
before, antes
behind, detrás
between, entre
from, de, desde
of, de
but, pero
in, en
into, dentro de

Uso de algunas preposiciones

- *To:* indica dirección hacia un lugar
- *at:* indica localización o posición
- *in:* indica situación en un lugar
- *into:* indica movimiento hacia un lugar
- *from:* indica origen, punto de partida
- *of:* se traduce por *de*, sin idea de movimiento
- *on:* indica posición, encima de, con contacto
- *over:* indica posición, encima, sin contacto
- *above:* indica superioridad física o moral
- *for:* indica finalidad, lapso de tiempo

CONJUNCIÓN

Podemos agrupar las conjunciones en coordinativas y subordinativas, entendiendo por coordinativas aquéllas que unen palabras u oraciones de la misma categoría y subordinativas, las que unen una oración principal y una subordinada.

Coordinativas

and, y
now, ahora bien
but, pero
still, yet, no obstante, sin embargo
only, sólo que
while, mientras
then, entonces
so, so then, así que, por tanto
for, pues
either... or, o... o
neither... nor, ni... ni
however, no obstante
therefore, por lo tanto
nevertheless, sin embargo

Subordinativas

That, que
because (of), porque
since, ya que, puesto que
as, pues como
so that, a fin de que
(al) though, aunque
wile, en tanto que
until, hasta que
as if, como si
when, cuando

lest, para (que) no
if, si
unless, a menos que
why, porque
in order that, a fin de que
whetcher... or, si... o

SIGNOS DE PUNTUACIÓN

● Interrogación y admiración

— no se usan los signos de interrogación y de admiración al principio de las cláusulas:

Where are you going? ¿a dónde vas?
Happy was the time when you were born! ¡Dichosa edad, en la que nacisteis!

● Signos de puntuación

— Reciben el nombre de

, comma	[] brakets
; semicolon	"" Cuotation o niverted commas
: Colon	— Dash
. Full stop	- Hyphen
? Mark interrogation	' apostrophe
! Mark exclamation	* asterisk
() Parenthesis	§ Paragrahp

NOTAS

NOTAS

NOTAS

NOTAS

NOTAS

NOTAS

NOTAS

NOTAS